Дозоры

Дозоры

Сергей Лукьяненко

Шестой Дозор

АСТ
Москва

УДК 821.161.1-312.9
ББК 84 (2Рос=Рус)6-44
Л84

Серия «Дозоры»

Художник А. Ферез

Лукьяненко, Сергей Васильевич.

Л84 Шестой Дозор : [фантаст. роман] / Сергей Васильевич Лукьяненко. — Москва: АСТ, 2015. — 381, [3] с. — (Дозоры).

ISBN 978-5-17-087844-4

Это последняя история о Светлом маге Антоне Городецком.

УДК 821.161.1-312.9
ББК 84 (2Рос=Рус)6-44

Данный текст обязателен для прочтения силами Света.

Ночной Дозор

Данный текст обязателен для прочтения силами Тьмы.

Дневной Дозор

Пролог

Пятнадцать лет — это большой срок.

За пятнадцать лет человек успевает родиться, потом учится ходить, говорить и пользоваться компьютером, потом — еще читать, считать и пользоваться унитазом, совсем потом — драться и влюбляться. А в завершение порой производит на свет новых людей или отправляет во тьму старых.

За пятнадцать лет убийцы проходят все круги ада в тюрьмах для особо опасных преступников — и выходят на свободу. Иногда — без капли тьмы в душе. Иногда — без капли света.

За пятнадцать лет самый обычный человек несколько раз радикально меняет свою жизнь. Уходит из семьи и заводит новую. Меняет две-три-четыре работы. Богатеет и становится нищим. Посещает Конго, где занимается контрабандой алмазов, — или селится в заброшенной деревушке в Псковской области и начинает разводить коз. Спивается, получает второе высшее образование, становится буддистом, начинает принимать наркотики, обучается пилотировать самолет, едет в Киев на Майдан, где получает дубинкой по лбу, после чего уходит в монастырь.

В общем, много чего может случиться за пятнадцать лет.

Если ты человек.

...Впрочем, если ты девочка пятнадцати лет от роду — то ты твердо знаешь, что ничего интересного с тобой не происходило.

Ну почти совсем ничего.

Оля Ялова, если бы кто-то сумел поговорить с ней по душам (еще лет пять назад это получилось бы у мамы, года три назад — у бабушки, но сейчас — ни у кого), рассказала бы про себя три интересные вещи.

Первая — как же она ненавидит свои имя и фамилию!

Оля Ялова! Нарочно не придумаешь!

В детстве ее дразнили «Оля-Яло», как девочек из старого-престарого детского фильма. Но это еще было ничего. В конце концов, фильм был хороший (по мнению семилетней Оли), на тех девочек-близняшек она даже немного походила. Оля-Яло? Ну и прекрасно.

А вот классе в четвертом кто-то из одноклассников... ну да уж, «кто-то»... хорошо, когда ты уже в десять лет — красавчик, блондин, отличник, родители богатые и тебя обожают, а фамилия твоя — Соколов... так вот, кто-то из одноклассников решает посмотреть в Интернете, какая фамилия что значит...

И ты узнаешь, что «Ялова» — это всего лишь корова без теленка. Бесплодная корова. И «бесплодная корова» становится твоим прозвищем с четвертого по шестой класс. Иногда сокращаясь до «коровы», иногда даже до «бэ-ка». И от обиды и слез ты начинаешь сидеть дома, читать книжки и лопать чай с печеньем — пока и в самом деле не обретаешь фигуру «коровы»...

Второе, что было главным в жизни Оли Яловой (или Оли-Яло, как она себя мысленно называла), — это хоккей. Настоящий хоккей с шайбой. Женский. Ну или девичий — в секцию она пошла совершенно случайно, когда однажды ей вдруг приснился мерзавец Соколов, перед которым она почему-то стоит совершенно голая, и красавчик Соколов (к тринадцати годам он стал высоким и уж совсем неприлично красивым мальчишкой) морщится, закрывает ладонью глаза и цедит сквозь зубы: «Корова...»

То ли время пришло, то ли хоккей был именно тем, что требовалось, — но весь лишний жир стек с Оли за полгода, а через год — в четырнадцать — она была звездой юношеской сборной России.

И внезапно оказалось, что под пухлыми щеками и толстыми бедрами пряталась высокая (к пятнадцати Оля перегнала всех в классе, а тренер, оглядев ее, мрачно сказал: «В баскетбол не отпущу!»), крепкая (ситуация-то была шутейная, ну, дурацкий спор вышел... но Оля и сама не заметила, как уронила двух одноклассников — и те, сидя на полу, испуганно смотрели на нее и боялись встать) девушка (именно девушка — выходя из душа, Оля бросала на себя взгляд в зеркало и улыбалась, потому что знала — никакой дурачок, чьего имени она и знать не хочет, при виде ее не зажмурится).

А третье, что было в жизни Оли главным, только должно было случиться. Засунув руки в карманы (был мороз, а перчатки надевать не хотелось), Оля шла мимо Олимпийского стадиона, за которым высились недостроенные минареты главной городской мечети, мимо небольшой православной церкви. Был ранний вечер, фонари горели вовсю, но народу на улицах было не много, несмотря на центр города. Отвыкла Москва от настоящих русских морозов, всего-то минус пятнадцать — а все разбегаются по домам или прячутся в машины...

Вот сейчас через улочку, в подземный переход, на другую сторону проспекта Мира. Там по переулку, где грохочут на путях трамваи, в высотный жилой дом с массивным стилобатом (три года запойного чтения книг не прошли даром, оставив в голове у Оли массу случайных слов и знаний). В этом доме жил мерзавец Соколов. Красавчик Соколов. Ее, и только ее, Олежка Соколов!

Они встречались уже полгода, но этого никто не знал. Ни в школе, ни в спортивной секции. И мама с бабушкой тоже не знали.

Как-то уж слишком долго Оля Ялова и Олег Соколов враждовали.

Но теперь... нет, не теперь... завтра Оля ничего скрывать уже не собиралась. Завтра они придут с Олегом в школу вместе.

Потому что сегодня она останется у него ночевать. Родители Олега в отъезде. Бабушка и мама уверены, что Оля после тренировки останется у подруги.

А она останется у Олега.

Они уже все решили. Раньше они только целовались... ну... в общем, тот вечер на последнем ряду в кино не считается, хоть Олег и дал волю рукам...

Теперь все будет серьезно. Им уже по пятнадцать лет, кому сказать, что еще не занимался сексом, — позор! Засмеют! Допустим, девчонки из команды не занимались, но у них просто времени и сил нет. А в школе сейчас столько занятий... Но вообще-то в пятнадцать лет девственников и девственниц практически нет.

Это Оля знала точно, потому что прочитала об этом в Интернете, а три года запойного чтения дают не только лишние знания, но и излишнюю веру в печатное слово.

Где-то в глубине души (которая сейчас, вероятно, пряталась в животе) у Оли бился маленький холодный страх. И даже сомнение.

Олежка ей нравился. И целоваться с ним было здорово. И обниматься. И... и хотелось большего. Она прекрасно знала, как все бывает... как должно быть... ну Интернет же...

И в общем-то Оле этого хотелось.

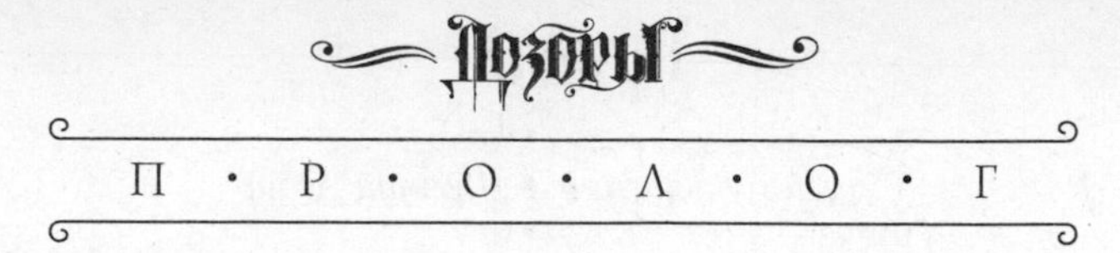

Она только не могла понять — сейчас или потом? С Олегом или с кем-то другим? Но она уже пообещала прийти. А Оля Ялова не любила нарушать свои обещания.

...Переулок встретил ее холодным ветром, дующим со стороны трех вокзалов, и неожиданной тьмой. Неожиданной, потому что горели фонари, светились окна жилых домов, вывески магазинов. Но их свет почему-то не разгонял тьму — крошечные огоньки зависли в ночи, яркие, но беспомощные, будто далекие звезды в небе.

Оля даже остановилась на миг. Оглянулась.

Ну что за чушь? Ей идти — три минуты. А если бежать — то одну. И у нее рост метр семьдесят пять, а мышцы получше, чем у многих парней. Она в центре Москвы, времени — семь часов вечера, вокруг полно людей, возвращающихся домой.

Чего она боится? Да она просто к Олегу идти боится! Она не хозяйка своего слова. Наобещала — и испугалась, как маленькая девочка. А она взрослая женщина... почти уже взрослая... почти уже женщина...

Оля поправила вязаную шапочку с помпоном, перекинула через плечо поудобнее спортивную сумку (полотенце, чистые трусики и пачка женских прокладок — Оля подозревала, что завтра они ей понадобятся) и ускорила шаг.

* * *

...Младший лейтенант полиции Дмитрий Пастухов был не на службе. Он был даже не в форме, когда, подняв руку, ловил такси на углу Протопоповского и Астраханского переулков. Причины, почему в этот час Дима Пастухов был здесь, могли бы расстроить его жену, поэтому мы не будем вдаваться в детали. В защиту Димы можно сказать только то, что в руке у него был пакет, в котором лежала коробка конфет «Рафаэлло» и букет цветов из торгового автомата, купленные рядом, в дешевом супермаркете «Билла».

Цветы и конфеты Дима дарил жене не часто, раз-два в год. Что в данном случае, как ни странно, служит извиняющим фактором.

— Какие пятьсот? — темпераментно торговался Дима. — Да триста — красная цена!

— Ты на бензин цены знаешь? — так же темпераментно отвечал водитель-южанин из-за руля потрепанного «форда». Несмотря на очень нерусскую внешность, речь у него была чистой и интеллигентной. — Вызови официальное такси — никто дешевле не повезет!

— Я потому и ловлю частника, — пояснил Дима. Вообще-то он был морально готов на пятьсот рублей — ехать было не близко, но привычка требовала поторговаться.

— Четыреста, — решил южанин.

— А поехали, — сказал Дима и, перед тем как нырнуть в машину, окинул взглядом улицу. Просто так.

Девочка стояла шагах в пяти. Покачиваясь и глядя на Диму.

Вообще-то девчонка была высокой, фигуристой, в полумраке сошла бы и за взрослую женщину, но сейчас свет фонаря падал ей прямо на лицо — а лицо было совсем детским.

Девочка была без шапки, волосы растрепаны. Из глаз у нее катились слезы. Шея была окровавлена. Нейлоновая горнолыжная курточка была чистой, а вот на светло-голубых джинсах тоже проступали потеки крови.

Пастухов бросил пакет и букет на сиденье и кинулся к девочке. За спиной у него затейливо выматерился водитель, тоже увидавший девчонку.

— Что с тобой? — закричал Пастухов, хватая девочку за плечи. — Ты как? Где он?

Почему-то он не сомневался, что девочка сейчас покажет, «где он», и он догонит этого козла, и задержит, и в процессе задержания, если повезет, что-нибудь ему сломает или отобьет.

Но девочка тихо спросила:

— Вы полицейский, да?

Пастухов, который толком не осознавал отсутствие на нем формы, кивнул:

— Да. Да, конечно! Где он?

— Увезите меня, мне холодно, — жалобно попросила девочка. — Увезите меня, пожалуйста.

Насильника рядом не было. Водитель выбрался из-за руля, достав откуда-то бейсбольную биту (как известно, в России почти никто не играет в бейсбол, но вот бит продается сопоставимо с США). Идущая по Астраханскому семейная парочка увидела девочку, Пастухова, водителя — и юркнула в супермаркет. А вот двигавшийся по Протопоповскому пацан с ранцем, напротив, остановился и издал восхищенный возглас — так радостно, что Пастухов подумал о воспетой в Библии пользе телесных наказаний для воспитания детей.

— Тебе нельзя сейчас покидать место происшествия... — начал было Пастухов.

И осекся.

Он увидел, откуда текла кровь. Два крошечных отверстия на шее девочки. Два следа от укусов.

— Пошли, — решил он и потащил девочку к машине. Та не сопротивлялась, будто, приняв решение довериться ему, вовсе перестала о чем-то думать.

— Эй, в милицию ее надо... — сказал водитель. — Или в больницу... Эй, тут же Склиф рядом, сейчас...

— Я сам полиция! — Пастухов одной рукой достал из кармана «корочку» и сунул водителю под нос. — Никакого Склифа. Гони на Сокол.

— Зачем на Сокол? — поразился водитель.

— Там офис Ночного Дозора, — сказал Пастухов, укладывая девочку на сиденье и подсовывая ей под голову ее же

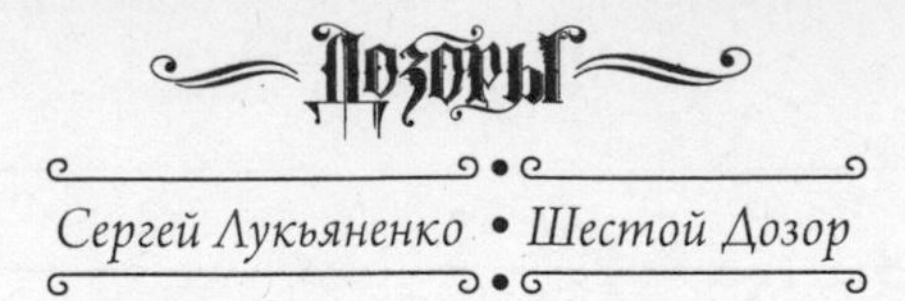

сумку. Ноги девочки он положил себе на колени. С высоких «зимних» кроссовок закапал грязный тающий снег. А вот шея не кровоточила. Хорошо, что слюна вампира останавливает кровь после еды.

Плохо, что вампиры не всегда останавливаются вовремя.

— Какой еще Ночной Дозор? — удивился водитель. — Я в Москве двадцать лет живу, не помню такого.

«Ты и не будешь помнить», — подумал Пастухов. Но говорить это вслух не стал. В конце концов, он и сам, когда доводилось заходить к Иным, не был до конца уверен, что ему оставят память.

Лучше не зарекаться.

— Ты быстро вези, — посоветовал он. — Я штуку заплачу.

Водитель красочно объяснил, куда Пастухов должен будет поместить свою тысячу, и прибавил газа.

Девочка лежала, закрыв глаза. То ли впала в забытье, то ли была в шоке. Пастухов искоса глянул на водителя — тот не отрывал глаз от дороги. Тогда, чувствуя себя насильником и извращенцем, Пастухов осторожно раздвинул девочке ноги.

Джинсы в промежности были чистые, не испачканные. По крайней мере ее никто не насиловал.

Хотя, если уж говорить начистоту, с точки зрения Пастухова, — сексуальное насилие было бы куда меньшим злом. Привычным.

Часть 1

Вынужденные действия

Глава 1

— Ты засиделся, — сказал Гесер.

— Где? — заинтересовался я.

— Не «где», а «на чем», — не отрывая взгляда от бумаг, сказал шеф. — На заднице.

Раз уж шеф начал грубить без повода — то он чем-то очень сильно озадачен. Не разозлен — тогда он предельно вежлив. Не испуган — тогда он печален и лиричен. А именно озадачен.

— Что случилось, Борис Игнатьевич? — спросил я.

— Антон Городецкий, — продолжил шеф, не поднимая глаз. — Десять лет в отделе обучения и образования — многовато, не находишь?

Я задумался. Что-то мне этот разговор напоминал. Но что?

— Есть претензии? — спросил я. — Работаю вроде хорошо... от оперативной работы тоже не уклоняюсь...

— А также периодически спасаешь мир, воспитываешь дочь, Абсолютную волшебницу, и ладишь с женой — Великой волшебницей... — кисло сказал шеф.

— Еще терплю шефа — Великого, — в тон ответил я.

Гесер соизволил поднять глаза. Кивнул.

— Да. Терпишь. И будешь терпеть. Итак, Антон Городецкий. В городе орудуют незарегистрированные вампиры. За неделю — семь нападений.

— Ого, — сказал я. — Каждый день жрут, мрази... А что наши оперативники?

Гесер меня будто и не слушал. Перебирал бумаги.

— Первая жертва... Александр Погорельский. Двадцать три года. Продавец в бутике... не женат... бла-бла-бла... напали средь белого дня в районе Таганки. Вторая жертва — на следующий день. Николай Рё. Сорок семь лет. Инженер. Район Преображенки. Третья — Татьяна Ильина. Девятнадцать лет. Студентка МГУ. Район Чертаново. Четвертая — Оксана Шемякина, пятьдесят два года. Уборщица. Район Митино. Пятая — Нина Лисицына, школьница, десять лет...

— Вот мразь... — вырвалось у меня.

— Средь бела дня, район Матвеевский.

— На женщин перешел, — сказал я. — Распробовал. Теперь стал с возрастом экспериментировать...

— Шестая жертва — Геннадий Ардов. Шестьдесят. Пенсионер.

— Пара, что ли, нападает? — предположил я.

— Может быть, и пара, — сказал Гесер. — Но женская особь там точно есть.

— Откуда информация? Кто-то выжил и рассказал? — заинтересовался я.

Гесер мой вопрос проигнорировал.

— Седьмая, на данный момент — последняя. Оля Ялова, школьница, пятнадцать. Кстати, скажи спасибо своему знакомому, Дмитрию Пастухову. Он ее обнаружил и доставил к нам по горячим следам... что было очень полезно.

Гесер собрал все бумаги, подбил ладонью края, сложил их в папку.

— Так что, кто-то из жертв выжил? — спросил я с надеждой.

— Да. — Гесер секунду помедлил, глядя мне в глаза. — Все выжили.

— Как — все? — Я даже растерялся. — А... но тогда... обращения?

— Нет. На них просто покормились. Немного. Последнюю девочку довольно сильно высосали, врач говорит о потере не менее литра крови. Но там все понятно — девочка шла к своему парню... и, видимо, у них намечался первый... э... коитус.

Как ни странно, но, говоря это, Гесер смутился. Впрочем, его смущение показал и использованный вместо слова «секс» медицинский термин.

— Понятно, — кивнул я. — Девчонка была вся в эндорфинах и половых гормонах. Вампир, какого бы пола он ни был, опьянел. Это еще повезло, что оторвался вообще... Я все понял, шеф. Сейчас я подберу команду и отправлю...

— Это твоя работа. — Гесер толкнул папку через стол. — Охотиться на эту вампиршу... или вампиров будешь ты.

— Почему? — поразился я.

— Потому что она или они так хотят.

— Они выдвинули какие-то требования? Что-то передали через жертв?

На лице Гесера появилась ехидная улыбка.

— Можно, конечно, сказать, что передали... Бери дело и иди. Кровь, если решишь работать классически, получишь на складе. Да... и позвони мне, когда до тебя дойдет.

— И вы мне что-то скажете умное, — мрачно сказал я, вставая и беря папку.

— Нет, я просто поспорил с Ольгой, сколько тебе времени потребуется, чтобы понять, Антон Городецкий. Она говорит про час, я — про четверть часа. Видишь, как я в тебя верю?

Из кабинета Гесера я вышел не попрощавшись.

А позвонил ему через полчаса, бегло просмотрев все документы, потом разложив их на столе и некоторое время вглядываясь в строки.

— Ну? — спросил Гесер.

— Александр. Николай. Татьяна. Оксана. Настя. Геннадий. Ольга. Следующую жертву звали бы, к примеру, Роман. Или Римма.

— Все-таки я был ближе к истине, — самодовольно сказал Гесер. — Полчаса.

— Интересно, как они собираются обойтись с «и кратким»? — спросил я.

— Они?

— Полагаю, что все-таки да. Их двое, парень и девушка.

— Вероятно, ты прав, — согласился Гесер. — Что до имени... В Москве немало иностранцев с необычными именами. Но знаешь, лучше бы нам не доводить дело даже до «цэ».

Я помолчал. Гесер не прерывал связь. Я — тоже.

— Что хочешь спросить? — раздался наконец голос Гесера.

— Ту вампиршу... пятнадцать лет назад... которая нападала на мальчика Егора... Ее точно казнили?

— Ее упокоили, — холодно сказал Гесер. — Да. Стопроцентно. Наверняка. Сам проверил.

— Когда?

— Сегодня утром. Я тоже первым делом подумал о ней. Проверь все, что у нас есть о возможности псевдовитализации упокоенных вампиров.

Вот теперь Гесер прервал связь. Значит, сказал мне все.

Все, что мне требовалось знать, конечно. А не все, что могло понадобиться, или все, что он сам знал.

Великие никогда не говорят все до конца.

И я тоже этому научился. Я тоже не сказал Гесеру все.

* * *

Госпиталь у нас размещался в полуподвале, на том же уровне, где и гостевые комнаты. Ниже были хранилища, тюремные камеры, прочие помещения повышенной опасности, требующие охраны.

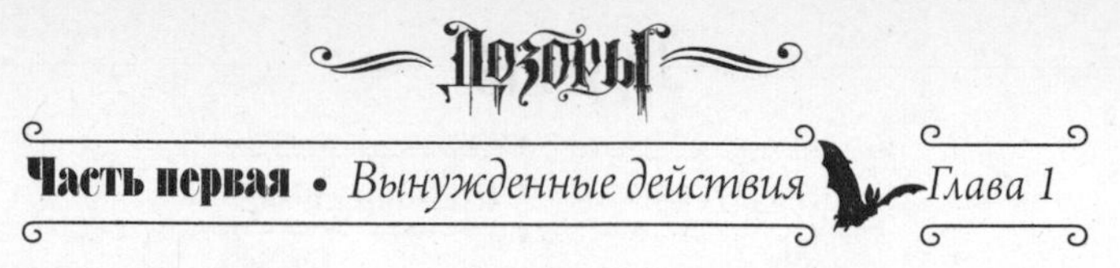

Госпиталь никто и никогда специально не охраняет. Во-первых, он обычно пустует. Если кто-то из дозорных получает раны — целитель вылечит их за два-три часа. Если же не вылечит — то пациент скорее всего уже мертв.

Ну и во-вторых, любой целитель — это еще и очень квалифицированный убийца. Ведь стоит применить целительное заклинание «наоборот» — и результат будет фатален. Наших врачей защищать не надо, они сами кого угодно защитят. Как там говорил драчливый пьяный доктор в старой советской комедии? «Я врач! Я сломаю, я и вылечу!»

Однако сейчас, когда в госпитале был пациент, к тому же человек, пострадавший от Темного, у входа посадили охранника. Аркадий, недавно начавший работать в Дозоре, раньше был школьным учителем. В полном соответствии с ожиданиями окружающих он утверждал, что охотиться на упырей — куда легче, чем вести физику в десятом классе. Я его, конечно, знал — как и всех, обучавшихся в Ночном Дозоре за последние годы. Он меня — тем более.

Но у входа в госпитальный комплекс я, как положено, остановился. В соответствии с какими-то своими представлениями о подобающей форме для охранника Аркадий был в строгом синем костюме (что в принципе логично), но при этом еще и встал из-за стола (к счастью для охраны, паранойя у нас не достигла той степени, чтобы заставлять охранников стоять с заклинаниями на изготовку), осмотрел меня в обычном мире и Сумраке и только после этого открыл дверь. Все по инструкции. Я бы тоже так себя вел еще лет пять назад.

— Кто там с девочкой? — спросил я.

— Иван. Как обычно.

Иван мне нравился. Был он не просто целитель, а целитель-врач. Вообще-то у Иных человеческая специальность и магическое призвание совпадают редко, например, военные почти никогда не становятся боевыми магами. Но вот целители, как я по своей жене знаю, большей частью — врачи.

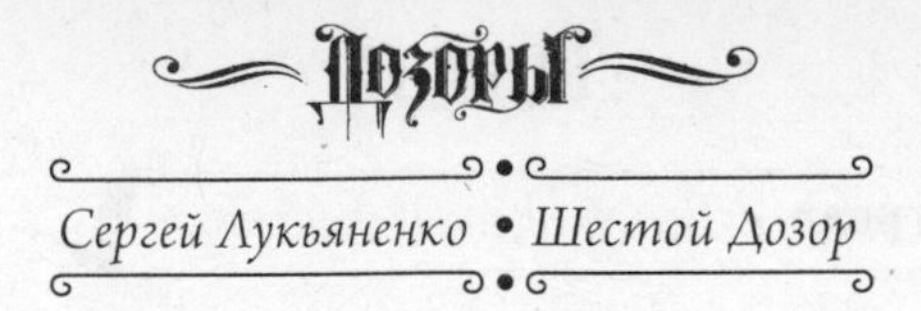

А врач он был хороший. Начинал еще земским врачом в конце девятнадцатого века. Работал где-то в Смоленской губернии. Там и был инициирован, стал Светлым, но с профессией врача не расстался. Был и в смоленском Дозоре, и в пермском, и в магаданском — жизнь его помотала. После Второй мировой даже осел в Австрии и там прожил десять лет — тоже работая врачом, потом жил в Заире, Новой Зеландии и Канаде. Потом вернулся в Россию и пошел в московский Дозор.

В общем, и жизненного опыта, и врачебного у него было хоть отбавляй. Да и выглядел он так, как положено врачу, — плотный, лет сорока пяти — пятидесяти на вид, седоватый, с короткой бородкой, в строгих очках, непременно в белом халате (в сумеречном образе — тоже) и со стетоскопом на груди. При виде его дети радостно кричали «Айболит!», а взрослые начинали честно выкладывать свой анамнез.

Единственное, чего он не любил, — это обращения по имени-отчеству. То ли за рубежом привык откликаться на «Иван», то ли была еще какая-то причина.

— Рад видеть, Антон. — Целитель встретил меня у входа в палату, выйдя из своего кабинета. — Тебе поручили?

— Да, Иван. — Я мимолетно подумал, что наш разговор какой-то очень формальный, будто сцена из дурного романа или паршивого сериала. Вот еще надо спросить, как чувствует себя девочка... — Как себя чувствует девочка?

— Уже неплохо. — Иван вздохнул. — Пошли, чаю выпьем, что ли? Она пока спит.

Я глянул сквозь стеклянную дверь. Девочка и впрямь лежала под одеялом, закрыв глаза. То ли спала, то ли делала вид. Проверять, даже незаметно для нее, магически мне показалось неправильным.

— Давай, — сказал я.

Чай Иван пить любил, причем самый банальный: черный с сахаром, лишь иногда с ломтиком лимона. Но чай этот был неизменно вкусен, каких-то необычных незнакомых сортов, но при этом без травок, которые так часто любят сыпать в чай пожилые люди.

— Я однажды встречал человека, который кидал в чай лепестки герани, — сказал Иван, наливая заварку. Он не читал моих мыслей, он просто был достаточно стар и опытен, чтобы понять, о чем я думаю. — Гадость была жуткая. К тому же эти лепестки его медленно отравляли.

— И чем кончилось? — спросил я.

— Умер, — пожал плечами целитель. — Машина сбила. Ты хотел расспросить про девочку?

— Да. Как она?

— Уже все в порядке. Ситуация была не критическая, доставили вовремя. Девушка молодая, крепкая. Поэтому я не стал переливать кровь. Усилил гемопоэз, поставил капельницу с глюкозой, провел успокоительное заклинание и дал валерьянку с пустырником.

— Зачем и то и другое?

— Ну, она сильно была напугана. — Иван позволил себе улыбнуться. — К твоему сведению, большинство людей, на которых кормится вампир, пугаются... Основная опасность была в большой кровопотери, шоке и морозе. Она могла потерять сознание, упасть где-нибудь в темной подворотне и замерзнуть насмерть. Хорошо, что вышла к людям. Хорошо, что ее привезли к нам — меньше работы по зачистке. А так — здоровая крепкая девочка.

— Полицая не обижайте, — попросил я. — Это наш полицай. Хороший!

— Я знаю. Водителю память подтер.

— Водителю можно...

Пару минут мы просто гоняли чаи. Потом Иван спросил:

— Что тебя тревожит? Банальность же. Вампир с катушки слетел. Но хоть не убивает никого...

— Там есть одна странность, — уклончиво сказал я. — Если без деталей — у меня есть основания полагать, что это один знакомый мне вампир.

Иван нахмурился. Потом спросил:

— Это... Константин Савушкин?

Я вздрогнул. Ну да. Конечно. История с той вампиршей и случилась давно, и шума особо не наделала. Светлана, Высшая, затмила собой парочку незадачливых вампиров и едва не сожранного ими пацана. А вот про Костю, ставшего Высшим и едва не обратившего в Иных всех людей в мире, знал каждый Иной.

— Нет, Иван. Костя погиб. Сгорел. Совсем другая история, другой вампир... вампирша. Скажи, ты не сталкивался с тем, чтобы вампиры оживали?

— Они и так ожившие мертвецы, — спокойно сказал целитель.

— Ну да. В какой-то мере. Но вот чтобы упокоили вампира — а он ожил?

Иван задумался.

— Кажется, что-то слышал, — неохотно признал он. — Поспрашивай в архиве, быть может, в прошлом что-то случалось... Кстати, о прошлом. Я тут один сериальчик посмотрел, про коллегу своего. Про Мишку.

— Какого Мишку? — спросил я.

— Ну, про Булгакова же! — сказал Иван таким тоном, что стало понятно — он говорит о человеке, знакомством с которым очень гордится.

А я и не знал, что Иван был близок со знаменитым писателем. Может, он причастен к тому, что Булгаков начал писать всяческую мистику и фантастику?

— Похож?

— Есть что-то, — к моему удивлению, сказал Иван. — Занятно сняли, никогда такого от бриттов не ожидал! Молодой паренек играл — начинающий, наверное, но очень старался. С таким удовольствием Мишку вспомнил! А вот другой сериал глянул...

Ему хотелось поговорить — и не о вампирах. На работе он явно скучал.

Конечно, есть всякого рода иные болезни — от сумеречной ангины (и не надо смеяться, там правда очень холодно!) и до постзаклинательной депрессии (связана с резким перепадом магической энергии у Иного). И еще есть обычные, человеческие болезни, которые он тоже лечил. Но все-таки целителю второго уровня в нашем офисе не так уж и много работы. А по доброй воле врачей навещают редко.

— Извини, пойду я, девочку навещу, — сказал я, вставая. — Спасибо за чай... Так что, можно отпускать?

— Конечно, — кивнул Иван. — Если хочешь, я сам почищу ей память.

Это было дружеское предложение. Шикарное. Стирать память, да еще молоденькой девчонке, — очень стыдно. Даже ради ее же блага. Ведь, по сути, такой чисткой мы что-то убиваем в человеке.

— Спасибо, Иван, — кивнул я. — Но я, наверное, сам. Не буду перекладывать...

Он кивнул. Он тоже все понимал.

Оставив Ивана в кабинете (Или как это у врачей называется — приемная? ординаторская?), я пошел в палату.

Девочка Оля Ялова уже не спала. Сидела по-турецки на кровати и смотрела на дверь, будто ожидая, кто войдет. Выглядело это так похоже на предвидение, что я насторожился и посмотрел на ее ауру.

Нет. Увы, но нет! Человек. Ни малейшего потенциала Иной.

— Здравствуй, Оля, — сказал я, придвигая стул и садясь перед ней.

— Здравствуйте, — вежливо сказала она. Чувствовалось, что она напряжена, но старается выглядеть как можно спокойнее.

В принципе ничто не выглядит более умиротворяюще, чем юная девушка, одетая в пижаму чуть большего размера, чем требуется.

Так, повторим-ка еще раз мысленно, что ей пятнадцать лет...

— Я друг, — сказал я. — Тебе совершенно не о чем беспокоиться. Через полчаса я посажу тебя в такси и отправлю домой.

— А я и не беспокоюсь, — сказала девушка, расслабляясь. Была она от силы на год старше Надюшки, но это был тот самый год, который превращает ребенка во взрослого. Ну ладно, не во взрослого. В не-ребенка.

— Ты что-нибудь помнишь о вчерашнем вечере? — спросил я.

Девушка подумала. Потом кивнула.

— Да. Я шла... — пауза была едва заметна, — в гости. И вдруг услышала... какой-то звук. Будто песня... — У нее слегка затуманились глаза. — Я пошла... там узенький переулок, с одной стороны какой-то магазин, с другой — огороженный двор... там стоял... стояла...

— Девушка? — предположил я.

Обычно оставшаяся в живых жертва вампира помнит само нападение, но совершенно не запоминает хищника. Даже пол. Это что-то вроде защитного механизма, выработанного кровососами за тысячи лет охоты на людей.

Но в случае с Олей был нюанс — вампир (вампирша, если я прав) кормился слишком долго. В таком состоянии вампиры пьянеют и плохо контролируют себя.

Девочка помедлила и кивнула:

— Да. Девушка... Лица точно не помню, худое такое, скуластое... Молодая, кажется. Волосы темные, короткие. Глаза запавшие, темные. Я к ней подошла как во сне. Она махнула рукой, и я сняла шарф. Тогда она, — Оля сглотнула, — она оказалась рядом. Как-то сразу. И...

Она молчала. Но я не останавливал, мне хотелось узнать детали. Дьявол — он в деталях, как известно.

— Она укусила меня в шею и стала пить мою кровь, — сказала Оля. — Долго. Она так подергивалась, стонала... и... — Девушка запнулась на миг. — И лапала меня за грудь. Не как парень... но еще противнее. Мы однажды на сборах с подружкой дурачились... ну, даже было немножко приятно. Я не лесби, не думайте. Мы дурачились. А тут была какая-то мерзость. Она не женщина и не мужчина. Она не человек вообще, вампир... — Девочка-девушка Оля очень серьезно посмотрела мне в глаза. — Она мертвая, да?

— Мертвая, — кивнул я. — Это такая особенная смерть... не окончательная. Не переживай, ты не превратишься в вампира.

— Доктор сказал вчера, — кивнула Оля. — А теперь вы заставите меня все забыть?

Я не стал врать. Кивнул.

— Наверное, я могла бы попросить вас оставить мне память, — задумчиво сказала Оля. — Но... но я не стану. Во-первых, вряд ли вы согласитесь. А во-вторых — я не хочу этого помнить. Я не хочу знать, что на свете есть вампиры.

— Есть еще и те, кто их ловит, — сказал я.

— Это хорошо, — кивнула девушка. — Но все равно я не хочу это помнить. Я же не могу стать одной из вас?

Я покачал головой.

— Пусть я все забуду, — решила девушка. — Пусть я буду думать, что провела время у подруги.

— Только позволь еще один вопрос, — сказал я. — Вампирша точно была одна? Не было рядом мужской особи? Вампира? Может, он и не нападал, просто стоял рядом...

Оля покачала головой.

— Спасибо, ты действительно помогла, — сказал я. — Хорошо. Теперь рассказывай, как все должно быть.

— Я ведь шла к парню, — продолжала Оля. — У нас должен был быть секс. Первый раз. Он вышел меня встречать. И встретил. И когда я пошла к вампирше, он шел следом и спрашивал, чего я, куда я иду... А потом... когда ее увидел... Она улыбнулась Олежке, и у нее клыки блеснули. Тогда он повернулся. И убежал.

У нее была какая-то потрясающая откровенность. Такую иногда встречаешь в поезде, когда напиваются в хлам совершенно незнакомые люди, сведенные на день-два вместе дорогой — и знающие, что никогда больше не увидятся. Еще так откровенны бывают люди, знающие, что жить им осталось совсем недолго.

Но, собственно говоря, так ведь оно и было. Нынешняя Оля Ялова исчезнет навсегда, ведь двенадцать часов ее жизни окажутся стерты. Появится новая Оля. Версия 1.1. Улучшенная, с вычищенными ошибками.

Я молчал. Хорошо, что девочка сказала про парня. Значит, придется...

— У него не забудьте стереть память, — продолжала девушка. — И пусть забудет, что у нас была любовь. И я тоже хочу это забыть.

— Ты не слишком сурова? — спросил я.

— Он убежал. Понимаете? Бросил меня! Отдал чудовищу!

— Оля. — Я взял ее за руку, надеясь, что жест выглядит дружеским или отеческим, а не заигрыванием. — Зов вампира, так же как его взгляд или запах, действует на любого человека, даже самого сильного. Ты не могла не прийти. Твой друг не мог не убежать. Она велела — и он убежал. Я не думаю, если честно, что это любовь всей твоей жизни, но не будь к парню слишком сурова.

Девушка подумала с минуту. Вздохнула, но, кажется, с облегчением.

— Хорошо. Тогда пусть он думает, что испугался толпы хулиганов. И я пусть тоже так думаю. Что мы убежали, но в разные стороны. Пусть ему все-таки будет стыдно, и я на него немножко обижусь. Ну, так... на неделю-другую...

— Какие же вы, женщины, коварные существа! — не выдержал я. — Коварнее любого вампира!

И Оля наконец-то расслабилась, улыбнулась широко и искренне.

— Да! Мы такие!

— Тогда спи, — сказал я.

И она, конечно, уснула.

* * *

Олю, мирно посапывающую на кровати, я препоручил заботам Ивана. Пусть приводит ее в порядок, переодевает, усаживает в такси, отправляет домой. Он доктор, в конце концов. Про юношу Олега, к которому Оля шла на свидание, я тоже ему рассказал — его полномочий хватит на то, чтобы отправить к парню патруль для зачистки памяти.

А я пошел в архив.

Огромная часть наших документов и накопленных Дозором сведений переведена в электронную форму. Конечно, она доступна только во внутренней компьютерной сети, никакого доступа в Интернет нет и в помине.

Куда большая часть документов и сведений остается в бумажной форме. А также папирусной, пергаментной и даже чуть-чуть в глиняной.

Гесер когда-то говорил, что это связано с безопасностью — куда проще наложить защитные заклинания на материальный носитель, чем на — как сказать-то? — гигабайты и терабайты информации? Но мне кажется, что он лукавит. Большую часть этой информации в электронный вид просто не перевести. Или же неимоверно сложно.

Вот, к примеру, ведьмовская книга заклинаний. Написана детской кровью на страницах из кожи девственниц. Гадкая вещь, не спорю. Но врага надо знать...

Детскую кровь, как мы выяснили, можно заменить кровью стариков. Или взрослых людей. Или свиной кровью. Никакой разницы.

А вот если написать заклинания кровью Иного — они перестанут работать при прочтении. И если собачьей или коровьей кровью — тоже. Но куриная и кошачья годятся!

При этом кожа девственниц — вообще не обязательна, ее можно заменять на любую кожу, любой пергамент и даже любую бумагу. Хоть на туалетную или наждачную. У ведьм так много рецептов с кровью, кожей, слезами и фрагментами тел девственниц только потому, что большинство ведьм — старые страхолюдины. Омолаживающие заклинания у них не работают, только маскировочные. Поэтому ведьмы и ненавидят молодых красивых девушек и делают им гадости при каждом удобном случае. Комплексы...

Но кровь действительно нужна. Как и почему — ученые так и не выяснили до конца. Но копировать такую книгу заклинаний на компьютер бессмысленно, она работать не станет. Заклинаниям из нее не научишься!

Или рецепты целителей. Светлая магия, никаких ужасов... как правило. Но берем, к примеру, популярный рецепт эликсира от мигреней — и обнаруживаем, что пять ингредиентов из семи не записаны, а обозначены запахами! То есть надо понюхать указанные страницы в сборнике рецептов!

И — да, вы совершенно правы — если вместо запаха написать «ваниль», «каштановый мед» и «ржаной хлеб» — эликсир не сработает.

Составляя его, целитель должен понюхать ингредиенты. Даже «толченый мел», который ничем особенным не пахнет. Даже «родниковую воду», которая совсем уж запаха не имеет!

...Тут ученые, кстати, почти единодушны — запахи активируют у Иного гиппокамп, кору височных областей — и это каким-то образом влияет на заклинание. Но каким?..

А что говорить о магических предметах? Или о методиках, которые требуют тактильного контакта? Описать, конечно, можно. Но ценность описания будет очень условной.

Так что в компьютере (а я, конечно, начал с этого) в электронной базе данных оказалась лишь короткая информационная строка:

«ВАМПИРЫ, ОЖИВЛЕНИЕ (некорректное, правильно — ПОВТОРНАЯ ПСЕВДОВИТАЛИЗАЦИЯ) — процесс восстановления псевдожизнедеятельности вампиров после окончательного развеивания (см.), конечного упокоения (см.) или полного физического уничтожения. Описано Чаба Орош (Ч. Орош, 1732—1867), индекс 097635249843, Аманда Ранди Гру Касперсен (А.Р.Г. Касперсен, р. 1881), индекс 325768653166».

С этой распечаткой я и спустился на минус шестой этаж, где после поста охраны (посерьезнее, чем охрана лазарета, двое Иных) меня наконец-то впустили в помещение архива.

Элен Киллоран была ирландкой — случай для московского Ночного Дозора редкий. У нас, конечно, полным-полно выходцев со всех республик бывшего Советского Союза. Поляк есть. Кореец.

Стажеры по обмену опытом вообще бывают отовсюду. Но они ненадолго приезжают, на год-два.

Когда-то, лет десять назад, приехала в Москву и Киллоран. Черноволосая, неторопливая, пунктуальная, застенчивая, непьющая — в общем, совершенно не похожая на ирландок, как их представляет массовая культура. Она была Иная пятого уровня, что ее ничуть не смущало и не волновало. Ее страстью была древность. Не будь она Иной — все равно проводила бы всю жизнь в архивах, магия стала для нее лишь изюминкой в пироге из старых документов и артефактов.

Элен Киллоран обожала систематизировать. И Москва стала для нее раем, давно уже недостижимым в Европе.

Нет, у нас хорошие архивы. Там ничего не пропадает. Там все надежно лежит. Столетиями.

Я смутно помнил, что до Киллоран архивом заведовал веселый общительный мужчина, у которого был один недостаток — он ничего не мог найти. Разве что случайно. А так —

большее, на что мог рассчитывать посетитель, это открытая дверь и мощный фонарик, потому что проводка барахлила и в любой момент можно было остаться посреди огромного зала в полной темноте.

Элен за год навела в архиве порядок — точнее, то, что мы готовы были признать порядком. Потом она каталогизировала и классифицировала все, включая неразобранные материалы — таких оказалось девяносто процентов. После чего сообщила Гесеру, что работы здесь на сорок-пятьдесят лет, поэтому она примет российское гражданство и заключит контракт с Ночным Дозором. Гесер вытаращил на нее глаза, сказал, что в качестве бонуса Дозор купит ей квартиру рядом с офисом. Элен смутилась и сказала, что ничего покупать не надо, достаточно оплачивать аренду. Гесер резонно объяснил, что за полвека стоимость аренды составит несколько квартир, после чего приставил меня к Элен — помочь ей в прохождении бюрократических препон.

Как по мне — так надо было Элен на все формальности наплевать. И на гражданство, и на квартиру. Она все равно в нашем архиве практически жила, выбираясь раз-два в неделю, — при архиве предусмотрительно была жилая комнатушка с санузлом. Но я честно помог ей справиться с московской бюрократией, после чего мы стали приятелями (в той мере, в какой можно было быть приятелем Элен, если ты не древний манускрипт).

Открыв дверь архива, я вошел в огромный темный зал, уставленный стеллажами от пола до высоченного потолка. Таких залов в подвале было несколько десятков, но Элен всегда работала в первом, наверное, даже ей было здесь одиноко. Покашляв, чтобы как-то обозначить свое появление, я двинулся сквозь полутьму к ослепительному конусу света в центре зала. Элен сидела за столом, на котором высилась огромная картонная коробка из-под телевизора «Горизонт-112», и перебирала сложенные в коробку тоненькие школьные тетрадки. Над головой архивариуса горела одна-единственная мощная лампа в металлическом абажуре. На Элен были затертые джинсы и теплая вязаная кофта — отопление не могло согреть огромный подвал.

Моему появлению Элен искренне обрадовалась. Мне был предложен чай (от которого я вежливо отказался, что, впрочем, не помогло) и любая необходимая помощь. В качестве ответной любезности я побеседовал с Элен о творчестве Констебля и Тернера (моим вкладом в мини-лекцию было внимательное слушание и поддакивание) и выпил полкружки чая.

Мысленно я сделал себе заметку — надо организовать среди сотрудников дежурство по архиву и лазарету. Пусть периодически заходят с вопросами и делами к тем нашим сотрудникам, что закопались в своих берлогах. Кроме доктора и архивариуса, наверняка есть еще кто-то. Ученые в научном отделе. Оружейники... хотя нет, вот к ним заходят часто и охотно. А у Киллоран я и сам невесть сколько времени не был, как бы не год или больше...

Надо, надо направлять молодежь к нашим затворникам. И им веселее будет, и начинающим Иным — польза.

— Зачем такая редкая информация, Антон? — спросила Элен, проглядывая мой запрос. Тут же спохватилась: — Если это не секрет, конечно.

Мой уровень и положение в Дозоре позволяли мне в принципе запрашивать любую информацию без всяких объяснений. Но ничего плохого в том, чтобы посоветоваться с Элен, я не видел.

— Произошла серия нападений вампира на людей, — сказал я. — Жертвы все живы.

— А сколько их?

— Семь, — сказал я. И повторил: — Все живы.

Элен приподняла бровь, глядя на меня.

— Александр Погорельский, — начал перечислять я. — Николай Рё. Татьяна Ильина. Оксана Шемякина. Нина Лисицына. Геннадий Ардов. Оля Ялова.

— Ты назвал имена и фамилии, — задумчиво сказала Элен. — Ты не назвал возраст, род занятий, обстоятельства нападения. Это первая странность. Среди жертв — мужчины и женщины, хотя обычно кровососы гендерно специализируются... в вампиризме очень много сексуального. Это вторая странность. Все жертвы живы — значит, вампир хорошо контролирует себя. Но в таком случае как Дозору стало известно о нападениях? Нет ничего сложного в том, чтобы скрыть преступление, если жертва жива! Просто стереть память, а недомоганию человек придумает какое-то объяснение... грипп... И это третья странность.

Я кивнул. Я искренне наслаждался беседой. Конечно, Элен не оперативник и никогда им не была. Но я ведь уже сказал, что ей нравится систематизировать?

— И четвертая странность — зачем ты все рассказал мне, — закончила Элен. — Видимо, хочешь либо подтверждения своим догадкам, либо моего совета... что странно, конечно... О нет! Есть еще и пятая странность. С какой стати ты, Высший маг, занимающийся обучением начинающих Иных, вообще занялся этим делом?

— Браво! — сказал я.

— Версия первая, — продолжала Элен. — Ты решил... или Гесер решил... что я засиделась в архиве. Тебя самого когда-то вытащили из компьютерного центра и отправили патрулировать улицы. Мне не нравится эта версия, я очень люблю ваш архив!

— Элен, — я прижал руку к груди, — клянусь, что не собираюсь вытаскивать тебя из уютного архива на шумные московские улицы!

— Тогда вторая версия. Ты ждешь совета.

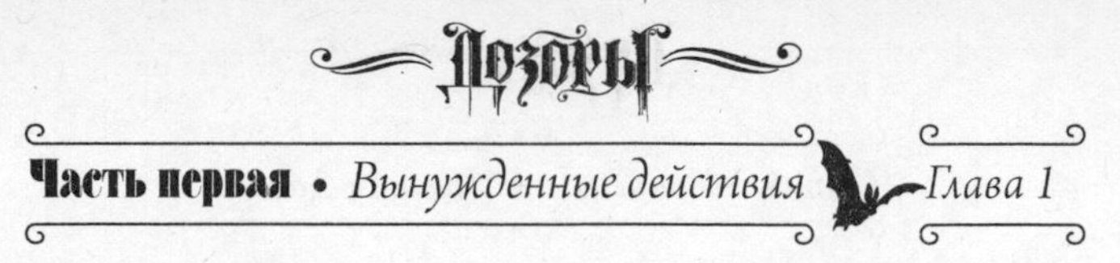

Элен достала из кармана джинсов потертую записную книжку и огрызок карандаша. Быстро записала что-то на чистую страницу. Потом кивнула.

— Ага. Ты не зря назвал мне имена. Александр-Николай-Татьяна-Оксана-Нина-Геннадий-Ольга. Берем первые буквы. А-Н-Т-О-Н-Г-О... Антон Городецкий. Вампир намекал, что ему нужен ты. Вампир лишь нападал, но не убивал, потому что ему было нужно, чтобы о преступлениях узнали в Дозоре. Вампиру было плевать, кого кусать — маленькую девочку или пенсионера, лишь бы буковки совпали. Очевидно, все это понял и Гесер — потому и поручил тебе расследование. Этот вампир — это из твоего прошлого вампир... так?

— Все так, — сказал я. — Только не вампир, вампирша.

— Кто-то запомнил? — удивилась Элен.

— Последняя жертва, Оля. Вампирша на ней насосалась до безобразия, память не затерла. Но дело даже не в этом.

Несколько секунд Элен молчала. Потом вновь посмотрела в блокнот.

— Ну да, — сказала она. — Конечно. Погорельский, Рё, Ильина, Шемякина, Лисицына, Ардов, Ялова. П-Р-И-Ш-Л-А-Я.

— «Пришла я». Немного странно для вампира.

Элен удивленно посмотрела на меня.

— Какое-то средневековое благородство, «иду на вы», — пояснил я.

— Странно, говоришь... — кивнула Элен, разглядывая блокнот. — Я пришла, значит... Может быть, напугать хотела? Интересно. Что ж она собиралась в итоге написать... этими укусами... А Гесер заметил?

— Кто ж его знает? Вряд ли шеф глупее меня.

— Но что тебе от меня нужно, вот загадка, — пробормотала Элен. Совершенно беззастенчиво стала грызть ноготь. — Материалы я тебе и так все найду. Совет? Ну, приятно, если так...

— Совет, — подтвердил я. — У тебя склад ума такой... своеобразный. Если ты в этом бардаке навела порядок, то и в этих данных сумеешь.

— Это какая-то вампирша из твоего прошлого, — сказала Элен. — Судя по запрошенной информации — ты ее упокоил... но предполагаешь, что она вернулась.

— Не я упокоил. Инквизиция. Но ее действительно упокоили, Гесер проверил. Это единственная женская особь вампиров, которая могла бы иметь на меня зуб... прости за дурацкий каламбур. Логично предположить, что она как-то восстала из мертвых.

— Я найду все документы, — пробормотала Элен. — Но вот чем еще помочь... ты же не дурак, ты сам все заметил.

— Подумай, Элен, — попросил я. — Я эту историю не хочу выносить на публичное обсуждение...

— Да что тут думать? — Элен закрыла блокнот. — Все, что можно, ты из этих ФИО уже получил... ведь получил? Из всего?

Мы уставились друг на друга. Потом Элен усмехнулась.

— Ты! Русский человек! У вас, русских, есть уникальная вещь — отчество. И ты не подумал, что если имя и фамилия что-то значат, то надо проверить и...

Я уже ее не слушал. Я закрыл глаза и вспоминал. В молодости, готовясь к экзаменам, я был уверен, что у меня плохая память. Но способности Иного творят чудеса...

— Александр Зиновьевич. Николай Алексеевич. Татьяна Тимофеевна. Оксана Олеговна. Нина Борисовна. Геннадий Орестович. Ольга Игоревна.

— З-А-Т-О-Б-О-И, — произнесла Элен то, что я понял уже и сам. И что ожидал услышать.

— Пришла я... — произнес я послание, составленное из первых букв фамилий.

— За тобой... — сочувственно продолжила Элен. — Как я понимаю, в русском языке нет отчеств на «и краткое»?

— Антон Го... — закончил я. — Вот же мразь дохлая... За мной она, значит, пришла? Отомстить решила?

— Успокойся, — миролюбиво сказала Элен. — А если бы она написала «За твоей»? За твоей дочерью, за твоей женой?

Зачастившее было сердце стало биться спокойнее.

— Да. Ты права, это не самый худший вариант, — сказал я. — Спасибо, Элен, ты и впрямь увидела то, что я проглядел.

— Это потому, что я не русская и смотрю со стороны, — наставительно сказала ирландка. — Антон, ты же Высший Иной. И жена твоя — тоже. А дочь — Абсолютная. Что может против вас одна вампирша? Даже если она ожила? Даже если она стала Высшей?

Я не ответил. Все было так... вот только неприкрытая дерзость нападений, этот открыто брошенный вызов — он словно вопил «не все так просто».

— Не все так однозначно, — сказал я.

— Посиди, Антон, — вздохнула Элен. Взяла мою распечатку, из ящика стола достала огромный фонарь. — Пошла я за твоими документами.

— Почему ты ходишь по архиву с фонарем? — спросил я.

— Некоторые документы не любят света, — ответила Элен. — Они могут испугаться и исчезнуть на несколько дней... или лет.

Она сделала шаг из конуса света в темноту и пропала. Через миг ее голос донесся до меня уже издалека — она шла по залу, не зажигая фонаря.

— А еще в темноте здесь не так страшно, Антон! Многого не видно...

Глава 2

Рано утром, в четверть восьмого, я стоял на кухне и взбивал вилкой омлет в старой эмалированной кастрюльке. Опыт, приобретенный еще давным-давно, в маленькой однокомнатной квартире, позволял это делать практически беззвучно, я лишь один раз брякнул вилкой о дно кастрюльки.

Взбивая омлет, я пытался вспомнить, откуда у нас эта кастрюлька с облупившейся кое-где эмалью и жизнерадостными желтыми утятами на боку. Это ведь не Светланино приданое. Я в этой кастрюльке готовил еще в студенчестве. И она была не новая, мне ее мама дала, когда снимал первую квартиру...

Да ей же лет пятьдесят как минимум... А то и больше. Эта кастрюлька помнит СССР и товарища Брежнева. Я, можно сказать, не помню, а она – вполне. А может, и Хрущева? И Карибский кризис? И Великую Отечественную...

Нет, это я загибаю. Не может быть.

Однако удержаться было уже невозможно! Я посмотрел на кастрюльку сквозь Сумрак. Содержимое укоризненно отсвечивало желтоватыми отблесками, напоминая, что и яйца, и молоко — продукты животного происхождения. Ну извините, невылупившиеся цыплята и обделенные молоком телята, мы, люди, — хищники...

Я отвлекся от ауры пищи и попытался прочесть ауру кастрюльки. Это штука сложная, пожалуй, Иному второго-третьего уровня в принципе недоступная...

У меня получилось. Недостаток опыта я скомпенсировал Силой, бухнув в память металла столько энергии, сколько когда-то тратил за неделю.

Из этой кастрюльки ели. Много и вкусно, как говорится. В ней почему-то (из-за веселенького утенка на эмали?) много готовили детям. В том числе и мне.

А сделали ее не в годы войны, конечно, но в самом начале пятидесятых. И в переплавленном металле было железо разбитых танков, там до сих пор полыхало что-то черно-оранжевое, дымное, ревело и тряслось, плавилось и стонало...

Как хорошо, что ауру вещей не видят не только люди, но и большинство Иных...

— Папа?

Я поднял глаза. Надя стояла в дверях кухни, с любопытством смотрела на меня. Судя по школьной форме (она учится в лицее, там с этим строго), она собиралась на занятия.

— Что, доча? — спросил я. Попытался размешивать омлет дальше, но вилка почему-то не двигалась.

— Ты что делаешь? Так полыхнуло, я думала, ты портал открываешь.

— Я готовлю омлет, — сказал я.

Надя демонстративно втянула носом воздух.

— По-моему, ты его уже приготовил. И он подгорел.

Я посмотрел в кастрюльку:

— Да, есть немного.

Несколько мгновений дочь улыбалась, глядя на меня. Потом посерьезнела.

— Папа, что-то случилось?

— Нет. Хотел прочитать историю кастрюльки. Переборщил с Силой.

— А так — все в порядке?

Я вздохнул. Пытаться что-то скрыть от Нади было бесполезно. Лет с семи, пожалуй.

— Ну, не совсем. Я волнуюсь из-за этой вампирши... Постой, ты куда собралась?

— В школу. Ну я пошла, да?

— Мама еще в душе! Подожди!

Надя занервничала.

— Ну пап! Мне пройти три двора! Мне пятнадцать лет!

— Не три, а четыре. Не пятнадцать, а четырнадцать с небольшим.

— Я округляю!

— Не в ту сторону.

Надя топнула ногой.

— Пап! Ну прекрати! Я — Абсолютная...

— Абсолютная кто? — поинтересовался я.

— Волшебница, — буркнула Надя. Разумеется, она понимала, что этот спор ей не выиграть.

— Вот и хорошо, что волшебница, а не дура. Ты можешь быть безгранично сильной, но обычный камень, которым тебя ударят со спины...

— Папа!

— Или обычный вампирский зов, когда ты не будешь к этому готова...

Надя молча подошла ко мне, отобрала кастрюльку. Села за стол и стала есть вилкой, служившей для размешивания.

— Надя, я не самодур, — сказал я. — Подожди маму. Или пойдем, я тебя провожу.

— Пап, когда я иду по улице, за мной следят трое Иных.

— Двое, — поправил я. — От Ночного и от Дневного Дозоров.

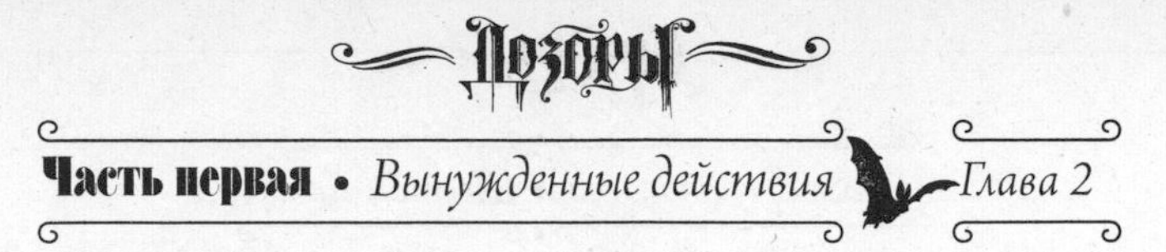

— И третий — от Инквизиции. У него артефакт мощный, ты его не замечаешь.

Вот оно как...

— Ну разве они допустят, чтобы на их драгоценную Абсолютную волшебницу напала сбрендившая вампирша?

— Я все понимаю, — согласился я.

— Папа, на мне семь амулетов! Из них три особо заточены против вампиров!

— Знаю.

Надя вздохнула и принялась ковырять омлет. Пробормотала:

— Соли мало.

— Соль вредна для здоровья.

— И подгорел.

— Активированный уголь полезен для здоровья.

Надя прыснула. Отставила кастрюльку.

— Ладно, сдаюсь. Пусть мама меня проводит... только никому не показывается. Если в классе увидят, что меня родители до школы провожают...

— Тебя волнует их мнение? — спросил я, доставая сковородку. Мудрить с омлетом уже не хотелось. Сделаю глазунью...

— Да!

— Это хорошо, — сказал я. — Многие Иные, которые осознали себя в детстве, очень быстро перестают обращать внимание на людей. Хорошо, что ты не такая...

— Папа, а та девочка, которую покусали последней...

— Ну?

— Она сама попросила стереть ей память?

Я кивнул. Разбил яйцо над сковородкой.

— Сама. Умная девочка. Даже если бы она упросила нас оставить ей воспоминания, ей было бы тяжело с ними жить.

— Наверное, — согласилась Надя. — Но я бы не смогла. Это как убить себя.

— Какая у меня умная дочь...

— Вся в жену, — сказала Светлана, входя. — Вы тут не ссоритесь?

— Нет! — хором ответили мы с Надей.

— Какие-то... остаточные энергии... — Светлана неопределенно повела рукой.

— Это папа готовил омлет, — сказала Надя и хихикнула.

* * *

Разумеется, вчера я рассказал все своим девочкам. И про нападения. И про свои догадки. И про содержимое картонной коробки из-под «магнитофона катушечного стереофонического НОТА-202», который добрая Элен под завязку набила нужными мне документами.

К сожалению, никакого беспокойства мой рассказ не вызвал. И ладно бы у Нади — я понимаю, что юность беспечна и безрассудна. Но и Света к моему рассказу отнеслась со скепсисом. Она согласилась с тем, что в именах жертв зашифровано послание мне. Но при этом наотрез отказалась считать угрозу серьезной: «Тот, кто на самом деле хочет зла, о своих планах не информирует».

Да и мое предположение, что на людей нападала вампирша, которую когда-то упокоили с моей подачи, Света отвергла. Во-первых, пусть я не работаю постоянно на улицах, но мне довелось обидеть немало вампиров и вампирш. Во-вторых, у обиженных могли быть подруги, «сестры по крови» — у вампиров все это довольно серьезно, хоть и не настолько, как в голливудских фантазиях. Ну и в-третьих, в большинстве случаев кровососы не таят обиду долгие годы, не мстят в духе графа Монте-Кристо. Они довольно приземленные существа. Практичные.

Иначе при их образе жизни... э... точнее — послежизни, долго не... долго не просуществовать.

В общем, мое вчерашнее беспокойство было обозвано «пещерными комплексами главы семейства». Я на такой неприкрытый феминизм обиделся, ушел на кухню и сел работать с документами. Потом Света с Надей, посмотрев какой-то свой сериал, пришли на кухню пить чай — и я перебрался в «кабинет». Увы, квартира у нас хоть и просторная, но не настолько, чтобы у меня была отдельная комната для работы на дому, поэтому кабинет я себе оборудовал в застекленной лоджии. И все бы ничего — там было и тепло, и места хватало, но оказалось, что работать с видом на двор, на людей и машины я толком не могу. Не сосредоточиваюсь — все время поворачиваю голову к окну, как нерадивый школьник на скучном уроке...

Однако я честно просидел остаток вечера над документами, разложил их на несколько групп. Потом тяжелым и сложным заклинанием вынудил себя понимать венгерский и датский языки — назвать результат словом «выучил» я бы не рискнул. Снова пересортировал документы. Прочитал статью Аманды Касперсен «О терпеливости кровососов и ее пределах». Понял, что либо в момент написания Дневной Дозор в Дании был очень слаб, либо нравы в начале двадцатого века были гораздо проще. Фру Касперсен банально пытала нескольких захваченных Ночным Дозором в плен вампиров, подвергала вивисекции (опять же — если термин применим к живым мертвецам) и все это скрупулезно протоколировала. Даже меня и даже при полном отсутствии симпатии к кровососам замутило.

Сжигание... замораживание... нарезание фрагментами... лишение органов... отравление... Даже экзотическая по тем временам радиация — Аманда пичкала пленных вампиров радием в чудовищных дозах!

Я полез в биографическую справку госпожи Касперсен, выяснил, что она с пятнадцати лет, то есть еще с конца девятнадцатого века, работала в Ночном Дозоре. Больше ничего там не говорилось, но, возможно, у нее были личные причины ненавидеть вампиров?

Однако работать после всего прочитанного мне расхотелось, и я пошел спать.

А вот сегодня, отправив дочь в сопровождении жены в школу, я спокойно вернулся к бумагам. То, что явно не относилось к вопросу или было прочитано, складывал обратно в коробку из-под древнего магнитофона (и как они сохранились в нашем архиве, заклинание, что ли, кто-то наложил?).

Увы, документы Аманды Касперсен, при всей их основательности и свирепости, мне ничего не дали. Трудолюбивая датская девушка выяснила, что вампиры очень, очень, очень прочные, убить их нелегко, повреждения они восстанавливают быстро. Самыми надежными способами (не считая магическое упокоение) Аманда признала отрубание головы с захоронением ее на расстоянии не менее двух с половиной метров от тела (я даже не решился уточнять, как была выбрана дистанция), сжигание «дотла с просеиванием золы на ветру» и «помещение в бочку с водкой, джином, самогоном или иным алкогольным напитком таковой крепости, дабы он поддерживал горение». Ну, про то, что вампиры не переносят алкоголя, знают даже дети...

Сложив все документы Аманды (там, кстати, были не только копии, но и несколько оригиналов – каким ветром занесло?) в коробку, я вычеркнул ее фамилию из распечатки. Аманда убедительно доказала, что если вампира взять и хорошенько помучить, то он умрет окончательно и никому мешать уже не будет. Я открыл для себя много нового в женских характерах и национальных датских обычаях. Понял, почему датчане разрезали на кусочки перед детьми бедного жирафенка Мариуса. Заподозрил, что уже не смогу прежними глазами смотреть на «Лего».

Но ничего нужного мне в документах не было.

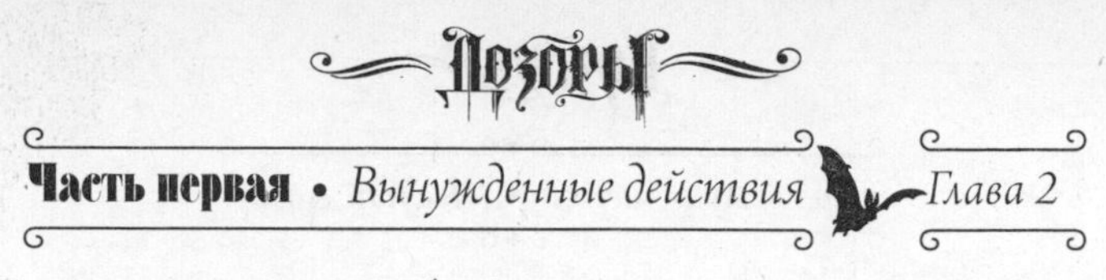

Что ж, оставался Чаба Орош.

Венгрия никогда не слыла местом особого разгула вампиризма. Легендарный Дракула, который, кстати, был не вампиром, а просто жестоким человеком, жил по соседству, в Румынии. Сами венгры, народ в целом добродушный, любящий вино, мясо и что-нибудь сладенькое-вкусненькое, к поеданию себя вампирами относились нетолерантно. К тому же они всегда были настолько нецивилизованны, что в отличие от англичан или американцев в вампиров верили.

Так что на территории Венгрии вампиры влачили довольно жалкое и скрытное существование. Даже без вмешательства Ночного Дозора.

После увлекательных девичьих записей о вивисекции вампиров я даже не сразу понял тональность Чабы Ороша. Но факт оставался фактом — Чаба Орош вампирами восхищался!

Я отыскал библиографическую справку по Орошу. Он был Светлым, седьмого уровня. Инициировали его довольно поздно, в шестьдесят лет. Работавший провинциальным аптекарем Орош был в восторге от открывшихся перспектив — поездил по миру, добравшись даже до Австралии и Северной Америки. Потом поселился в Будапеште. Стал работать в местном Ночном Дозоре, на какой-то мелкой канцелярской должности. Светлый, без всякого сомнения. Но — поклонник вампиров!

Прочитав все статьи Ороша и несколько более поздних публикаций о нем (что смешно — об Ороше писали в основном Темные), я решил, что понял его мотивы.

Он стал Иным слишком поздно. Возраст назад не отмотаешь — он мог придать себе вид молодого человека, мог укрепить здоровье, мог рассчитывать на многие десятилетия и даже века полноценной жизни. Но молодость — настоящая — уже ушла навсегда.

А ему хотелось юности.

Вампиры и ведьмы — вот две крайности. Вампиры всегда молоды, пусть это молодость нежити, трупа. Ведьмы всегда стары, хотя мало кто настолько полон жизнью, как ведьмы.

Орош восхищался вампирьей молодостью. Лоском. Манерами. Всем тем фальшивым блеском, гламуром, который вампиры выработали как маскировку, как средство завлечения жертв. И вроде как бывший аптекарь из города Секешфехервар все это понимал — но восхищался. Что ж, о вкусах не спорят.

Чаба Орош, конечно, не пил кровь и не старался обелить вампиров. Сущность их он вполне понимал. Но восхищение физическими кондициями кровососов, их крепостью, выносливостью, отличной от других Иных магией — все это скоро превратило его в очень странного персонажа. Будучи Светлым, работая в Ночном Дозоре, Орош непрерывно писал о вампирах, собирал о них информацию, изучал. Вампирам, похоже, это льстило. Они с ним общались (ну а почему бы законопослушному вампиру, соблюдающему Великий Договор, не пообщаться с законопослушным Светлым Иным). Рассказывали о себе. Даже позволяли проводить какие-то эксперименты (куда более щадящие, чем у датской девушки, конечно).

Всем нравится быть объектом внимания. Говорят, самые жуткие маньяки, когда их наконец схватят, с восторгом начинают рассказывать о своих злодеяниях. Вампиры не исключение.

В общем, Чаба Орош стал собирателем вампирского фольклора. Получил какой-то Знак Гильдии Вампиров, с которым принялся путешествовать по миру. Тут я первый раз удивился, ибо знал несколько попыток вампиров создать общую структуру, но ничем серьезным они не кончались — вампиры индивидуалисты, признают лишь... кхм... кровное родство. Либо семейные узы, либо узы инициации...

Но Орош со своим Знаком Гильдии и впрямь собирал фольклор повсюду. Снова много колесил по свету. Опять вернулся в Будапешт. И выпустил один за другим пять томов энциклопедии «ВСЕ ОБ ИНЫХ, ИМЕНУЕМЫХ ВАМПИРАМИ».

Вот тут и разразился конфуз (называть его скандалом не стоило, слишком много было хохота).

Иные — Светлые и Темные — читали энциклопедию и обнаруживали, что она наполнена туфтой. Некоторое количество общеизвестных фактов было густо замешено на столь удивительных байках, что бумага готова была покраснеть от стыда.

Чаба Орош на полном серьезе писал, что вампиры — это самые первые Иные, и уже от них потом пошли оборотни («развращенные вампиры» по его терминологии), Светлые и Темные маги...

Чаба Орош живописал, что когда-то давным-давно, на заре человечества, к первому Иному (вампиру, разумеется) явился Двуединый — Бог Света и Тьмы, который дал ему вкусить божественной крови и тем подарил силы Сумрака.

Чаба Орош рассказал библейскую легенду о потопе, только в его версии потоп случился из-за того, что вампиры в своей гордыне решили сделать всех людей на свете вампирами (деликатный вопрос о том, на ком они станут кормиться, Чаба не обошел — вампиры в его легенде решили пить кровь животных и... собственных детей, то есть вначале на них кормиться, потом превращать в вампиров — эдакий безотходный цикл). И вот за эту гордыню Бог Света и Тьмы и наказал вампиров потопом, спасся лишь Ной с семьей... и один вампир, младенец, которого родители-вампиры положили в деревянный ящик и пустили по водам, потом ящик подобрала жена Ноя... Ну, вы понимаете, что можно сделать из Библии, если у тебя нет тормозов в голове, специфическое чувство юмора и желание все объяснить с точки зрения вампиров?

Чаба Орош поведал также о куче других событий, представив их в новом свете. Вампирами были Орлеанская дева й Тур Хейердал, Эмиль Золя и Томас Эдисон. Тесла тоже был вампиром, конечно же. Вампиром его сделала жена президента Рузвельта, Элеонора (которую сделал вампиром сам Рузвельт). Все известные люди были вампирами. Или хотя бы сочувствовали им.

Когда я, уже бегло проглядывая энциклопедию Ороша, узнал, что вампиром был также и Иосиф Сталин, я едва не прослезился от восторга. Как жаль, что в российских либеральных СМИ не читали эту энциклопедию! Они бы на нее ссылались... Хотя как по мне — так в этих СМИ самые настоящие вампиры и собрались.

Я отложил последний, пятый том. Вздохнул.

Бедолага Орош пал жертвой своей сверхценной идеи. Как я понял, ему попалась компания вампиров-шутников (бывают, бывают...), которые с удовольствием навешали ему лапши на уши. И про обычаи вампиров, и про мировую историю с их точки зрения...

Наверное, среди массы фантазий, шуток и розыгрышей, которые он доверчиво записывал и пересказывал, были и здравые зерна. Только как их найти?

Пожалуй, единственное, что касалось возможности оживления вампиров, — это история о Вечном вампире, очень вольно переработанная с истории Вечного жида. Вечный вампир, правда, обидел не Христа, а Мерлина — но с похожими последствиями. Отныне он должен был бродить вечно, но не мог выпить крови — она жгла его огнем, поэтому, терпя немыслимые муки, питался в основном вином (что было крайне странно и непоследовательно, учитывая непереносимость вампирами алкоголя).

Впрочем, я вдруг подумал, что все известные мне рецепты предлагали обливать вампиров крепкими спиртными напитками. Может быть, вино они способны пить? Да ну, бред какой-то!

Было еще упоминание о том, что самые доблестные (ох и слово подобрал венгр!) и отважные вампиры могут быть оживлены Богом Света и Тьмы после упокоения. Но тут даже Орош не особо фантазировал.

Проглядев последние документы, я узнал, как Орош закончил свою жизнь. Нет, его не выпил вампир, и его не застрелили советские солдаты, чего я смутно боялся, увидев дату смерти. Плевать ему было на политику, а вампиры его не трогали. Орош простыл, гуляя в осеннем парке, заболел менингитом, к целителю сразу не обратился, а человеческий врач не справился. Нелепая смерть!

Я сложил все документы в коробку и пошел на кухню. Заварил чай. Тут как раз и вернулась Светлана — с двумя пластиковыми пакетами исполинского размера.

— Ну, могла бы предупредить, — упрекнул я ее. — Съездили бы в магазин вместе.

— Увлеклась, — сказала Светлана. — Не собиралась так нагружаться. Проводила Надьку, а потом думаю — загляну в «Ашан»...

— Что-то ты долго. — Я глянул на часы, разгружая набитую овощами сумку. — Четыре часа салат выбирала?

— Я вначале покрутилась вокруг школы, — призналась Светлана без стеснения. — Ты, конечно, зря паникуешь. Но я все-таки посмотрела, как там и что...

— И?.. — Я закончил с первой сумкой и взялся за вторую.

— Охраняют, — усмехнулась Светлана. — Один наш, двое из Дневного Дозора, один Серый, из Инквизиции.

— Серый? — удивился я.

— По происхождению он Светлый, — сказала Светлана. — Но у них у всех такой оттенок... общий...

Я хмыкнул. Я таких деталей в ауре Инквизиторов не замечал. Хотя и чувствовал какую-то общность у них всех...

А потом мои мысли стремительно понеслись в другом направлении.

— Один Светлый, двое Темных и Инквизитор? — переспросил я.

— Да. — Светлана сразу напряглась, почувствовав мой тон.

— Не может быть. Паритет нарушен. Либо двое наших, либо один Темный.

— Они могли засчитать Инквизитора... как Светлого... — растерянно сказала Светлана. Она сама себя сейчас уговаривала, ей ведь надо было и самой сразу понять, что такой расклад невозможен. Но Светлый-Инквизитор сбил ее с толку. Она приплюсовала его «на нашу» сторону и успокоилась.

— Про Инквизитора никто не знал, — сказал я, захлопывая холодильник и глядя Светлане в глаза. — Его только Надя чувствовала. Я — нет. И Дозоры про него не знали. Надя говорила про одного Светлого и одного Темного...

Через секунду мы уже были в подъезде и бежали вниз по лестнице. Пожалуй, можно было не спешить — если ничего не произошло за четыре часа, то уже ничего скорее всего не случится. Но мы бежали. Провешивать портал было бы дольше, даже в машину садиться и ехать — дольше. В Сумраке школа изолирована, и на открытие прохода тоже уйдет немало времени. Бежать через дворы — две минуты.

И мы бежали, зная, что либо можно не спешить вообще, либо мы уже давно опоздали.

Бегущий человек в современном городе — нечастый гость. Плестись вдоль витрин — часто. Идти быстрым шагом — всегда. А вот бежать... Для этого есть две ситуации: короткий спринт к остановке в надежде поймать уходящий автобус и ежедневный спурт сторонника здорового образа жизни — гденибудь в парке или рядом с ним, заткнув уши затычками плеера и натянув спортивную форму.

Человек, который бежит не к остановке и не в спортивной форме, вызывает невольное подозрение. От кого он убегает?

За кем гонится? Быть может, это вор-домушник, которого спугнула сигнализация? Или насильник, напавший на женщину в лифте? Гражданам ужасно хочется присоединиться к погоне, поучаствовать в самом древнем человеческом развлечении!

Но нет криков «Держи вора!» или «Хватай злодея!». Бегут мужчина и женщина, одеты неспортивно, но вид такой, будто рады будут кому-то засветить в глаз.

И эгоизм городской жизни побеждает. Граждане отводят глаза — бегут и бегут, значит, так и надо. Только морозостойкие бабушки, гуляющие с внуками или коченеющие на скамейках, украдкой тянутся за подаренными внуками телефонами — чтобы запечатлеть бегущих на мутный фотоснимок. А вдруг придут полицаи, начнут спрашивать, кто свидетель? А тут уже и фоточка есть! Пока в России есть бабушки — ни один вор не может чувствовать себя спокойно.

На нас смотрели с живейшим интересом. Кто-то из числа то ли самых любопытных, то ли отзывчивых окликнул: «Что стряслось?» Мы не ответили, нас не задерживали. Мы пронеслись через три двора и выбежали к ограде школы.

Ну да, три. Надя была права, а я — нет. Но это были большие дворы, особенно третий, так что я имел полное право сказать «до школы четыре двора».

Возле ограды мы не сговариваясь остановились. Переглянулись.

— Вроде все тихо, — сказал я. Посмотрел сквозь Сумрак — в здании школы желтели и зеленели туманные пятна аур. Школьники, ничем не напуганные, не раненые. На первом слое Сумрака, как положено, школа густо заросла синим мхом, растением-паразитом, единственным представителем флоры и фауны сумеречного мира.

Светлана тоже расслабилась. Мы улыбаясь смотрели друг на друга. А потом вновь повернулись к школе.

— Слишком тихо, — сказала Светлана.

Школа — это ведь не только первоклассницы с белыми бантами, чтение стишков на линейке и лес рук от рвущихся отвечать детишек.

Это еще двойки, это обидные прозвища, это нагоняй от директора и запись в дневнике красными чернилами, это несчастная любовь и зуботычина от хулигана, это проигрыш в волейбол и украденный смартфон.

Это очень, очень, очень много эмоций! Это кипящий котел, из которого плещет Сила. Потому школы и обрастают синим мхом, он жрет человеческие эмоции. И не бывает у детей в школе таких вот одинаково умиротворенных аур.

— Пошли, — сказала Светлана. Как-то странно повела левой рукой — и я заметил, как в воздухе засверкали крошечные быстрые искорки, образуя невидимый бесплотный овал. Какая-то локальная защита, что-то вроде Щита Мага, но активированного заранее, в «ждущем режиме». Мелькнула мимолетная мысль, что надо будет выяснить, как она это делает.

— Гесер... — позвал я, двигаясь вслед за Светланой. Мы даже не обсуждали, надо ли вызывать подмогу и кто будет это делать. — Гесер...

Я добавил в голос чуть больше Силы.

«Антон?»

— ЧП в школе у Нади.

«Код?» — В критической ситуации шеф не тратит времени зря.

Я хотел ответить «шесть», что означает «критическая ситуация в месте большого скопления людей, возможны жертвы», но тут Светлана остановилась и взяла меня за руку.

— Два, — сказал я. — Два — Серый.

Двойка — это критическая ситуация в месте большого скопления людей с доказанными жертвами. Серый — погибший принадлежал к Инквизиции.

Он лежал между огороженной металлической сеткой спортивной площадкой и главным входом в школьное здание.

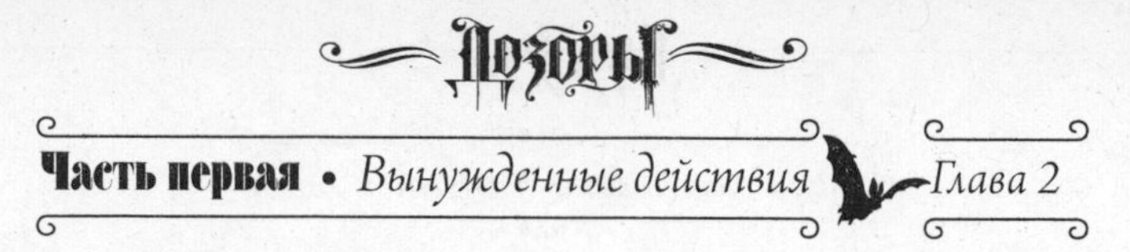

Судя по позе — он бежал к школе... Совсем молодой на вид парень с угасающей аурой Светлого Иного (и в этот раз я действительно уловил тот оттенок, который Света называла пыльным — будто общий светлый тон был припорошен темными крапинками). Уровень, конечно, уже был смазан, но не меньше третьего, ближе ко второму.

А еще парень был окончательно и бесповоротно мертв. Причем убили его так странно, что мне не приходилось о таком даже слышать.

Левая половина тела у Инквизитора была обуглена. Одежда частично сгорела, частично превратилась в ломкие черные хлопья. Ветер милосердно дул с нашей стороны, но даже сквозь него пробивался тошнотворный запах жареного мяса.

Правая половина тела у Инквизитора была заморожена. Точнее, проморожена — когда он упал, у него откололась рука в локте. Лед еще покрывал тело тонкой коркой, только на отколовшейся руке растаял, и она лежала в красной луже.

Я моргнул и послал Гесеру мысленный образ убитого Инквизитора. Шеф выругался. Очень грязно и витиевато. Нет, я не сомневался, что он знает русский досконально. Но это было очень затейливо. Но все-таки недостаточно по сравнению с тем, что мы видели.

«Ждите, — приказал Гесер. — На рожон не лезть. В здание не входить!»

Полагаю, он даже не надеялся, что мы его послушаем, но все-таки сказал то, что считал нужным.

— Гесер, какого уровня он был? — спросил я, отводя взгляд от мертвого тела.

«Лет семьдесят назад, когда мы встречались, у него был второй. Сейчас, наверное, первый».

— Он был первого уровня, — сказал я Светлане, когда мы двинулись к дверям школы, обходя убитого с наветренной стороны.

Света не ответила. И так все понятно — убить Иного первого уровня, да еще Инквизитора, с их особыми заклинаниями и хитрыми амулетами — это очень сложная задача. Даже для Высшего Иного — это как минимум тяжелый и опасный бой с непредсказуемым результатом. С Инквизитором же расправились мимолетно и убедительно. Еще и бросили возле входа как предупреждение.

Я размял руки, потряс пальцами, «навешивая» на них заклинания. И поймал себя на том, что непроизвольно делаю перекос в сторону защитных. Что ж, посмотрим. Двое Высших Иных — не один первого уровня.

Мы вошли в школу.

* * *

Первые тела я увидел в вестибюле возле гардероба — двое мелких, лет десяти, мальчишек. Судя по всему, нападение произошло во время урока, детей вне классов практически не было.

Светлана нагнулась над одним, я — над другим.

— Спит, — сказала жена.

— Дрыхнет, — подтвердил я. — «Морфей»?

— Это сработал Надькин браслет, — сказала Светлана. — Ты что, не понял?

И тут до меня дошло. Помимо того что за Надеждой непрерывно ходили двое... нет, как оказалось — трое охранников-Иных, на ней с самого детства еще и болтались защитные амулеты. Какие-то свои сразу после рождения Нади пытался навязать Гесер, но выслушал от Светланы такую отповедь, что заткнулся навсегда.

Амулеты выбирала и заряжала Светлана. Большая часть из них ушла вместе с младенчеством (я уже не помню, чем она заряжала пустышки, но защитная магия в них была), сменилась заколдованными игрушками (если бы вы только знали, что способен был сделать с человеком Надин плюшевый мишка, — у вас волосы бы встали дыбом). Сейчас амулетами служили украшения — как оно всегда и было у женщин.

Мой вклад в безопасность дочери был невелик. Работа с артефактами — это больше женская магия, недаром ее так любят ведьмы. Но все-таки левая сережка в ее ушке была заряжена мной — в случае недружественного внимания к Наде она генерировала «сферу невнимания» такой силы, что любой человек, зверь или Иной, будь он хоть умирающим от голода оборотнем, начисто утратил бы к Наде интерес.

Надя к этой сережке относилась с большим подозрением. Она считала, что сережка периодически фонит и отпугивает безобидных кавалеров. У нас из-за этого даже состоялся серьезный разговор, я объяснил Наде, как меня обижает такое недоверие, и она извинилась.

Хорошо, что при всей своей силе дочь пока не умеет работать с тонкими материями. Ну конечно же, сережка иногда фонила. Чуть-чуть... Когда Наде исполнится восемнадцать — перестанет. И не надо меня упрекать, если у вас нет дочери-подростка!

Еще я заряжал цепочку, на которой Надя носила подвеску. С подвеской работала Светлана, а вот с цепочкой — я, повесив на него «серый молебен» — заклинание против нежити, то есть — в первую очередь — против вампиров. Ну и на серебряном браслете с наборными висюльками я зарядил одну — маленькую книжку с надписью «Fairy Tales».

(Понимаете, почему ведьмовство и магия артефактов — в основном женская доля? Им есть на что записывать заклинания. Нам, мужикам, остаются часы да запонки — чего явно недостаточно.)

Заклинание, вбитое мной в серебряную книгу сказок, было «волкодавом» — мощным заклинанием, нацеленным на оборотней. Их оно отпугивало, а если те все-таки атаковали — могло и убить. Вампиров «волкодав» тоже отпугивал, хотя и был менее совершенен. Из недостатков за ним числилась низкая избирательность — Светлые маги-перевертыши получали по полной, как и оборотни.

Браслет с девятью подвесками (шарики, фигурки, чашечки, книжечки) и был основной защитой Нади. Я в принципе знал, как она построена, и теперь мог примерно представлять произошедшее.

— Все в порядке, — сказал я. — Света, все должно быть в порядке. Артефакты отработали.

...Вначале должны были пробудиться защитные заклинания, вроде той самой сережки. «Сфера невнимания», меняющая облик «паранджа», еще несколько заклинаний, целью которых было увести агрессора в сторону, отвлечь. Если они не срабатывали, то шел магический сигнал о помощи (впрочем, больших надежд я на него не питал — все подобные сигналы можно заглушить. Вот и сегодня никаких призывов о помощи не было), а потом срабатывали атакующие заклинания — против людей, против Иных, особо — против вампиров и оборотней...

А «Морфей» был одним из звеньев последней линии обороны. Уж если он сработал, погружая всех людей вокруг в магический сон, то, значит, ситуация критическая. Врага не удается ни отпугнуть, ни уничтожить.

И значит, надо защитить Надю и минимизировать ущерб для окружающих. А что самое безопасное для людей, если рядом с ними начинают свои разборки Иные? Правильно — сон.

Мы двинулись в глубь школы. Двинулись осторожно, как солдат по захваченной врагом территории. Я шел чуть впереди, готовый к атаке или контратаке, Светлана чуть позади и по левую руку.

Но врага не было. Был еще один спящий паренек — постарше Нади, пожалуй. В руке он сжимал пачку сигарет — шел из школы курить, паршивец!

А потом мы увидели охранника, обычно дежурившего между просторным вестибюлем с раздевалкой и собственно зданием школы. Тут у него стояли стол и стул, на столе лежал какой-то журнал, куда он вроде бы должен был записывать посетителей, но никогда на моей памяти этого не делал. Подобные вахтеры-охранники обычно заняты просмотром телевизора или чтением бульварных журналов. Этот мужик телевизор не смотрел за неимением и ничего не читал в связи с нежеланием. Когда ни детей, ни взрослых у его поста не было, он доставал простенький мобильник и играл на нем в тетрис. Четыре года, которые ходила в эту школу Надя, он играл в тетрис — и, по-моему, даже не подозревал о существовании иных игр.

В общем, мужичок был простой, незамутненный, после службы в армии поработавший там по контракту пять лет, а потом отправленный в отставку. Ибо армия меняется вместе со страной, и таким простым ребятам там все меньше работы.

Спросите, откуда я это знаю? Да я вам про каждого учителя Нади могу подробную биографическую справку привести.

Так вот, сейчас этот недалекий, некрасивый, неумный и в общем-то совершенно чуждый мне человек лежал у стены — врезавшийся в нее с такой силой, что кое-где отвалилась штукатурка. Школа у нас старая, построенная на совесть, никакого гипсокартона и прочей фанеры — если уж столетняя штукатурка отваливается, так только вместе с частью кирпичей.

Охранника швырнули с такой силой, что кирпичи не выдержали. Как и его череп — под головой была лужица темной крови. Вампиры, если уж не кусают или не очаровывают, предпочитают самое простое, силовое решение конфликтов.

— Жив, — внезапно сказала Светлана. Сделала короткий пасс рукой — послав в сторону бедолаги какое-то заклинание. — Выглядит страшнее, чем на самом деле. Даже позвоночник цел.

Хоть Светлана и шла позади, но она направляла меня — то движениями, то едва уловимыми мысленными указаниями. Сумрак внутри школы был абсолютно чист, никаких следов сражения, никаких аур Иных, в том числе и дочери. Только ауры спящих детей и преподавателей, ну и тусклая, едва заметная аура потерявшего сознание охранника.

Сейчас не время было об этом размышлять. Но я все равно думал, что этот неказистый и глуповатый дядька не убрался с дороги перед разъяренной вампиршей, только что убившей Инквизитора. Многие ли из умных, красивых, сильных были бы способны на такое? Не знаю. Но тихий ехидный голосок, который порой звучит в нашей душе, чтобы заглушить голос совести, в тот же миг прошептал: «Так, может быть, он потому и не убрался с дороги — что дурак?»

Я кивнул этому голосу. Да. Может быть, именно так. И раз я слышу в своей душе этот голос — значит, я уже настоящий Иной. Но если я все-таки не соглашаюсь с этим голосом открыто — я все еще Светлый.

Глава 3

Даже в детстве, выходя посреди урока из класса, чувствуешь какую-то особую атмосферу школы. Она даже не то чтобы тревожная. Скорее, чувствуешь себя неуместным — как это так, все на уроке, а ты идешь по коридору? Непорядок! Когда ты взрослый, это ощущение только усиливается.

— Третий этаж, — негромко сказала Света за спиной.

— Я не чувствую, — пожаловался я, поднимаясь по лестнице.

— Я тоже. — Голос у жены был совершенно спокойный. Слишком спокойный для ситуации, и это обещало кому-то в будущем очень серьезные неприятности. — Зато я вспомнила ее расписание. Сдвоенная математика в триста шестом кабинете и английский в триста восьмом.

Коридор третьего этажа был совершенно пуст. Я с тоской глянул в окно — не оцепили ли школу оперативники Ночного (да пусть бы хоть и Дневного) Дозора, не шествует ли по двору Гесер, великий и ужасный.

Нет. Пусто. Только труп Инквизитора.

Кстати, а где же охранник от Ночного и охранник от Дневного Дозоров? Скорее всего мертвы — просто не попались нам на глаза...

Вначале мы заглянули в триста шестой кабинет. Наша математичка Любовь Егоровна спала за своим столом. У доски стоя, привалившись к ней головой, спал рыжий очкастый мальчик. Весь остальной класс спал за партами. Все были умиротворены, всем снились хорошие сны. Вот только класс был другой, то ли параллельный, то ли на год младше.

Светлана тихо прикрыла дверь, и мы двинулись по коридору к триста восьмому кабинету. Стояла все та же мертвая тишина, даже город, казалось, замер вокруг. Я вдруг подумал, что тишина уж слишком глубокая... не применен ли какой-то магический шумодав? Но даже если враг для каких-то целей это сделал, нам сейчас это на руку.

Мы подошли к двери. Переглянулись. Светлана кивнула. И я плавно открыл дверь — не то чтобы ожидая наткнуться на засаду, скорее перестраховываясь. Можно врываться в помещение, выбивая дверь ногой. Можно пытаться просочиться, открывая ее по сантиметру в минуту. Но ничуть не худший эффект — если просто открыть дверь уверенно и спокойно, как человек, имеющий на это право.

Я открыл дверь — и мы с женой дружно выдохнули, увидев Надю.

«Последний рубеж защиты» состоял из трех заклинаний, срабатывающих одномоментно.

Первое насылало на окружающих «Морфей». При удаче он мог зацепить и нападающих, но основной его целью было вывести из-под удара людей.

Второе посылало тревожный сигнал в офисы Дозоров и нам со Светланой. Вот как раз на это заклинание я не особо рассчитывал, и, как выяснилось, правильно — сигнал не прошел.

А третье — третье насылало на саму Надю «фриз».

Заморозка, которую у нас все предпочитают называть англицизмом, «фризом», всегда считалась мягким атакующим заклинанием. «Фриз» останавливал время — и враг застывал будто муха в янтаре, позволяя тебе обдумать, что же с врагом делать и каким заклинанием угостить.

Но были у «фриза» очень серьезные недостатки. Во-первых, Иному от него можно было довольно легко защититься, так что использовался он в основном против людей или животных. Во-вторых, пока противник находился под действием «фриза» — с ним ничего нельзя было сделать. Абсолютно ничего — ибо он для нашего мира переставал существовать. Нет, объект, подвергшийся темпоральной заморозке, был виден, его окружало слабое голубое сияние, а при касании он казался затянутым в упругую пленку. Но прорвать эту пленку нельзя было ничем, никакими магическими или материальными средствами. Как объясняли ученые, «хотя объект кажется доступным нашим органам чувств, на самом деле мы наблюдаем лишь проекцию, а самого объекта в нашей Вселенной временно нет». В-третьих, «фриз» требовал длительной подготовки, его надо было либо заранее «держать на пальцах», либо записать на артефакт.

В нашем случае все недостатки превращались в достоинства. Обращенный на Надю «фриз» делал ее совершенно недосягаемой для врагов.

Надя застыла у окна, судя по позе, она бежала и собиралась прыгнуть в окно. Прямо через стекло. С третьего этажа.

Для Абсолютной волшебницы, уже умеющий управлять своей Силой, это не очень характерно. Секунду я смотрел на окутанный синеватым сиянием силуэт Нади, потом решил, что она не удирает, а догоняет кого-то. Альтернатива мне очень не нравилась.

А потом мое сознание увидело всю картину целиком, и я совсем расслабился.

Рядом с Надей стоял Денис — Светлый боевой маг из Сибири, то ли из Омска, то ли из Томска, я, как типичный москвич, вечно их путал, вызывая у Дениса ухмылку. Парень он был молодой и перспективный. То, что он охранял Надю, я не знал, но считал это очень хорошим выбором.

Темного мага из Дневного Дозора я не знал. Но, похоже, тоже из молодых, амбициозных, с удовольствием согласившихся поработать на охране Абсолютной девочки. Пожалуй, он был даже слишком молод и смазлив, чтобы я не смотрел на него с подозрением. Ходят тут такие вокруг наивных школьниц, а те потом в Темных начинают влюбляться. Ненавижу все эти человеческие глупости, культ вампиров и прочего зла! Вначале шуточки, хиханьки-хаханьки, «Драко Малфой душка», «Эдвард красавчик», а потом начинают котят в подвалах душить и молитвы задом наперед читать...

— Я редко применял это заклинание, — сказал Денис. Они с Темным еще не заметили нашего появления. — «Фриз», темпоральная заморозка. Если не знать код снятия, то никак не пробьешь. Кстати, кода может и не быть, придется ждать, пока рассосется само.

— Нет времени, — озабоченно сказал Темный. — Можно ли ее сдвинуть?

Он уперся Наде одной рукой в затылок, другой в поясницу и изо всех сил толкнул. Я понимал, что дочери ничего не сделается, что они просто пытаются быстрее эвакуировать ее в безопасное место, но его бесцеремонность меня покоробила. Темные!

— Может, поднять? — предложил Денис и попробовал подхватить Надю под попу. С тем же успехом.

— Она должна быть завязана на какие-то опорные точки, — рассуждал Темный. — Я что-то вспоминаю... На центр Земли, может быть?

— «Фриз» завязан на условные пространственные векторы, двоечник, — неожиданно зло сказала за моей спиной Светлана.

Дозорные развернулись.

— Что тут стряслось, ребята? — спросил я как можно дружелюбнее, чтобы сгладить резкость жены. — Там убитый Инквизитор во дворе...

Дозорные не сговариваясь выбросили в моем направлении руки. Денис — левую, Темный маг — правую. Свободными руками они сцепились друг с другом.

Только тут до меня дошло. Это не вампирша убила Инквизитора, ранила охранника и напугала Надьку так, что она попыталась выпрыгнуть в окно.

Это двое дозорных! Светлый и Темный! Дозорные-предатели!

Я видел их ауру, и Денис был Светлый, абсолютно, беспримесно Светлый, а парень из Дневного Дозора был Темным, но они стояли взявшись за руки будто влюбленные геи и собирались сейчас долбануть по нам тем же заклинанием, что убило Инквизитора...

Волна адского огня и порыв космического холода разбились о выставленный Светланой Щит. Это был именно Щит Мага в какой-то незнакомой мне модификации.

Щит выдержал. Понятное дело, что хорошо накачанный энергией Щит Мага может выдержать все, что угодно. Я это сам проверял. И понятно, что построенный Великой Щит должен выдержать удар двух обычных, ранговых Иных.

Но это был удар такой силы, что на мгновение мне показалось, что Щит лопнет.

Дверной проем по правую руку от меня даже не загорелся, он просто рассыпался в пепел, и часть стены развалилась в прах, и по полу прошла глубокая черная борозда — будто ручеек лавы протек. Ноги стало припекать сквозь подошвы ботинок.

По левую руку от Светланы стена с тонким печальным звоном стала раскалываться на куски. Я уж не знаю, до абсолютного нуля она охладилась или все-таки нет, но на такой перепад температур строители явно не рассчитывали.

Дозорные медленно опустили руки. Кажется, они не ожидали, что мы останемся живы. Да что они, я уж и сам этого не ожидал!

— Я думаю, — негромко сказала Светлана, — что в целях безопасности мне придется убить одного из вас. А уж о том, что здесь произошло, расскажет второй. Единственное, что вы можете сделать, чтобы уцелеть, — немедленно сдаться.

Это была хорошая, правильная речь. Тем более совершенно искренняя, я чувствовал, что Светлане хочется кого-нибудь сейчас убить. На месте этих неправильных дозорных я бы сдался.

Светлый и Темный дозорные переглянулись.

И я понял — нет, они не сдадутся. Кажется, несмотря на их удивление нашей стойкостью, они вовсе не напуганы. Они не считают, что выложились на всю катушку. Они готовы продолжать.

Где же Гесер?!

Я ударил сразу по обоим. Плевать, что Денис «свой» — сейчас не время разбираться, предатель он или находится под каким-то заклятием.

В дозорных прошла серия мелких заклинаний, основное достоинство которых было в их разнообразии. Классика боевой магии — файербол, старое как мир Тройное Лезвие — хоть дрова поколоть, хоть человека; «белое копье» — поток тепловой энергии и Опиум — даром что «Морфей» не сработал, и «терка», которую я держал в силу нестандартности. Атаки бытовой магией обычно не ждут, а после того как «терка» пройдется по коже, врагу обычно не до волшебства.

Расчет у меня был простой — набор разноплановых атак перегрузит защиту дозорных, они должны будут отвлечься, это даст нам время на нормальную атаку. Мало кто из Иных, не принадлежащих к Высшему уровню, способен атаковать каскадом из четырех-пяти заклинаний одновременно. И отбить такую атаку тоже нелегко...

Я ожидал чего угодно. И удачи — тогда противники рухнули бы, пронзенные невидимыми лезвиями, прожженные струей огня, охваченные пламенем, с содранной кожей и спящие... Да уж — чудовищная картина! И неудачи — не дураки же наши коллеги, наверняка на них и Щит Мага, и какой-нибудь защитный амулет, готовый выстроить «хрустальный шар» или Сферу Отрицания.

Так оно обычно и бывает в бою, если честно. Первые атаки гаснут в Щитах. Потом энергия защитных заклинаний кончается, и противник... Обычно противник сдается.

Но того, что произошло, я даже представить не мог! Все заклинания попали в цель. Я видел, как лопнула куртка на Денисе, в которого вонзились три невидимых клинка. Как загорелось пальто Темного, пробитое «белым копьем», и он шатнулся от удара. Как обоих охватило пламя и как мазнула по ним «терка».

И ничего!

Денис стал стряхивать с лица огонь (хороший файербол липнет к коже, как напалм) вперемешку с кровью. Ран он словно и не заметил. А Темный начал плести какое-то свое заклинание.

Меня подвела логика. То, что я видел, могло происходить в одном-единственном случае — если и Денис, и Темный маг были уже мертвы. Обращены в вампиров или подняты из мертвых. Тогда им было бы плевать на огонь и раны.

И я выложил все силы, что сейчас были мне доступны, в «сером молебне», самом простом, надежном и безотказном заклинании против нежити. Единственное, от чего зависит, сработает ли «серый молебен», — сила заклинания.

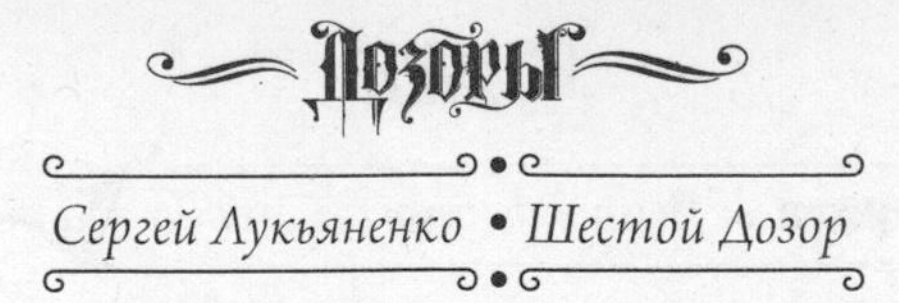

Я ударил так, что развоплотил бы всех вампиров километров на десять-двадцать в направлении заклинания. Так сильно я бил только однажды, давным-давно, в Саратове, пытаясь уничтожить своего друга-врага Костю... Нет, если честно, там я бил еще сильнее, меня накачали Силой Гесер и Завулон, кажется, в тот раз я действительно развоплотил нескольких вполне законопослушных вампиров.

Но тогда я был куда менее опытен. Сейчас я не расплескивал «серый молебен» во все стороны, я сжал его в пучок, направленный на дозорных, и еще немного задрал вверх — так что заклинание должно было пройти над землей вверх, в небо.

Если кто-то из вампиров в этот момент пролетает мимо на самолете — я не виноват...

Когда используешь «серый молебен», мир будто выцветает — это проглядывает в нашу реальность Сумрак. Нежить этого не выносит, как мне однажды рассказали — вся она существует за счет разности магических потенциалов нашего мира и Сумрака.

Вот и сейчас мир выцвел, как старая кинопленка, по дозорным мазнуло серой волной. Они, похоже, это заметили — переглянулись. Но даже не подумали рассыпаться в прах. Они стояли окровавленные, пробитые, в огне. Они не могли быть живыми. Но и мертвыми они быть не могли.

Да что же они такое?!

И тут совершила свою ошибку Светлана. Ошибку вполне простительную. Как говорил Шерлок Холмс, «отбросьте невозможное — и самое невероятное окажется истиной». Она увидела все то же, что и я. И пришла к логичному выводу — дозорные живые, но они находятся под Доминантой, заклинанием безусловного подчинения. Потому и убили Инквизитора. Потому и нападают на нас. Потому и не обращают внимания на раны и боль.

Светлана наложила на них три заклинания подряд, причем это были заклинания, не заготовленные заранее. «Реморализация» — дозорные должны были освободиться от любой навязанной парадигмы поведения, вернуться к своей базовой морали. «Барьер воли» — если ими управляли напрямую, как куклами-марионетками, то связь должна была быть разрушена. И «сфера спокойствия» — надежная защита разума.

Если бы дозорные подчинялись какому-то могучему Иному, то сейчас они пришли бы в себя. Но они засмеялись! Самое обидное было в том, что они поняли тактику Светланы, и она вызвала у них веселый смех! Они стояли, истекая кровью, на них уже загорелась одежда — а они смеялись, причем искренне, даже с какой-то доброжелательностью, будто взрослые, оценившие усилия детей, читавших стишки и плясавших на утреннике в детском саду.

И в этот миг мне стало страшно. Похоже было на то, что мы, Высшие, этих ребят ничуть не пугаем.

А в следующий миг они стали нас ломать. Дозорные не мудрствовали — они использовали Пресс, давили чистой Силой. Зная Светлану, я был уверен, что ее Щит заряжен на совесть, но выдержал он секунды три, не больше. За это время Светлана успела поднять новый Щит, я влил в него все, что у меня еще оставалось, — но и этой защиты хватило секунды на две-три.

Потом нас швырнуло через класс, через сожженную и вымороженную дверь — в коридор. В очень неудачно подвернувшуюся батарею центрального отопления под окном. Хорошо, что это был не старый ребристый чугун, но и современная дюраль мягкой не показалась. От удара у меня перехватило дыхание, на миг потемнело в глазах. Через секунду я пришел в себя и поймал взгляд Светланы. Давно она на меня так не смотрела — растерянно, жалко.

— Извини, — прошептала она. — Я что-то не рассчитала...

Дозорные шли к нам, на время оставив Надю во «фризе». Шли без спешки, но и не медля. Огонь на них погас, Темный маг на ходу стряхивал с пальто хлопья сажи.

— Денис... — сказал я, с трудом вставая. — Денис, опомнись. Я Антон Городецкий. Мы работаем в одном Дозоре. Мы... приятели.

— Какие мы приятели, мы виделись-то раза три, — ответил Денис с улыбкой.

И это опять было так ненормально, так дико, что захотелось кричать. Он вел себя как обычно!

Я отступил, прижавшись к стене, уткнувшись спиной в идущую снизу вверх горячую трубу отопления. Потянулся к тем резервам Силы, которые, став Высшим, привык считать неисчерпаемыми. Увы! Все было истрачено начисто. Минута-другая, и Сила снова стечется ко мне — но у меня не было этих минут.

Дозорные снова взялись за руки. Было ли это им необходимо, или просто облегчало магию?

В отчаянии я потянулся, пытаясь достать Силу из Надькиных одноклассников, но они были в зачарованном сне, в таком состоянии люди очень плохие доноры. Рядом была Надя — на самом деле неисчерпаемый источник Силы, но она была запечатана «фризом».

— Держи... — прошептала Светлана, и я поймал посланный ею сгусток энергии. Совсем крошечный. Жалкий. Достойный Иного седьмого уровня, а не Высшей Светлой волшебницы. Светлана беспомощно улыбнулась, словно извиняясь передо мной.

Горячая труба центрального отопления больно жгла меня от лодыжки и до лопатки. Толстая, крепкая труба.

Я развернулся, и последняя капля Силы, которую влила в меня Светлана, рассекла трубу у пола и потолка. Я вырвал трубу — две струи горячей воды ударили вверх и вниз из обрезков, обдавая меня кипятком, и оставалось лишь радоваться, что в школах запрещены системы парового отопления.

И этой трехметровой трубой, размахнувшись через весь коридор, я огрел Светлого мага Дениса по шее. Что-то хрустнуло, он издал сдавленный вякающий звук, голова его наклонилась под таким углом, какого у живых не бывает — люди они или Иные, не важно.

Но умирать Денис не собирался. Он закружился по коридору, удерживая голову руками и будто пытаясь вправить ее. Словно череп слетел с какого-то шарнира на позвоночнике и его можно просто поставить обратно...

Темный все-таки ударил, но прицел у него сбился. Горячая вода, хлещущая из обрезков трубы, мгновенно застыла ледяным сталактитом и ледяным сталагмитом. Но любоваться этим было некогда — я ткнул Темного в живот, навалился, издав яростный вопль, толкнул вперед — и впечатал в стену коридора. Труба скользнула по животу Темного и воткнулась в дыру, оставленную «белым копьем». Я даже слышал звук, с которым труба ударила в стену...

Наступила короткая нелепая пауза — за моей спиной похрустывал лед и неуверенно пыталась встать Светлана, Светлый Денис кругами носился по коридору, пытаясь водрузить голову на место, Темный смотрел на меня округлившимися глазами, насаженный на трубу, будто жук на булавку.

Потом все опять стало плохо.

Светлана упала — видимо, ей очень сильно досталось. Темный схватился за трубу и начал идти ко мне, перебирая руками и пропихивая трубу сквозь себя. А у Дениса голова с хрустом встала на место. Я скосил на него взгляд — Светлый дозорный смотрел на меня очень нехорошо. С обидой смотрел.

— Света, беги! — крикнул я, понимая, что она никуда не убежит, раз и подняться-то не может. Я бы крикнул «прыгай в окно!», но это слишком напоминало неудачную попытку Нади убежать...

— Тебе конец! — сказал Денис. Голос у него изменил тональность, похоже, мой удар повредил голосовые связки. — Я тебя выверну наизнанку...

Кажется, это была не фигура речи. Я и сам мог бы придумать два-три заклинания, дающих такой неаппетитный эффект.

Но в эту секунду все опять поменялось. Откуда-то из пустоты, из теней и бликов света, вырвалась стремительная тень. Я не мог различить ни лица, ни даже фигуры — с такой скоростью двигался вампир. Я видел лишь темную ауру нежити.

Вампир снова сломал Денису шею — именно сломал, я услышал тот жуткий хруст, который невозможно забыть. И метнул через весь коридор — Светлый кубарем покатился к лестнице. В следующий миг трубу вырвали из моих рук, она дважды обернулась вокруг Темного и пронзила его еще раз. Темный заорал, скорее от возмущения, чем от боли, — и отправился в полет вслед за Денисом.

Я ожидал, что спятившие дозорные нападут снова. Но не тут-то было! Денис помог подняться Темному — и оба исчезли на лестнице.

Сделав шаг к Светлане, я присел рядом с ней на пол. У меня тряслись и руки, и ноги. Скорее психологическая реакция — лишенный Силы, я чувствовал себя голым.

Вампира уже не было.

— Вот, — сказала Светлана и облизнула губы. — А ты боялся. Она не охотилась на тебя... или Надю... Она нас защищала.

— Она? — уточнил я. — Ты разглядела?

— Нет. Но такая эмоциональность. Чисто женская. Не находишь?

Я взял ее за руку.

— Ты как?

— Мне очень и очень не помешает магия, — сказала Светлана. — Желательно в ближайшие две-три минуты.

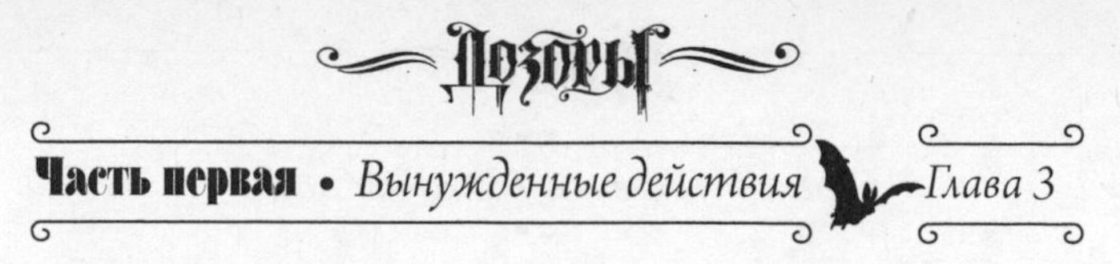

— Да что с тобой?

— Ребро сломано. — Она улыбнулась. — И очень неудачно. Пробило сердце.

— Твою... — выдавил я, на четвереньках двигаясь к классу. — Твою налево... сейчас... Ты только глупостей не делай!

— Пару минут. Обещаю, — еле слышно сказала Светлана.

До закованной во «фриз» Нади я так и добежал на четвереньках. А потом встал и потянулся губами ко лбу дочери.

Так «фриз» развеялся бы к вечеру. А от поцелуя — мгновенно.

Мне пришлось повиснуть на Надьке всем телом, чтобы она не сиганула в окно. Для нее-то ничего не было: рывок к окну — и вдруг мокрый, мятый, дико выглядящий отец возникает из ниоткуда и едва не валит на пол.

— Надька... мать в коридоре, живо! — рявкнул я, падая на ближайший свободный стул. Рядом со мной блаженно похрапывала девочка с внешностью круглой отличницы. Мне тоже хотелось отключиться и уснуть, словно весь адреналин в крови превратился в валерьянку.

А Надя уже была в коридоре. Я чувствовал, как там полыхнуло Силой — Надя что-то сделала сама, потом влила энергию в Светлану. Все абсолютно беззвучно, без слез и причитаний. У меня боевые девочки!

Потом я почувствовал такой заряд энергии, будто залпом выпил целый кофейник. Встал и крикнул:

— Спасибо, доча!

Осмотрелся. Да, поле боя впечатляло. Особенно вынесенная огнем и льдом дверь. Группе зачистки придется поработать... Только где же она? И где же шеф?

— Гесер, к тебе взываю! — выкрикнул я древнюю как Сумрак формулу призыва учителя. — Гесер, к тебе взываю! Гесер...

— Да не ори ты, — раздалось у самого уха.

Я обернулся. Пресветлый Гесер, он же Гэсэр, он же Гесэр, он же Джору-сопливый, он же Борис Игнатьевич, он же Берл Глайхгевихт (что было очень малоизвестно, а я узнал случайно, в ходе задушевной дегустации с одним еврейским боевым магом), он же Богорис Пресианович (что я узнал совсем уж удивительным образом и помалкивал о своем знании), итак — пресветлый Гесер, Высший маг и маг вне категорий, Светлый Иной, победитель демонов и Сын Неба, герой Тибета и Монголии, главный персонаж народного эпоса Гесериада, почитаемый калмыками и удостоенный огромного конного памятника в Бурятии, руководитель Ночного Дозора Москвы, а значит, по факту, и всей России, — стоял за моей спиной.

Точнее — не совсем стоял. Он отлипал от стены и пола, обретая человеческую фигуру, собираясь воедино, как жидкий робот-терминатор из популярных фильмов. Несколько секунд я обалдело наблюдал за этим процессом. Часть Гесера, кажется, даже была прозрачной, расползшейся по стеклу.

— Давно вы тут, шеф? — спросил я. Посмотрел на руки — они дрожали.

— Достаточно давно, — уклончиво ответил Гесер.

И тут рядом с ним воздух потемнел, заискрился и сгустился в фигуру в темной одежде.

— Это невозможно, — сказал я, глядя на визитера. Почему-то его появление окончательно выбило меня из колеи. — Я могу придумать два... даже три способа спрятаться так, как шеф...

— Их не менее шести, — ответил Гесер. — И — не спрятаться, а замаскироваться.

— Но затаиться в Сумраке... — не реагируя на слова шефа, продолжил я. — Это невозможно. Я тут дрался, как вы, вероятно, заметили. Я смотрел сквозь Сумрак. Сквозь все слои. И сейчас еще смотрю. Вас тут не было.

— Портал? — предложил мне ответ Завулон.

Я покачал головой. Завулон вздохнул. Его взгляд быстро и цепко обежал класс, после чего он вздохнул и присел за парту, небрежно сдвинув локтем девочку-отличницу.

— Хорошо, подскажу. Я был между слоями Сумрака. Туда ты смотреть не умеешь. Учить не стану, и не надейся.

— А... — сказал я, будто способ, которым прятался Завулон, был сейчас важнее всего — включая причину, по которой Великий Темный вообще прятался. — Понял. Подумаю на досуге.

В этот момент в класс вернулась Надя в сопровождении Светланы. Если по дочери можно было сказать, что она взволнована, то Светлана никак не производила впечатления выдержавшей смертельный бой, проигравшей и только что умиравшей женщины.

— Гесер, — сказала она. — Завулон. Почему я не удивлена?

— Потому что ты нас чувствовала? — поинтересовался Завулон. Провел пальцем по школьной парте, лизнул палец, задумчиво кивнул, будто дегустировал редкое вино.

— Потому что я вас знаю, — глядя на Гесера, сказала Светлана. Взгляд у нее был недобрый. Неподобающий Светлой целительнице. Гесер нервно дернул головой.

— Светлана, все очень и очень серьезно. В такой ситуации гораздо важнее наблюдать и получать информацию, чем устраивать магический Армагеддон...

Меня вдруг пробило нервной дрожью.

— Если только ты использовал Надю как живца... — прошептал я, глядя на Гесера.

— Стоп! — рявкнул шеф. — Опомнись, Городецкий! И трижды подумай, прежде чем выдвинуть такое обвинение!

Он поднял руки, демонстрируя мне ладони и одновременно снимая защиту. Теперь я видел все его заклинания, «висевшие» на пальцах.

Я сглотнул. Шесть заклинаний были известными мне боевыми, пусть и с особенностями... крайне интересными.

Четыре других были навешены в явной спешке. Три портала — настроенные на меня, Светлану и Надю. И Саркофаг Времен.

Судя по всему, Гесер был готов эвакуировать нас и отправиться в вечное заточение вместе с нападавшими.

— Простите, Гесер, — сказал я.

— Ты что, полагаешь, угроза вашей дочери, с которой не смогли справиться мать и отец — Высшие Иные, — это ерунда? — спросил Гесер. — Ты всерьез полагаешь, что я мог бы уложить... — он на миг запнулся... — предателей, если с этим не справились вы вдвоем? При вашей абсолютной слаженности?

— Мы наблюдали, — миролюбиво сказал Завулон. Улыбнулся, внезапно ослепительно-белозубо, как голливудский актер. В случае с актером либо вообще с любым обычным человеком все было бы понятно — выдернул зубы настоящие, поставил искусственные.

Но Завулон, конечно, просто их вырастил. Непонятно, правда, с чего он вдруг озаботился внешностью. Раньше у него зубы были как зубы.

— Это я понял, — огрызнулся я.

— Мы были готовы вмешаться, — продолжал Завулон. — Мы оба. Поверь, Антон, я не люблю, когда обижают моих сотрудников... и превращают их в марионетки!

— Как это вообще могло произойти... — начал я.

— Господа и товарищи, — внезапно сказал Гесер. — Команды зачистки и эксперты Инквизиции прибыли. Присутствующим осталось еще тридцать пять минут сна, за это время территорию приберут и наложат ложные воспоминания. Предлагаю проследовать...

— В мой офис, — внезапно сказал Завулон, усмехаясь. — Там и обсудим ситуацию. Мне неудобно, дорогой Гесер, все время приходить к вам и не иметь возможности проявить гостеприимство.

— Ты знаешь, что должен сделать, — без энтузиазма ответил Гесер.

— Во мне нет власти над вами. — Завулон вновь улыбнулся и развел руками. — Приглашаю вас в гости без злого умысла и помысла, гарантирую защиту и безопасность, свободный вход и выход, неприкосновенность физическую и духовную.

Он поднял ладонь — крошечный сгусток тьмы закружился над ней.

— Хорошо, — сказал я. — Так... тридцать пять минут... — Я посмотрел на часы. — Надя, ты останешься. У вас еще будет физкультура и хор.

— Папа! — закричала Надя негодующе. — Папа, ну хватит, ты шутишь!

— Школа — это не шутка, — сказал я. Украдкой посмотрел на присутствующих.

Завулон искренне веселился. Светлана едва заметно улыбалась. Надя... Надя кипела. Гесер был серьезен, лишь уголки губ дрогнули.

— Ты совершенно прав, Антон, — сказал шеф. — Но... нам потребуется выслушать рассказ твоей дочери. Так что я снимаю ее с уроков.

— Спасибо, дядя Гесер! — обрадованно сказала Надя. И скорчила мне гримаску.

Завулон встал, потянулся. Придержал сползающую набок спящую отличницу, рядом с которой сидел. Сказал:

— А ведь милая девчушка... Если снять очки, сделать хорошую прическу — красавица выйдет. Как ее зовут, Надя?

— Ее зовут А-пошел-ты! — возмущенно сказала Надя.

— Завулон, девочке лет четырнадцать, — заметила Светлана.

— Ну так пожалуйся на меня Астахову, — хохотнул Завулон. — Для моего возраста что четырнадцать, что девяносто четыре — одинаково ничто... Да не бойся, не бойся, не собираюсь я соблазнять эту школоту. Таких на пятачок дают пучок, если уж потребуется.

Подумать всерьез, что Завулоном вдруг овладела половая озабоченность, да еще настолько, что он принялся вслух рассуждать о сексапильности Надиной одноклассницы, я никак не мог. Значит, валяет дурака. Либо кого-то провоцирует, либо от чего-то отвлекает. Увы, сейчас это не поймешь.

— Прошу вас. — Завулон взмахнул рукой, открывая портал. Тот был пижонским — открывался вслед за взмахом его руки и выглядел как темно-серебристое зеркало с поблескивающими в глубине искрами.

— Тебя погубит страсть к дешевым эффектам, — буркнул Гесер, первым проходя в портал.

— Если бы дешевым! — вздохнул Завулон, жестом предлагая пройти нам. — Ах, если бы...

Я взял за руку дочь и шагнул в темное зеркало.

* * *

Раньше офис Дневного Дозора располагался на Тверской улице, недалеко от Кремля. Как шутили у нас в Дозоре — «подпитываются негативной энергией».

Не думаю, что негативной энергии в центре Москвы стало меньше, но пару лет назад Темные перебрались в Москва-Сити, откупив три этажа одного из офисных небоскребов. Разумеется, ни в том, ни в другом офисе Темных я не был. Полагаю, что в физическом теле там не бывал даже Гесер. Во всяком случае, когда мы оказались в средоточии московских Темных, то Гесер стоял и озирался с выражением явной растерянности на лице.

Дневной Дозор Москвы помещался в огромном светлом зале с низенькими, по грудь, перегородками. В образованных этим лабиринтом закутках сидели за офисными столами мо-

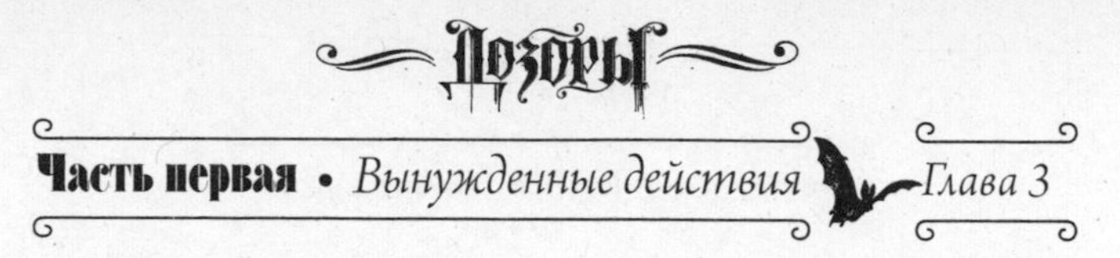

лодые колдуны и пожилые ведьмы, мрачные вампиры и дурашливые оборотни, боевые маги и целительницы.

— Однако, — сказал Гесер. — Завулон, ты и впрямь идешь в ногу со временем. Пожалуй, даже опережаешь на шаг-другой.

— Нельзя в двадцать первом веке вести себя так, как в пятнадцатом, — сказал появившийся следом Завулон. — Или в двадцатом. Если хочешь, я сведу тебя с владельцем здания...

Никто из Темных на наше появление не реагировал, похоже, были предупреждены. Нет, они косились, конечно же. Некоторые, понахальнее, пытались смотреть сквозь Сумрак. Но в целом в помещении царила бодрая рабочая атмосфера, характерная для какого-нибудь издательства или конторы по заготовке рогов и копыт.

— Меня вполне устраивает наше здание, — сказал Гесер.

— Конечно, замечательная подземная темница, склады, архив... все как положено Светлым, — пробормотал Завулон. Он был все в том же взбудораженном состоянии. — Прошу в переговорную. У нас, как вы видите, концепция опен-спейс, открытого пространства. Хорошо сближает коллектив, способствует дружескому соревнованию в работе. Но нам сейчас стоит поговорить приватно...

* * *

Нет, я не ждал, конечно же, что в офисе Дневного Дозора варят зелья в человеческих черепах и разрезают девственниц на столах из черного мрамора. У нас тоже не ходят с благостными лицами и не разговаривают приторно-сладкими голосами на высокоморальные темы. Но вот так... настолько поделовому! Какая вожжа попала под хвост Завулону?

Переговорный зал был прекрасен и хоть в какой-то мере примирял меня с современным минималистским интерьером Темных. Строгое помещение со стенами из черно-серого тропического дерева. Огромная стена-окно с видом на Москву-реку закрыта тяжелыми шторами из багрового бархата. Стол — старый, как минимум столетней давности, покрытый выцветшим от времени зеленым сукном. Стулья тоже «винтажные».

— Из Кремля брал, — сказал Гесер, без спроса садясь во главе стола. Сказал, а не спросил.

— Конечно, — признал Завулон, садясь напротив.

Наша семья как-то сама собой оказалась между ними. Я сел ближе к Завулону, Светлана — к Гесеру. Надя оказалась между нами.

— Рассказывай, Антон, — попросил Гесер.

Я вздохнул:

— Могу я рассчитывать, что вы будете откровенны в ответ? Вы... оба?

— Да, — немедленно сказал Завулон. — Можешь. Все, что я знаю о происходящем, я скажу.

Гесер поморщился, но кивнул.

— Надя за завтраком сказала мне, что ее охраняют трое. От обоих Дозоров и Инквизиции, причем Инквизитора мы с женой не замечали, — сказал я. — А Светлана, когда провожала Надю в школу, заметила двух Темных и Светлого.

— Ты решил, что это та вампирша, — сказал Гесер.

— Да, мы так решили, — кивнула Света. — И были правы... хотя бы в этом.

— Дальше все просто, — продолжал я. — Кинулись в школу...

— Почему не открыли портал? — спросил Завулон.

— Порталы на территории школы заблокированы, — хмуро сказал Гесер. — Оттуда — можно, туда — нельзя. Я снял защиту для нас с тобой персонально, Завулон.

— А почему не бежали через Сумрак? — продолжал допытываться Завулон. — Время бы сэкономили.

— Вход в Сумрак тоже закрыт, — сказал я. — Максимум добежали бы до ограды школы. Это... все равно что включить сирену, подъезжая.

— Разумно, — одобрил Завулон.

— Во дворе лежал убитый Инквизитор. Мы подумали, что это сделала вампирша...

— Каким бы образом вампир мог нанести такие раны... — пробормотал Гесер. К счастью, это был не вопрос. Наверное, согласился списать нашу глупость на родительскую панику.

— Вбежали в школу, увидели раненого охранника, спящих детей... Кинулись наверх.

— Дальше не надо, там мы уже все видели, — любезно сказал Завулон.

Вот же негодяи! Весь наш отчаянный бой шел у них на глазах.

— Надя, что помнишь ты? — спросил Гесер.

Надя вздохнула.

— Почти ничего. Шел урок. Потом... во дворе был выплеск Силы. Очень мощный. Я даже решила укрыться «сферой невнимания» и выйти посмотреть... Ну, мам, а что такого? Ситуация же особенная...

— Продолжай, — сказал Гесер.

— Но тут через Сумрак пошла... — Надя задумалась на миг. — Волна. Что-то приближалось. Я не видела, только чувствовала опасность. Поставила «сферу», вскочила, кинулась к окну. Я подумала, что надо выпрыгнуть, слевитировать... И все. Через миг меня папа разбудил и крикнул, что маме нужна помощь.

— Мы просто купаемся в информации! — сказал Завулон радостно. — Надо отметить. Никто не против кофе? Сигары? Может быть, коньяк?

Несколько секунд висела тишина. Потом Гесер спросил:

— Завулон, когда я тебя позвал, ты не злоупотреблял какими-нибудь средствами для расширения сознания?

— Что? — возмутился Завулон.

— Ты не пил виски на дегустации в Лондоне? Не глотал таблетки на вечеринке в Таиланде? Не нюхал кокаин в Лас-Вегасе?

— Я работал над документами, — обиженно сказал Темный. — Масса бюрократической волокиты. Я просто счастлив вырваться из этого унылого бумагомарательства... Извини, Гесер, но ты меня обижаешь!

Начальники Ночного и Дневного Дозоров буравили друг друга взглядами. Оба чего-то недоговаривали. Оба хитрили. Оба валяли дурака — только каждый в своей манере. Как всегда, в общем.

— А теперь я хочу услышать то, что скажете вы, — сказал я. — И если мне покажется, что вы... не важно, кто из вас... недоговариваете — я беру жену, дочь и сваливаю отсюда.

— Куда? — заинтересовался Завулон.

Я широко улыбнулся ему.

— Туда, где нас никто не найдет, — холодно сказала Светлана. — Хватит, Великие. Вы долго играли нами втемную... оба. Теперь сыграете всветлую — или мы будем сами разбираться со своими проблемами.

— Что случилось с охраной? — спросил я. — Кто эта вампирша и почему она пришла нам на помощь? Почему вы, Великие и мудрые, боялись показаться?

Гесер и Завулон смотрели друг на друга.

— Давай ты, — сказал Гесер. — У тебя легче получается говорить правду.

Завулон кивнул. На миг задержал взгляд на Наде — будто колебался, стоит ли говорить при ней. Но выгонять ее не стал.

— У нас кризис, Антон. Серьезнейший кризис за последние две... самый серьезнейший на моей памяти, а я помню многое.

— Серьезнее, чем Тигр? — спросил я недоверчиво.

— Час назад все пророки и все Высшие предсказатели выдали одно и то же предсказание, — сказал Завулон.

— Чьи пророки и предсказатели? — резко спросил я. — Темных?

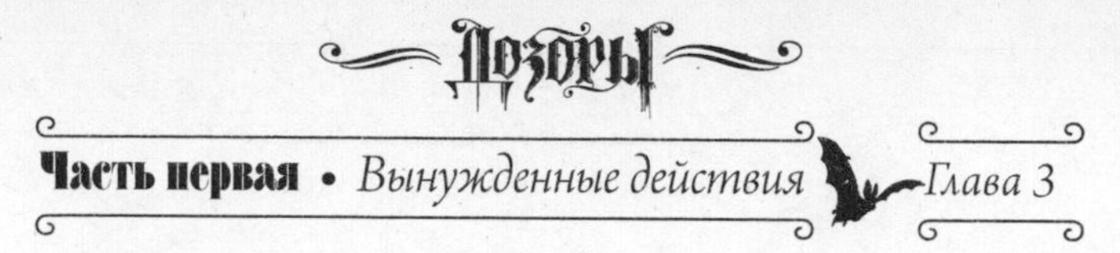

— Темных. Светлых. Какая в общем-то разница? — Завулон иронически улыбнулся.

— Это как раз когда я позвал на помощь... — понял я.

— Нет. Чуть раньше. Как раз когда вокруг школы, где учится Абсолютная, началось побоище.

— Понятно, — кивнул я. Значит, к моменту моего призыва о помощи Светлые уже пытались разобраться с предсказанием. И Темные тоже. И наверное, оперативные штабы работали сами по себе, а Гесер и Завулон уже обсуждали происходящее приватно... хотя нет, Гесер же спросил Завулона, где тот был... — Какова зона пророчества? Москва? Область? — Меня вдруг обожгло неприятным предчувствием. — Россия?

— Ты невнимательно слушал, — внезапно вступил в разговор Гесер. — И я тебе неоднократно говорил — оставь в прошлом человеческую географию...

— Все Иные, Антон, — сказал Завулон. — Все Иные пророки и все Высшие Иные-предсказатели. Все в мире. Хорошо, что таких не много.

Я облизнул пересохшие губы. Способности к предсказанию есть в каждом из нас. В самом грубом виде «просчитывание вероятности», когда даже слабенький Иной (порой неинициированный) знает, где на дороге будет пробка или на какой самолет не стоит садиться.

Для Высших Иных — включая и меня — становится возможным сознательно предвидеть вероятность того или иного события. Тут только очень важно заранее понимать, какие события вообще имеют вероятность случиться...

Предсказатели видят будущее постоянно. Даже неосознанно. Их мир — это колышущееся месиво из вероятностей человеческой истории. В этом вареве Украина воюет с Россией за Крым, президент Обама принимает ислам, папа римский совершает каминг-аут, в Нидерландах законодательно разрешают каннибализм в лечебных целях. Ну и куда более невероятные события для предсказателей тоже реальны.

Единственное, чего не видят предсказатели, — это судеб Иных. Все мы, ходящие в Сумрак, скрыты для них. Наши жизни, наши поступки не читаются так просто.

Нас видят пророки. Они вообще видят все. К счастью — не всегда и обычно не прицельно. Пророка нельзя попросить увидеть «что-то» — он сам (ну или Сумрак за него) решает, что пророк увидит и как сообщит миру.

— Что предречено? — спросил я, даже не удивляясь той старомодно-вычурной фразе, что слетела с моих губ. Она была сейчас уместной.

— Пролито не напрасно, сожжено не зря. Пришел первый срок. Двое встанут во плоти и откроют двери. — Завулон внезапно осекся. Он смотрел на меня, и в его взгляде, во взгляде давнего, безжалостного, неизбывного врага, я отчетливо прочитал... ну ладно, не жалость. Сочувствие. Но какое-то унылое, и к себе тоже. Так могла бы смотреть первая скрипка на второго тромбона, стоя на палубе тонущего «Титаника».

— Три жертвы, на четвертый раз... — сухо сказал Гесер, глядя на нас.

— Пять дней остается для Иных, — сказал Завулон.

Я почувствовал, как Светлана обняла нашу дочь, прижимая к себе. Я не пошевелился.

Я как-то перестал любить красивые жесты в последние годы. И красивые слова — тоже. А пророчества — они всегда избыточно красивы.

— Шесть дней остается для людей, — сказал Гесер.

— Для тех, кто встанет на пути, — не останется ничего, — добавил Завулон.

И вдруг улыбнулся ослепительной улыбкой.

— Шестой Дозор мертв, — продолжил Гесер. — Пятая сила исчезла. Четвертая не успела.

— Третья сила не верит, вторая сила боится, первая сила устала, — закончил Завулон.

Несколько секунд висела тишина. Потом Надя спросила:

— Вы репетировали?

— Что? — переспросил Гесер, будто не услышал.

— У вас так складно выходило. Один закончил, другой начал.

— Это пророчество, девочка, — сказал Гесер. — Пророчество, которое только что озвучили все пророки Земли. Я полагаю, что вам грозит смерть. Тебе, твоему отцу и твоей маме. Вы — те трое, за которыми пришли двое.

— Я поняла, — сказала Надя. — Все почти открытым текстом... для пророчеств. Нашу семью идут убивать. Через пять дней умрут Иные. Еще через день — умрут все люди. Это отсчет дней от пророчества или от нашей смерти?

— Мы пока не смогли точно понять, — сказал Завулон извиняющимся тоном. — Возможно, отсчет уже пошел, возможно — был сорван, когда ты уцелела. Все пророчества нарочито туманны...

— И поэтому вы, едва прозвучал наш вопль о помощи, явились наблюдать, а не помогать, — сказала Светлана ледяным голосом. — Чудесно. Гесер, ну ты же знаешь, какого я о тебе мнения, да?

Гесер заерзал на удобном широком стуле. Казалось, что ему одновременно хотелось и начать извиняться, и рявкнуть что-нибудь резкое.

— Света, перестань, — попросил я. — Хорошо. Гесер, Завулон, мы вас услышали. Я признаю обоснованность вашей осторожности. Мы все умрем, я понял. Теперь я хотел бы узнать, что вы поняли, наблюдая за происходящим, какую помощь готовы нам оказать и есть ли в архивах Дозоров и Инквизиции хоть какие-то материалы по данной теме?

Гесер посмотрел на Завулона. Завулон посмотрел на Гесера.

— Твою налево... — внезапно выругался Завулон, что было для него совершенно нехарактерно. — Ну, ты его подготовил, я уверен...

— Не мухлюй, — сказал Гесер.

Завулон опустил руку под столешницу — и извлек ее оттуда уже не пустой. В его ладони была старая, потемневшая, закопченная курительная трубка, вырезанная то ли из камня, то ли из давно окаменевшего дерева.

— Гони, Темный, — сказал Гесер.

Завулон молча протянул ему трубку.

— Может, еще скажешь, что именно Мерлин из нее курил? — спросил Гесер, явно наслаждаясь торжеством момента. — Табака тогда в Европе не было.

— Тебе ее в руках противно станет держать, если я скажу, что именно он курил, — буркнул Завулон.

Гесер усмехнулся и спрятал трубку в карман пиджака.

— Так это все была ложь? — спросила Светлана напряженным голосом.

— Нет, — ответил Гесер. — Чистая правда. Но я все-таки рискнул побиться об заклад, что ни Антон, ни вы с Надей не начнете паниковать. Курительная трубка Мерлина — это уж слишком желанный приз. Даже если обладать им осталось всего пять дней.

Глава 4

Хуже всего было то, что ни Гесер, ни Завулон ничего особенного в Иных-предателях не заметили. Это были именно они — Светлый маг Денис и Темный маг Алексей. Во всяком случае, их ауры остались прежними. И даже уровень их Силы — на взгляд со стороны — не изменился. Третий у Дениса, четвертый у Алексея. Но при этом они оперировали такими энергиями, что Великие предпочли избежать боя.

— Я бы определил их как Высших, — сказал Гесер. — Но не по аурам, по силе заклинаний.

— И сами заклинания совершенно необычные, — добавил Завулон. — Я ни разу не сталкивался ни с чем подобным.

— Может быть, они замаскировались? — предположила Светлана.

Гесер тяжело, недовольно посмотрел на нее.

— Может быть. Только видишь ли, Света... Ты от меня замаскироваться не сможешь. Как и я от тебя. Вот Наденька — она сумеет. Маскировка возможна только у более сильного Иного.

— Так что же, они тоже «нулевые»? — спросила Надя. — Как я?

— А ты сама что почувствовала? — заинтересовался Гесер.

— Я вообще не поняла, кто это, — призналась Надя. — Только приближающаяся Сила... и чувство опасности. Как цунами.

— Похоже это на Тигра? — вдруг спросил Завулон.

Надя энергично замотала головой:

— Нет! Тигра вообще почти не видно было. Только... рябь такая... — Она пошевелила в воздухе пальцами. — Если приглядеться.

Беда с этими описаниями неописуемого. Наде три года было, когда она поставила меня в тупик словами: «Второй слой Сумрака — он соленый!»

— Значит, это не Сумрак, — сказал Завулон. — Ну, скорее всего.

— Нас хочет убить неизвестно кто и неизвестно почему, — сказал я. — Замечательно. И самые великие маги России ничего не могут понять. А вампир?

— Вампирша, — уточнил Гесер. — Увы, Антон. Это была Высшая вампирша в атакующей фазе. Пытаться ее разглядеть — все равно что считать взмахи крылышек у колибри, зависшего над цветочным бутоном.

Завулон с удивлением повернулся к Гесеру. Достал из кармана пиджака сигару (уже зажженную), затянулся, после чего сказал:

— Враг мой. Сегодня удивительный день. Скажи, ты никогда не подумывал начать писать стихи?

— О чем ты? — поразился Гесер. — Мелкие колибри делают до ста взмахов крыльями в секунду, что превышает физиологические возможности человеческого зрения. Вампир в атакующей фазе достигает скорости до ста пятидесяти — ста восьмидесяти километров в час, что на коротких расстояниях делает его неразличимым. Мне кажется, я очень четко и адекватно охарактеризовал ситуацию.

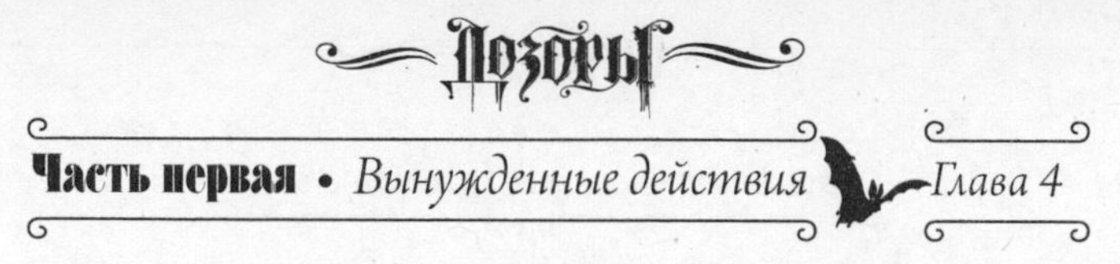

— А... — сказал Завулон. — Понятно. Проехали, мне показалось... Да, Антон, твой шеф прав. Это была Высшая вампирша, разглядеть ее было нереально.

— Доказательств тому нет, но исходя из бритвы Оккама — очевидно, что та самая, — добавил Гесер.

— Какая та самая? — заинтересовался Завулон.

— Не важно, — махнул рукой Гесер. — Была у нас на днях серия... инцидентов. Антон как раз ею занимался.

— Серия инцидентов с вампиром? — Завулон приподнял бровь. — И вы не заявили протест? Любопытно...

— Не важно, не важно, — повторил Гесер таким фальшивым тоном, что ему не поверил бы и ребенок. — Очевидно, вампирша решила защитить Антона в надежде на снисхождение... Я обязательно буду держать тебя в курсе...

Завулон ухмыльнулся. Я не сомневался, что теперь весь Дневной Дозор кинется искать вампиршу. Похоже, этого Гесер и добивался.

— Значит, все пророки в мире сговорились и предвещают конец света, — сказал я. — Простите, Завулон... конец света и тьмы. На мою семью напали сошедшие с ума Темный и Светлый, причем они орудуют такими Силами, что два Высших мага России предпочли наблюдать, но не вмешиваться в происходящее. И этих спятивших предателей отогнала Высшая вампирша, инцидентами с которой я занимался... Просто великолепно. Что посоветуете, Великие?

— Антон, ты мне ничуть не симпатичен, — искренне сказал Завулон. — Но твоя дочь очень важна. Обидно, что она Светлая, но раз уж так вышло — пусть будет Светлой. Поэтому я склонен защищать тебя и твою семью. Опять же, я уверен, что ваши жизни как-то связаны с жизнями всех Иных... да и всех людей, если уж на то пошло. Так что... предлагаю защиту и покровительство в стенах Дневного Дозора.

Я хмыкнул.

— Завулон, дорогой, поверь, что я сам сумею обеспечить безопасность своих сотрудников, — сказал Гесер. — Хотя, конечно, буду рад видеть твоих упырей... во внешнем кольце оцепления. Похоже на то, что наши спятившие сотрудники беззащитны перед вампирами. Очень странная, но интересная ситуация! Будем работать!

Я посмотрел на Светлану. Она едва заметно кивнула. Я взял Надю за руку и дважды надавил ей на мизинец.

— Хорошо, папа, — сказала дочь.

Вокруг нас затрепетали синие потрескивающие полотнища света. Стол развалился на части там, где они пронзили дерево. Под нашими ногами задымился узорчатый паркет из карельской березы. Потолок пошел трещинами.

— Прекрати! — рявкнул Завулон, вскакивая с места.

— Песок и маятник, папа, — внезапно сказала Надя.

Мгновение я смотрел на нее. Потом решил, что понял. И ответил:

— Утром восходит синяя Луна.

Гесер нахмурился. Он продолжал спокойно сидеть, глядя на нас, но последние фразы явно были непонятны и вывели его из себя.

Перед нами раскрылся темный провал портала. Мы встали, я отпихнул ногой стул — тот влетел в стены из синего света и рассыпался щепой.

— Извините, Великие, — сказал я. — Но в силу сложившихся обстоятельств я вынужден взять безопасность своей семьи в свои руки.

Светлана шагнула в портал первой, не выпуская руки дочери. За ней пошла Надя, а следом, продолжая сжимать ее ладонь, я. Если бы я хоть на долю секунды отпустил руку дочери — портал перемолол бы меня в фарш.

— Я же тебе говорил, Темный, — донесся до меня голос шефа. — Кисет Мерлина, будь так добр!

К сожалению, я вошел в портал, который сомкнулся за моей спиной, и не услышал то, что ответил Гесеру Завулон.

* * *

Вокруг было темно. Я поднял свободную руку, помахал ею в воздухе. Никакого эффекта. Тогда я засветил на кончике пальцев «светлячка» — самое, пожалуй, простое из всех заклинаний.

Ровный белый свет залил просторную комнату. Датчик движения на стене, похоже, вышел из строя. Все-таки я не появлялся здесь два года. Я прошел к стене, щелкнул выключателем. Свет был — под высоким потолком включилась люстра. Старая уродливая люстра из гнутых латунных трубок и рожков из мутного белого стекла. Сделана небось где-нибудь в середине двадцатого века.

— Что за синяя Луна, папа? — спросила Надя.

— А что за песок и маятник?

— Ну... я подумала, что если ляпну какую-нибудь чушь, — сказала Надя, — то Великие будут пытаться найти в ней скрытый смысл. И меньше шансов, что они отследят портал.

— Я понял. И решил поддержать.

Светлана тем временем обходила комнату. Ничего особенно интересного в ней не было. Мебель древняя, югославский гарнитур тех времен, когда Югославия еще была большой страной, а не кучкой враждующих территорий. Два дивана. Окно задернуто тяжелыми пыльными шторами. Светлана отдернула штору — за ней была кирпичная стена. Единственной относительно современной вещью был плоский телевизор, впрочем — дешевый и непритязательный.

— Это что за город? — спросила Светлана.

— Я же рассказывал. Питер.

— Точно, — она кивнула, — совершенно не чувствую окружающую ауру.

— Мы старались, — обрадовалась Надя.

Эту квартиру в центре Санкт-Петербурга я купил три года назад, после чего долго и скрытно маскировал. Привлекла она меня тем, что находилась в старом доме девятнадцатого века, который много раз перепланировывали, перестраивали, дробили просторные «барские» квартиры на коммуналки и отдельные клетушки. Где-то в пятидесятых годах и возникла эта странная квартирка — с заложенным кирпичом окном (все равно окно выходило в мрачный темный двор-колодец), крохотной ванной комнатой (сидячая ванна из чугуна и стоящий к ней впритык унитаз). Кухни как таковой не было, имелось что-то вроде просторного шкафа, в котором помещались электроплитка и крохотный столик.

Раньше здесь жила древняя бабушка, происходившая из богатой купеческой фамилии. Кажется, ее предки владели не то всем домом, не то парой этажей в нем. Бабушка пережила революцию, Гражданскую войну, блокаду Ленинграда, преподавала французский язык и переводила с него какие-то книжки, жизнь проводила в одиноком девичестве, при этом щедро одаривая соседских детей сладостями и игрушками. Жизнь в маленькой комнате без окна и кухни ее ничуть не смущала.

А потом, в шестидесятые годы, уже перед пенсией, она ухитрилась получить разрешение — и уехала в Париж, где и прожила еще четверть века, напоследок успев дважды выйти замуж за французов и со скандалами с ними развестись. В свою странную квартиру она перед этим прописала какого-то дальнего родственника. В общем — интересная судьба, можно лишь руками развести.

Родственник пытался в квартире жить, обставил посовременнее, разобрал кирпичи, открыв окно в темный дворик. Через полгода он не выдержал и заложил окно обратно. Еще через полгода запил. Потом поменял квартиру, в которой, похоже, уютно себя чувствовала только старушка, на квартиру в пригороде.

Новый хозяин благоразумно в квартире жить не пытался, а вместо того пытался, зацепившись за этот дорогой и красивый дом, откупить себе соседские комнаты и объединить в одну квартиру. Но так у него ничего и не вышло. Квартиру использовали как место свиданий, как залог, как подарок новобрачным, как склад для всякого барахла. Может быть, и для более темных дел — я не проверял.

Потом ее купил я — через подставного человека. И в течение месяца стирал все следы квартиры из окружающего мира. Нет, она по-прежнему проходила по городским документам, я платил за освещение и воду (точнее — деньги сами уходили с заведенного анонимного счета электронной валюты). И среди дверей на лестничной клетке была старая деревянная дверь, ведущая в странную квартиру.

Вот только многослойные завесы защитных и маскировочных заклинаний скрыли квартиру от всех — и Иных, и людей.

Светлана здесь даже не появлялась. Нет, в целом она мою идею одобрила — абсолютно защищенное место, про которое не знает даже Гесер... У каждой женщины еще с пещерных времен есть потребность иметь надежную нору. Но обустройство убежища она полностью доверила мне — как организатору, и Наде — как бесконечному источнику Силы.

— Телефон работает, — сказал я, поднимая трубку старого проводного телефона. Прошел в крохотную ванную комнату. — Вода... вода есть... только спустить надо, — глядя на ржавую жидкость, текущую из крана, признал я.

— Телевизор, — гордо сказала Надя. — Это я папу заставила телевизор поставить. Тут был «Горизонт» старый. Вот такой! — Она развела руки. — Он работал, но он даже не цветной был!

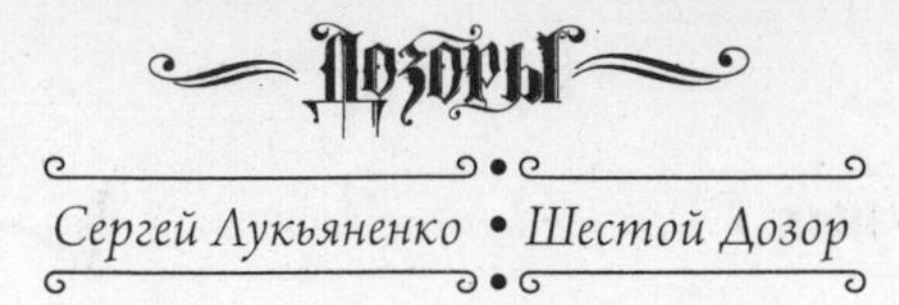

— В унитазе надо спустить воду много раз, — сказал я. — Там налито масло в качестве гидрозатвора. В душе тоже. Еда в шкафчике на кухне — консервы, галеты, супы в банках, сахар, чай, кофе.

— Мне не нравится, к чему ты клонишь, — сказала Светлана.

— Еще там есть бутылка коньяка и несколько бутылок вина, — сообщил я.

— Все равно не нравится.

— Света, что бы ни случилось с теми охранниками — они в первую очередь охотились на Надьку, — сказал я. — Это место не известно никому и максимально защищено. Я думаю, что оно надежнее дозорных офисов.

— Пап, а что на диске? — спросила Надя, поднимая компьютерный винчестер с телевизионной тумбочки.

— Кино. Все то, что ты любила три года назад. Мультики и сказки.

— Папа! — возмутилась Надя.

— Извини, я не подумал обновить видеотеку, — сказал я. — А то залил бы на диск аниме и фантастику.

Надя надулась.

— Я согласна, что Наде стоит остаться здесь, — сказала Светлана задумчиво. — Но с какой стати мне...

— Чтобы наша дочь не сделала какую-нибудь глупость, — пояснил я. — Извини, Надя. Но я бы не хотел, чтобы ты из-за дурного предчувствия или просто от скуки вышла отсюда — и наткнулась на тех двоих... Останьтесь здесь, девочки. Я приду за вами через день-два. А пока спрячьтесь.

Светлана кивнула. Неохотно, раздраженно, но соглашаясь с моей логикой.

— Что ты будешь делать?

— Все то же, что обычно, — сказал я. — Искать плохих ребят и защищать хороших парней.

— Тебе нужен пророк, — сказала Надя.

— Да, доча. И он у нас есть.

Надя кивнула.

— Еще больше тебе нужна боевая поддержка, — сказала Светлана. — Извини, но... один ты не справишься.

— У меня есть идеи и на этот счет, — сказал я. — Не волнуйтесь.

— Связь? — спросила Светлана.

— Никакой, — сказал я. — Все можно отследить. Я... загляну к вам через сутки. Сделаешь кофе, ладно?

Светлана кивнула. Потом порывисто обняла меня. Надя фыркнула и отвернулась, разглядывая винчестер, будто могла на взгляд прочитать его содержимое. Хотя я бы не стал зарекаться, возможно — она и могла.

* * *

Портал, который открыла по моей просьбе Надя, вывел меня обратно в переговорную комнату.

Там ничего не изменилось — только попавшийся под горячую ногу и развалившийся стул убрали.

А так — Завулон сидел, мусоля в губах сигару, Гесер старательно набивал трубку Мерлина содержимым кисета Мерлина.

— Вернулся, — даже не глядя на меня, сказал Гесер. — Что ж, не могу тебя осуждать. Рано или поздно каждый из нас понимает, что тайное убежище — полезная вещь.

— На мое возвращение вы не спорили? — поинтересовался я.

— Нет, — ответил Завулон. — Вот в том, что ты вернешься, я был уверен. Я не ожидал, что у тебя хватит ума спрятать родных.

По его меркам это был серьезный комплимент.

— Я готов слушать дальше, — сказал я, садясь.

— Дальше ничего нет, — ответил Гесер.

— Как нет? Что случилось с нашими ребятами? Что с вампиршей?

— Все аналитики уже за работой, — ответил Гесер. — Но пока мы знаем не больше твоего. Можешь подключиться к ним, можешь работать самостоятельно. Могу придать тебе несколько человек.

— Тоже готов помочь, — согласился Завулон. — Можешь и к моим аналитикам присоединиться.

Кажется, он не шутил.

— Гесер, я прошу разрешения на ведение самостоятельного расследования, право на привлечение любого из сотрудников Ночного Дозора, пользование архивами, спецхраном, первоочередного рассмотрения моих запросов учеными.

— Ты получаешь это право, — сказал Гесер. Протянул руку в сторону Завулона, раскрыл ладонь.

— Чего? — недоуменно спросил Завулон. — Клясться Тьмой и Светом?

— Спички дай.

— А, — Завулон достал из пиджака коробок спичек, — держи, эстет.

Гесер молча зажег спичку, подержал чуть, давая выгореть головке, потом стал аккуратно прикуривать трубку.

— Ты точно не хочешь знать, что куришь? — спросил Завулон.

— Нет. Мне достаточно того, что Мерлин это курил.

Завулон пожал плечами.

— Темный, у меня есть просьба и к тебе, — сказал я.

— Слушаю.

— Мне нужна машина, — сказал я. — Я сейчас поеду в школу, посмотрю на следы, поговорю с нашими, кто там работает...

Завулон достал ключи и бросил мне через стол:

— Держи. Можешь не возвращать, она мне уже надоела.

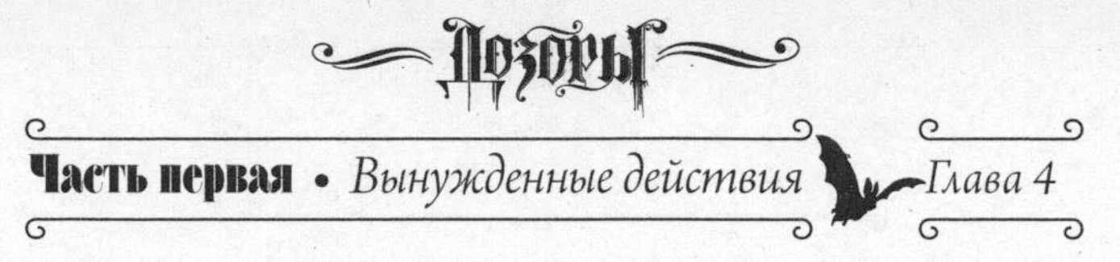

— Спасибо, — кивнул я. — Второе: мне нужно, чтобы твои аналитики и архивисты отвечали на мои запросы.

Завулон подумал.

— Хорошо. Но они будут отвечать только на запросы, касающиеся происходящего.

— Разумно, — согласился я. — Третье...

Завулон засмеялся:

— Ты вырос, Антон. Лет пятнадцать назад ты бы вообще ничего от меня не принял... А теперь «хочу здоровья, денег и потенции — это во-первых...».

— Нет, всего три пункта, — успокоил я его. Покосился на Гесера — дымок от трубки шел неприятный, едкий. Но Гесер с невозмутимым каменным лицом курил. — Машина. Информация... Хоть сколько-то информации, я понимаю, что ты придержишь часть. И третье: я должен поговорить с самым старым вампиром.

Завулон нахмурился.

— Любопытно. Возможно, тебя устроит мастер вампиров Москвы? Или глава европейской организации?

— Мастер Екатерина слишком молода, — сказал я. — Ей и двухсот нет, верно? Мастер Петр постарше, но он давно не у дел и, говорят, не вылезает из гроба. Мне нужен не обязательно главный, но как можно более старый.

— Впечатлен, — признал Завулон. — Но скажу тебе по секрету — это очень хорошо, что Петр свихнулся на воздержании и большей частью спит в своем склепе. Всем проблем меньше... Хорошо, Антон. Я примерно понял, кто тебе нужен и как я его уговорю к тебе прийти. Но вот на откровенность его выводи сам, тут моей власти нет.

Я кивнул.

— Вечером будь у себя дома, — сказал Завулон. — Я позвоню тебе, если что-то вдруг сорвется. Но полагаю, что все будет в порядке, и тебя навестят.

— Рискуешь, — вымолвил Гесер, глядя на меня.

— Если позволите, шеф, то рискну, — сказал я, вставая. — Звоните, пишите, шлите телеграммы. Посылки не забывайте.

— Удачи, Антон, — догнал меня в дверях голос шефа. Гесер продолжал сидеть рядом с Завулоном, похоже, после моего ухода их разговор только и начнется всерьез. Потом Гесер закашлялся. — Нет, ну что это за дерьмо?

— А я тебе намекал, — ехидно ответил Завулон.

* * *

Машину я попросил не потому, что не имел своей или не мог рсквизировать любую понравившуюся. Мнс хотслось увидеть пределы, до которых готов двигаться Завулон. Ну и если выгорит — я на это особо не рассчитывал, — то продемонстрировать Темным, с которыми придется общаться, что я в фаворе у их шефа.

Ездил Завулон на «семейной» машине «вольво», пусть это и был нормальный седан, а не какой-нибудь раздутый паркетник. Хорошая машина, но никакой излишней показухи. И в салоне все было аккуратно, обжито, чуть-чуть обустроено под вкус хозяина — и в то же время абсолютно стерильно. Никаких намеков на личность владельца. Пачка бумажных носовых платков и салфетки для рук в бардачке, видеорегистратор на стекле.

Ну а чего я ждал? Черепа, в котором курятся благовония? Журнала с записями совершенных за день злодеяний?

А еще было забавно, что с машины исчезли все заклинания. Они тут были, я еще чувствовал слабый след. Защитные, маскировочные, сервисные... Но пока я спускался из офиса, пока искал машину на стоянке — она стала абсолютно обычной, человеческой. Что ж, и этого стоило ожидать.

Я набросил на машину легкую завесу от гаишников. От камер слежения даже защищаться не стал — Завулон сам снял защиту, вот пусть ему штрафы и приходят. И поехал к Надиной школе.

* * *

Двор был чист, останки убитого Инквизитора исчезли. На входе сидел охранник, очень похожий на раненого, вот только был он внештатным сотрудником Дневного Дозора, Иным и, если уж важны детали, вампиром. Я ему кивнул, он встал и вежливо поклонился.

В коридорах было пусто, шел урок. Только на третьем этаже мне встретился мальчик, идущий по коридору. Глаза у мальчика были пустыми, сонными.

— Что ты делаешь? — спросил я. — Куда ты идешь?

— Мне надо учиться. Я иду в туалет, — ответил мальчик. — Я сказал, что мне нужно в туалет. Я на самом деле хочу писать. Но я сказал про туалет, потому что хотел покурить в туалете. Но мне надо учиться!

Мальчику было лет двенадцать-тринадцать, в этом возрасте слово «пописать» не произносят, тем более незнакомым взрослым. Могут сказать «поссать» или «отлить», если уж ребенок интеллигентен донельзя.

Я глянул на него через Сумрак. Ага, понятно. Он, как и все находящиеся в школе, был под легким заклинанием концентрации. Сейчас, может быть, впервые в истории всеобщего образования, все находящиеся в школе дети действительно учились. Вот только в этом подростке тяга к никотину (это очень, очень сильный наркотик) сейчас боролась с внушенной тягой к знаниям.

— Ты отольешь и вернешься в класс, — сказал я. — Тебе очень хочется учиться. А курить тебе больше не хочется, сигареты вызывают у тебя отвращение.

— Я хочу учиться, — сказал мальчик, расслабившись, и двинулся дальше.

А я пошел к классу, где охранники настигли Надю. Там, конечно, занятий сейчас не было. Там шел ремонт. Двое мужчин в спецовках, ведро раствора, кирпичи...

— Здравствуй, — сказал я. — Эсан? Адриан?

Парни повернулись ко мне. Эсан был пятого уровня, Адриан — шестого. Оба — из резерва Ночного Дозора.

— Вот только не прикалывайтесь, Городецкий! — сказал Эсан.

Ему было за сорок. Очень интеллигентный дядька, на родине в университете преподавал, даже какой-то учебник успел написать. Потом уехал в Москву на заработки, занимался отделкой квартир. У нас и выяснилось, что он Иной — его обнаружил и инициировал Семен, затеявший у себя ремонт.

— Я не буду, — сказал я.

Адриан, молодой чернявый парень, весело улыбнулся:

— А что такого? Тут заклинаниями не справишься, тут ремонт нужен. А у москвичей руки не оттуда растут. Таджик и молдаванин — это сила!

— Хорошо, — согласился я. — Сила.

Насколько я знал, сейчас оба недавно обретших способности Иных владели на паях маленькой строительной фирмой. Почему бы и нет? Прекрасное, светлое ремесло. К тому же всем Иным полезно, когда есть знакомый строитель. Могут не просто дачу построить, а сразу ее немножечко заколдовать.

— Ребята, где наши?

— Сейчас уже на четвертый этаж прошли, — сказал Адриан.

Я двинулся вверх. На полпути меня обогнал парнишка, несущийся из туалета обратно навстречу знаниям. Какая же чудесная успеваемость будет в этой школе несколько дней!

На лестнице я встретил Ласа.

— Городецкий! — радостно воскликнул он. — А говорили, ты с шефом куда-то умчался!

— Уже вернулся.

Лас посерьезнел, видимо, вспомнив, что происходило в школе менее двух часов назад.

— Как дочь?

— Все хорошо.

— А жена?

— Нормально. Справились.

Лас кивнул.

— Обязательно поставлю свечку нашему святому покровителю...

Я к религиозному просветлению Ласа относился хорошо, даже с симпатией. Но тут меня что-то торкнуло.

— Кому? — спросил я с подозрением.

— Илье. Илье Муромцу.

— Чей он покровитель?

— Ну... Нас. Иных.

— Это тебе священник сказал? — поинтересовался я.

— Нет, я сам соотнес. Воин. Боролся с нечистью. В детстве страдал параличом. Был излечен и инициирован тремя калеками-прохожими.

— Каликами! Перехожими!

— Да, извини, — не смутился Лас. — Но остальное-то верно.

— Поставь, — кивнул я. — Не вопрос... Что тут, в школе?

— Ну, приводим все в порядок потихоньку, — сказал Лас со скромной гордостью. — Меня, между прочим, поставили руководить операцией. Потому что я в этой школе когда-то...

— Учился?

— Нет, пение преподавал. На самом деле ничего не преподавал, просто мы с друзьями под этим соусом место для репетиций своего ансамбля имели... Так что место знакомое! Справляемся! Дети учатся, учителя учат, таджики делают ремонт, целители спасают раненых...

— Раненых?

— Ну да. Вампир-то порезвился. Он действительно вас спас?

Я кивнул. Лас озадаченно покачал головой.

— Дела... Нет, вначале он тут не церемонился. Ранил охранника. Потом пробежал по классам, соснул кровушки...

— Что? — тут уже растерялся я.

— Восемь детишек! У всех по чуть-чуть, правда. Может, перед боем готовился?

— Может, — сказал я задумчиво.

— Вообще не понимаю я этих вампиров, — вздохнул Лас. — Это в Средние века, допустим, если хочешь пососать свежей кровушки, без сифилиса и чумы, да чтобы еще без оспин, шрамов и вони, — только на детях и стоило кормиться. Нехорошо, конечно, но разумно! А сейчас, в наши дни, сосать кровь у детей? Там же сплошная химия! Все эти малоалкогольные коктейли! Никотин! Бургеры из пальмового жира! Дикое количество сахара из «колы»! Химические наркотики! Курительные смеси из укропа и петрушки! Прививки! Сплошная отрава!

— И кого бы ты порекомендовал? — спросил я. — Ну, если вдруг заделаюсь вампиром?

— Я этот вопрос для себя обдумывал, — кивнул Лас с совершенно серьезным лицом. — Сейчас наиболее правильной пищей был бы гражданин, занимающийся умственным трудом, в возрасте тридцати — сорока пяти лет. То есть он уже свое перебесился, здоровье не позволяет много безобразничать, в то же время еще не такой старый, чтобы набрать токсинов.

— Даже не знаю, что тебе сказать, — признался я. — Лучше сменю тему. Мне нужен седьмой «А».

— То есть тебе нужен Иннокентий Толков? — ухмыльнулся Лас. — Мы его не заколдовывали, свой же парень, Иной. Он на первом этаже, в медпункте.

— Что с этим оболтусом? — поморщился я.

Наверное, я не слишком справедлив к парню, но мне не нравилось, как часто он в последнее время общается с Надей.

— Да все с ним в порядке. Помогает нашему доктору в меру сил. И парню практика, и нам чуть легче.

* * *

Иннокентий Толков и в самом деле ассистировал нашему доктору. Был он облачен в слишком большой для него белый халат и относился к своему занятию со всей серьезностью.

Иван как раз заканчивал обрабатывать ранки на шее совсем мелкого пацаненка, едва ли не первоклассника. Мальчишка был словно из какой-то детской книжки — большеглазый, длинношеий, с растрепанными светлыми волосами, тихо сидел на медицинской кушетке, склонив голову набок, чтобы доктору было удобнее осматривать его шею. В общем, сплошное умиление, а не ребенок. По жизни, похоже, он был совершенно заводной, баламут и егоза, кошмар родителей и головная боль педагогов. Но сейчас, под заклинанием, мальчик сидел тихо, почти не моргая, и слушал доктора.

— И тогда ты вцепился Лене в шею и исцарапал до крови, — говорил Иван. — А она в ответ вцепилась тебе и тоже исцарапала. И учительница отвела вас в кабинет к доктору. Вы помирились. Учительница сказала, что если родители будут жаловаться, то вас обоих выгонят из школы, и Лену, и тебя. Пластырь!

Иннокентий подал пластырь. Увидел меня, вздрогнул, кивнул. Иван ловко заклеил мальчишке шею и хлопнул по спине:

— Беги в класс, Цезарь. Учительница тебя ждет.

— Царапины? — с сомнением спросил я, пожимая Ивану руку.

— Укусы все поверхностные. — Иван пожал плечами. — Я бы даже сказал, что в большинстве случаев артерии и вены не были проколоты, пара капель капиллярной крови, и все... Я еще чуть-чуть подзатянул ранки, теперь можно списывать на детскую потасовку.

— Значит, кусали их не ради крови, — сказал я.

— Ну да. Кусали ради укуса. — Иван вздохнул. — Безумие какое-то... Я могу чем-то помочь?

— Мне нужен список всех укушенных, — сказал я. — Фамилия-имя-отчество. Желательно — в том порядке, как их кусали.

— Ну, ты усложняешь. — Иван покачал головой. — Ну... Попробую. Судя по местонахождению укушенных, вампир шел от дверей, периодически заходя в классы и кусая детей... Дай мне полчаса-час.

Я кивнул.

— Да не вопрос. Скинь мне список на мобильный, ладно? И еще — я заберу Кешу.

— Если он не против. — Иван посмотрел на парнишку: — Спасибо за помощь.

— Вам спасибо, дядя Иван, — ответил Кеша, стягивая халат. — Было интересно.

За годы, прошедшие с того момента, когда я его впервые увидел, Иннокентий Толков сильно изменился. Когда я его увидел в первый раз, это был катастрофически толстый, потрясающе некрасивый и плаксиво-истеричный ребенок. Ну, бывают такие дети, что уж говорить.

Сейчас Кеше было четырнадцать. Он был почти ровесником Нади, но учился на класс младше. Он оставался полным, наверное, это навсегда, но уже не столь несуразно толстым — вытянулся и «перерос». Некрасивость его тоже никуда не делась, но каким-то удивительным образом переплавилась в то, что женщины смущенно называют: «по-мужски красив». То есть понятно было, что красавцем он никогда не станет — но бабы на него заглядываться будут. Такой казус очень часто бывает с актерами, особенно русскими и французскими...

Ну и о плаксивости больше вспоминать не стоило. Очень серьезный, собранный парень. Очень взвешенно говорящий. Пророк! Жаль только, что Надя с ним чересчур крепко задружилась...

— Буду, — сказал он, подходя ко мне и протягивая руку.

— Что «буду»? — спросил я, здороваясь.

— Мороженое. Вы же хотели спросить, буду ли я мороженое? Мороженое, зимой — конечно, буду!

Я засмеялся.

— Кеша! Вульгарные предсказания — это не твой профиль. Ты пророк.

— Ну так вульгарный предсказатель и не сможет предсказать слова Высшего, — отпарировал Кеша. — Пойдемте, дядя Антон, я знаю рядом хорошую кафешку.

— А почему ты не спрашиваешь, как там с Надей дела? — укоризненно спросил я, пока мы шли по двору школы.

— Зачем? Я знаю, что с ней все в порядке.

* * *

Я тоже взял себе мороженое и чашку кофе. Кафешка была несетевая, уютная, здесь даже делали свое мороженое в итальянском стиле — мягкое, с фруктовыми наполнителями. Мне сладкого не хотелось, я пил кофе. Иннокентий с явным наслаждением поглощал фисташковое мороженое — похоже, он не часто себе позволял такую калорийную пищу.

— Ты сам-то помнишь пророчество? — спросил я.

— Нет. — Он поморщился. Это явно был неприятный момент — пророки редко запоминают то, что говорят. — Но я потом его прослушал. — Кеша облизнул ложку и начал цитировать: — «Пролито не напрасно, сожжено не зря. Пришел первый срок. Двое встанут во плоти и откроют двери. Три жертвы, на четвертый раз. Пять дней остается для Иных. Шесть дней остается для людей. Для тех, кто встанет на пути, — не останется ничего. Шестой Дозор мертв. Пятая сила исчезла. Четвертая не успела. Третья сила не верит. Вторая сила боится. Первая сила устала».

— Все верно, — сказал я. — Поможешь расшифровать?

— Почему я, дядя Антон? — искренне удивился Кеша. — У меня опыта совсем нет. Уровень вроде как высокий, но я же только учусь.

— Потому что я тебе доверяю. Потому что ты однажды выдал очень и очень важное пророчество. Потому что мы друзья. Потому что тебе нравится Надя.

Кеша слегка смутился. Не покраснел, не начал отводить глаза, но смутился. Однако ответил достойно.

— Мне очень нравится Надя, дядя Антон. И мне кажется, я ей тоже нравлюсь. Мы хотели с вами об этом поговорить. Через пару лет.

Я вздохнул. Почувствовал, что теперь моя очередь смущаться... И хорошо бы не покраснеть!

— Давай через... э... года через четыре-пять... Может, даже лучше шесть.

— Хорошо. — Подросток не стал спорить. — Но все-таки? Вы можете любого прорицателя или пророка позвать. Глыбу позовите, он умный дядька, он у нас спецкурс ведет...

— Понимаешь, Кеша, мне кажется, что в данном случае не нужно очень много знаний и ума. Наоборот, они будут отвлекать. Вот твердое знание основ — необходимо. И тут ты прекрасно подходишь, по спецкурсу у тебя одни пятерки. Рассказывай, как все было.

— Я сидел на уроке, — ответил Кеша. — Потом накатило... Впал в транс. У меня теперь вот... — Он засунул руку под рубашку и достал маленький диск, висящий на цепочке словно брелок. — Это записывающее устройство. Я очнулся, на меня все смотрят, хихикают. Ну, обычное дело... Сбрендил, кургу несет, рука-лицо... Я всех усыпил. — Кеша улыбнулся. — И стер всем память последней минуты. Стандартная процедура для пророков, все по учебнику, но я первый раз... Потом прослушал запись. Позвонил в Дозор, перегнал файл. Мне сказали, что я молодец, но что это было массовое пророчество. Ну... Я дождался, пока все очухались. Сидел дальше на уроке. Думал, что это за жесть такая... И тут по Сумраку словно судорога прокатилась... — Кеша поморщился. — Во дворе что-то жахнуло. Я попытался сквозь Сумрак посмотреть, ничего не увидел, только синий мох расползался во все стороны. И тут раз... И меня накрыло. Когда у Нади заклинание сработало. Потом очнулся — надо мной стоит Темный. Смотрит так мрачно, потом говорит в телефонную гарнитуру: «У меня тут Иной, первый уровень. Светлый...» Ну, помог встать. В общем, без обид.

— А обдумать пророчество ты успел? — спросил я, болтая ложкой растаявшее мороженое. В кафе было тепло, обилие растений и грамотно выстроенный свет создавали ощущение летнего дня. Только за окнами начинало смеркаться, было серо и холодно. Начинал идти снег.

— Дядя Антон, я не волшебник, я только учусь, — предупредил Кеша.

— Принято. Говори.

— Ну, все эти цифры — они антураж. Они, конечно, чего-то значат. Но по большому счету — просто для красивости. Пророчество должно звучать грозно и загадочно, это нам Сергей Сергеич всегда говорит.

— Хорошо. — Я кивнул. — То есть мы учитываем, но не зацикливаемся на всех этих двоих-четверых...

— «Пролито не напрасно, сожжено не зря», — начал Кеша. — Я думаю, это жертвоприношение. Пролили кровь.

Сожгли кого-то. Ну, начало пророчества обычно довольно внятное бывает и обычно говорит о плохом...

— Хоть бы раз услышать пророчество о хорошем, — вздохнул я.

— Бывают! — утешил меня Кеша. — Дальше там что? «Пришел первый срок...» Это тоже курга.

Кеша уже второй раз употребил это слово, и я не выдержал, поправил:

— Пурга.

— Не, пурга — это когда просто чушь говорят, а курга — когда чушь полная, вредная или для отвлечения внимания.

— Я отстал от молодежного сленга, — признал я. — Курга, значит?

— Курга, — уверенно сказал Кеша. — Пришел срок — и пришел. Идем дальше — «двое встанут во плоти и откроют двери». Ну, это пурга. Наверное. Про тех двух спятивших дозорных, да? Тоже мне ценная информация... Потом «три жертвы, на четвертый раз». Вы, наверное, думаете, что это про вас? Надя, мама Надина, вы... Да не факт! Кто угодно может быть. Никак четко не привязано. Если бы было «Нулевая и двое Великих, ее родители...»

— Такого не бывает, — вздохнул я. — Хорошо, ты меня чуть-чуть утешил. Но только чуть-чуть. Они шли к Наде, напали на нее, увидев нас — радостно переключились. Надя точно в списке этих трех жертв. Возможно, что и мы.

— Я хотел вас немного утешить, — признался Кеша. — Ну да... Наверное, все-таки про вас.

— Кеша, давай без утешений. Мы не дети.

— «Пять дней остается для Иных. Шесть дней остается для людей. Для тех, кто встанет на пути, — не останется ничего». Тут все ясно, да?

— Только один вопрос. Пять дней начиная с чего?

— С момента четвертой попытки вас убить, — сказал Кеша тихо. — Если убьют.

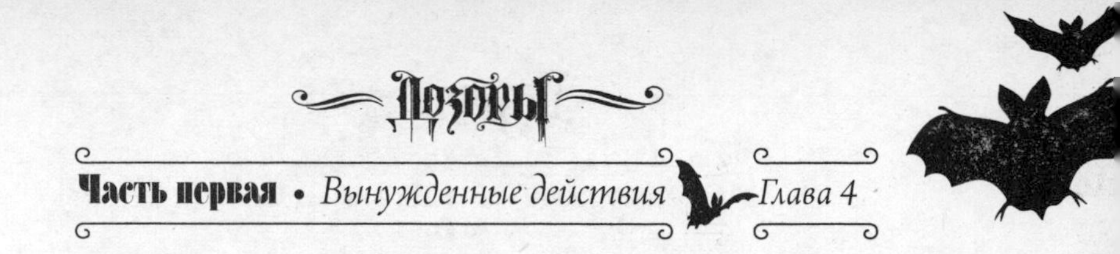

— И тогда все погибнут? Вначале Иные, потом люди?

— Да, — поколебавшись, сказал Кеша. — Тут хоть прямо и не сказано про смерть, но общая тональность и использование разрядов, особенно цифр пять и шесть...

— Оставь детали, я тебе верю, — сказал я.

— «Шестой Дозор мертв», — Кеша задумался. — Дядя Антон, вот это на самом деле самое важное. Самое-самое. Шестой Дозор.

— Почему?

— Потому что тут асимптота в точке перегиба, это значит...

— Верю! — Я вскинул руки. — Верю, Кеша.

— Шестой Дозор — это что? — спросил мальчик с любопытством.

— Ну, Ночной и Дневной Дозоры — это первый и второй, — сказал я. — Третий Дозор — Инквизиция. Четвертый Дозор — это органы СМИ. Пятый Дозор — это как пятая колонна, тайная организация внутри Дозоров... Шестой — о, ты спрашиваешь меня про Шестой Дозор...

У Кеши округлились глаза.

— Да шучу я, — вздохнул я. — Никто никогда не называл Дозоры цифрами. Есть пара дурацких шуток, но не более того. Шестой Дозор — полная бессмыслица.

— Должен быть смысл! — строго сказал Кеша. — Честное слово! У пророчеств есть законы!

— Хорошо, я буду думать.

— «Пятая сила исчезла. Четвертая не успела. Третья сила не верит. Вторая сила боится. Первая сила устала». — Кеша развел руками. — Тут совсем непонятно, дядя Антон. Может, смысл и есть. А может быть, пурга или курга. Просто чтобы пророчество красиво звучало.

— Выходит, в сухом остатке — только Шестой Дозор, — сказал я. — Единственный хвостик, за который можно уцепиться.

Кеша виновато кивнул.

— Извините, дядя Антон... Я завтра спрошу Глыбу на уроке.

— Спроси. — Я встал, положил на стол деньги. Официантка, давно уже раздраженно смотрящая на нас (взяли два мороженых и кофе, сидели целый час), двинулась к нам от стойки. — Пойдем, я тебя отвезу домой.

— Да я сам, на метро...

— Нет, Кеша. Мне спокойнее будет. И все равно сейчас делать нечего, у меня одна встреча вечером, до нее... Кеша?

Иннокентий Толков стоял покачиваясь и слепо глядя на меня. Зрачки его медленно расширялись, глаза чернели, превращаясь в зловеще поблескивающие красными искрами провалы. Лицо побледнело, на нем проступили бисеринки пота.

Я замер. Не надо мешать пророку, когда он впал в транс. На ногах он скорее всего удержится. Может быть, это будет уточнение пророчества? Такое случалось. Или еще одно?

Глаза Кеши вдруг сузились, налились янтарной желтизной. Зрачок схлопнулся, расширился — и стал вертикальным. Я вздрогнул. Официантка, так не вовремя ринувшаяся за деньгами и оказавшаяся рядом, ойкнула.

— Антон, — сказал Кеша, глядя на меня. — Раз — отрока возьми с собой. Два — поспеши домой. Три — не тебе решать. Четыре — я приду опять.

Это не было похоже на пророчество. Это было похоже на то, словно пророка заставили говорить — и перехватили управление. Какие-то внешние формы, построение фраз — это было от пророчества. Содержание... Содержание было совсем иным.

— Что за нелепица? — воскликнула официантка плачущим голосом. — Не подобает приличным людям так вести себя!

— Простите великодушно, — ответил я, борясь с искушением добавить «сударыня». — Но это всего лишь детское баловство. Простите великодушно, примите за беспокойство...

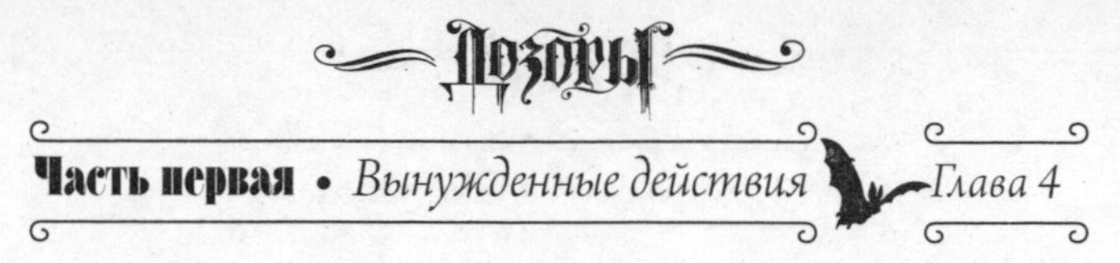

Официантка чопорно кивнула, сгребла со стола деньги, приняла из моих рук тысячную купюру — и удалилась.

Стремление говорить велеречиво и старомодно — в меру понимания человеком и велеречивости, и старомодности — характерный признак близкого выброса Силы. Но каков должен был быть выброс, чтобы он подействовал на меня, Высшего? И почему я его не заметил никаким другим образом?

Взгляд Кеши медленно просветлел. Он потряс головой. Удивленно посмотрел на меня.

— Дядя Антон... Я пророчествовал? Второй раз в день?

— Нет, парень, ты нес полную кургу, — сказал я. — Пойдем.

— Домой? — робко спросил Кеша.

— Ко мне домой. Считай, что я тебя позвал в гости. Позвони матери...

— Она в Париже. С... — Кеша запнулся. — С мужем. Ну, как бы отчимом. Григорий Ильич его зовут.

— Как бы? — не понял я, беря у гардеробщика свое пальто. И наложил на нас с Кешей «сферу невнимания» — не стоит всем слушать наши разговоры, уж очень они странные.

— Это я их свел. — И вот тут Кеша впервые смутился. — Год назад. Подумал, ну что я такая скотина неблагодарная, мама ни с кем близко не сходится, все со мной, а она же еще не старая и могла бы сыскать в жизни свое счастье, возможно — даже родить мне брата или сестру. А дядя Гоша — хороший дядька. Добропорядочный, неглупый, обеспеченный. Вот, увез мать в Париж годовщину свадьбы отмечать. И меня звал, но я наотрез отказался, дабы не смущать их.

Кеша натянул куртку, застегнулся и искренне добавил:

— Я, наверное, его готов считать отцом. В некоем общечеловеческом смысле. Тем более что он искренне обо мне заботится... считая, что это мне нужно, пытается выступить образцом мужчины, которому я мог бы следовать в дальнейшей жизни. Это благородно и заслуживает отношения как к отцу. Но увы, это слишком нелепо, учитывая обстоятельства.

К прискорбию моему, я сам свел его со своей матушкой... Тьфу! Почему я так говорю?

— Мощный выброс Силы. Он влияет на подсознание, — пояснил я.

— А! Вспомнил, нас учили! — обрадовался Кеша.

Мы забрались в машину, я включил мотор, поставил обогреватель на максимум.

— Так что со мной было-то? — спросил Кеша, шмыгнув носом. — Если я не пророчествовал...

— Тебя использовали как транслятор, — объяснил я. — Через тебя говорили со мной.

— Кто? — Кеша напрягся.

— А сам как думаешь?

Кеша вздохнул.

— Сумрак.

— Да, парень. Сумрак. Точнее — Тигр.

Глава 5

Иннокентий часто бывал у нас дома. В свое время Надя взяла над ним своеобразное шефство, причем не столько в магических делах, как в обычных, человеческих. Я к этому тогда относился скорее положительно. Тем более совсем уж они не подружились — все-таки Надя была почти на год старше, да и возраст у них был такой, когда мальчики и девочки дружить по-детски уже стесняются, а по-взрослому — не умеют.

Но все-таки Кеша иногда приходил к нам, о чем-то общался с Надей. Потом по просьбе Нади мы устроили его перевод в ту же школу, где училась она. Ночной Дозор был всецело «за» — специально пророка охранять бы не стали, все-таки не столько у нас сил, а вот за компанию с Абсолютной волшебницей — одной головной болью меньше.

И Кеша стал появляться у нас все чаще и чаще, то после школы, то на выходные. Порой он звал Надю в кино, что в целом неплохо, но последний год они уже принялись ходить в какие-то клубы, что, на мой взгляд, совершенно излишне для подростков!

Так что Иннокентий вполне привычно повесил куртку, разулся, пошел мыть руки. Я двинулся на кухню. Кофе — это хорошо, но мы все-таки не Италия какая-нибудь. Мы Россия, страна «чайная». Чай не пьешь — откуда силу берешь...

— Мне зеленый! — крикнул Иннокентий из ванной комнаты, на секунду опередив мой вопрос.

— Вот за такие штучки вас, пророков, никто и не любит! — ответил я. Но сам улыбнулся. Мальчишка играет со своей Силой, проверяет ее, стреляет из пушки по воробьям. Однако вдруг у него получится управлять способностями пророка так же свободно, как это умеют предсказатели?

Я заварил Кеше зеленый чай — обычный, с жасмином. Себе — крепкий девятилетний пуэр. Пришел Кеша, сел за стол напротив меня. Благодарно кивнул, беря чашку.

— Дядя Антон, зачем Тигр попросил, чтобы я пришел к вам?

— Хочет поговорить, наверное. — Я пожал плечами. — С тобой и со мной сразу.

— Ну, я не велика птица...

— Ладно-ладно, не скромничай... Предчувствий нет?

Подросток покачал головой:

— Нет. Сумрак не предскажешь...

— Со мной у тебя получается.

— Это не предсказание, — признался Кеша. — Просто я вас знаю хорошо. Вы всегда, когда хотите поговорить, предлагаете пойти есть мороженое. А когда идете на кухню, спрашиваете, кто и какой чай хочет.

— Дедуктивный метод, значит.

— Ну... И чуть-чуть пророчества. — Кеша вдруг лукаво улыбнулся. — Я знаю, что завтра у меня будет утром горло болеть. Значит, наверное, мороженого наемся. Мне его нельзя зимой, вообще-то у меня горло слабое... А сейчас я знал, что напьюсь зеленого чая с жасмином. Значит, вы мне его сделаете. Ваши действия я предсказать не могу, а вот свои — да.

— Хороший фокус! — сказал я с уважением. — Молодец, парень!

Кеша кивнул, без ложной скромности принимая комплимент. Потом спросил:

— А мы кого-то еще ждем? Кроме Тигра?

— Мы? Блин... — Я вздрогнул. — Да в общем-то. Завулон обещал, что ко мне заглянет один... Один Темный.

— Вампир? — уточнил Кеша.

— Совершенно верно. Очень старый вампир. Все-таки предвидишь?

— Да нет, не предвижу. Просто вижу. — Кеша взглядом указал на окно за моей спиной.

Я повернулся и едва удержался от дрожи. На карнизе за окном сидела летучая мышь. Огромная, чудовищная летучая мышь — распластанные крылья раскинулись метра на два, голова была размером с человеческую, тело елозило на оконном отливе.

— А вот и гость, — тихо сказал я.

— Как они все-таки летают? — тоже понизив голос, сказал Кеша. — В ней же веса как во мне...

— Волшебство, парень, волшебство... — сказал я, вставая и подходя к окну. Летучая мышь смотрела на меня немигающим взглядом.

Только Высшие вампиры умеют превращаться в животных. Но даже Высший вампир не смог бы вот так приблизиться к моей квартире, защищенной всеми возможными заклинаниями Света и Тьмы.

Я посмотрел на летучую мышь сквозь Сумрак. Сквозь первый, потом второй, а потом и третий слой. На всех слоях она выглядела огромной летучей мышью — и ничего более. Да уж...

Я открыл створки. Вампир продолжал сидеть, глядя на меня.

— Я впускаю тебя, — сказал я. — Входи в мой дом. Разрешаю войти внутрь.

Повторенное трижды разрешение разрушило незримый барьер. Летучая мышь, тяжело переваливаясь на лапах и локтевых сгибах крыльев, перебралась на подоконник. Замерла.

Никто не знает, почему вампиры не могут войти в дом неприглашенными. Человеческие легенды врут почти во всем — вампиры отражаются в зеркалах, вампиры могут есть чеснок, солнечный свет им неприятен, но они его терпят, их не пугает серебро (впрочем, серебряная пуля работает не хуже свинцовой), они не боятся крестов и святой воды (разумеется, если пытающийся противостоять вампиру человек не является латентным Иным и не верит в Бога искренне и самозабвенно — тогда крест будет обжигать вампира, а вода — разъедать его плоть). Впрочем, водка или спирт обжигают вампиров еще сильнее, причем их может применять любой атеист. А вот про запрет на вход в чужой дом — это правда.

— Отвернись, — сказал я Кеше. — Они не любят перевоплощаться при посторонних.

— Никто не любит, — хрипло произнесла летучая мышь, когда парнишка отвернулся. Это действительно был очень старый и опытный вампир — он даже научился говорить в животном облике!

Я отворачиваться не стал. Мой дом — мое право.

Вампир вскинул крылья, кутаясь в них, встал на подоконник, почти достигая головой потолка, — и стал перевоплощаться.

Это он тоже делал очень мастерски. Очень аккуратно. Никаких брызг и ошметков плоти, как у неопытных оборотней и вампиров. Стояла гигантская летучая мышь, завернувшись в крылья, — и вот уже стоит человек. Иной.

Иная.

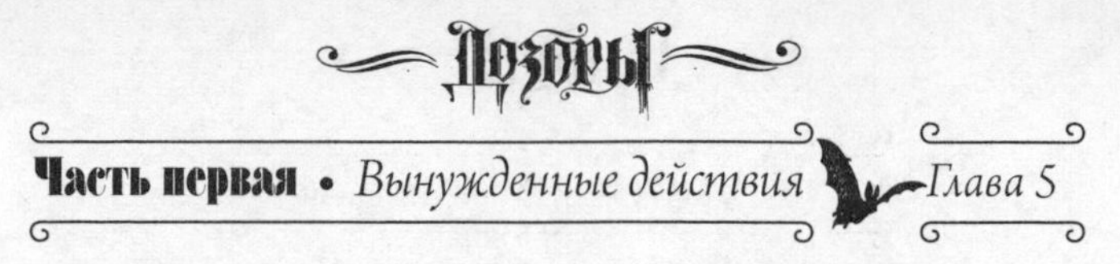

— Добрый вечер, — сказал я с секундной заминкой и протянул руку.

— Вечера всегда добры ко мне. — Вампирша улыбнулась. Изящно оперлась на руку и спрыгнула на пол. — Мальчик, ты можешь обернуться.

Кеша немедленно и с живейшим интересом повернулся.

— Ты чем-то удивлен? — спросила вампирша.

— Да. — Кеша, к моему удивлению, не стал ломаться и ответил спокойно и искренне. — Я думал, вы будете голая. Как вы ухитряетесь перекидываться одетой?

— Потому что я не оборотень, а вампир, — сообщила женщина. — Оборотни перекидываются голыми, а у нас... У нас свои хитрости. А что удивляет тебя, Городецкий?

— Завулон обещал, что меня навестит один из старейших вампиров.

Женщина засмеялась.

— Антон, ну ты же не ожидал увидеть старушку?

— В принципе — был готов. Особенно зная чувство юмора Завулона.

— А, понимаю... Ты был готов увидеть старую женщину с клыками. Или старого импозантного вампира. Ты представлял себе трогательную невинную девочку, что живет уже сотни лет, высасывая из людей жизнь, — или печального юношу с обличьем Дориана Грея. Тебя не удивила бы ослепительная красавица, знойная и страстная, которую мужчины сами молили бы впиться в горло... Или нежная белокурая девушка, само воплощение беззащитности и коварства.

— Да, — сказал я.

— А увидел ты обычную тетку, — сказала вампирша. — Чуток потасканная, жопа толстовата, но в целом — обычная.

— В точку, — согласился я.

Вампирша была самой обычной женщиной. Средних лет. Что-то «около тридцати». В меру симпатичная. То есть с такой можно с удовольствием пофлиртовать, найдутся люди, которые в нее влюбятся (ну, если представить ее обычным человеком), но ничего сверхпривлекательного. Может, попа и была «толстовата», но на мой взгляд — вполне нормально...

И одета она была обычно. Просто совсем обычно — джинсы, легкое полупальто, на ногах короткие сапожки (либо на автомобиле ездит, либо дом и работа совсем рядом с метро... либо она летает в образе летучей мыши).

И лицо ничем не выделяется. Никаких интенсивных эмоций. Ни ослепительного обаяния, ни мрачности, ни глупости, ни мудрости.

— Ты похожа на Завулона, — сказал я. — Ты... ты очень обычная.

Вампирша кивнула:

— Да, Антон. Тот, кто живет тысячи лет, должен быть обычным.

— Ничего себе! — воскликнул Кеша.

«Тысячи» потрясли и меня.

— Даже Мастеру Петру...

— Мальчишка. Ему и шестисот нет. Обычный вампирский сосунок. — Вампирша улыбнулась. — Простите дурацкий каламбур.

— Но он Мастер вампиров Европы!

— И что? А Барак Обама — президент Северо-Американских Соединенных Штатов. И что с того? Это не делает его ни самым умным, ни самым богатым, ни самым влиятельным.

Я поднял руки:

— Сдаюсь. Простите мою невежливость. Мы не представлены.

— Ева.

— Антон.

— Это ведь не может быть вашим настоящим именем, — заметил Кеша, с жадным любопытством глядя на Еву.

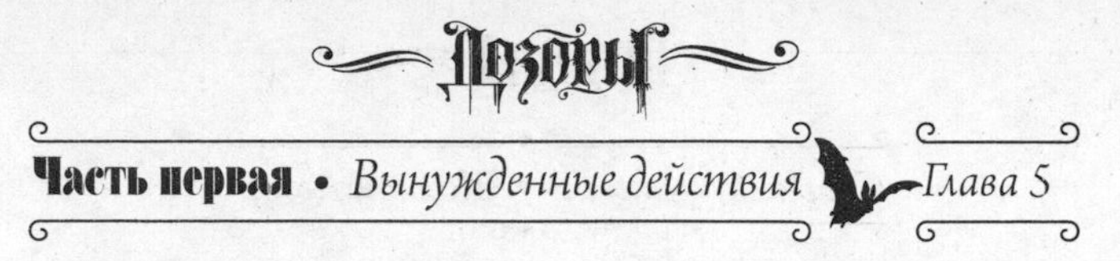

— Нет, конечно. Но это древнее имя, живущее во всех народах. Меня устраивает.

У меня в голове мелькнула мысль, но я даже не дал ей оформиться. Это очень, очень, очень старая и могучая вампирша. И даже мой Высший уровень не делает нас ровней.

Если она захочет — то разорвет нас с Кешей на клочки.

— Хорошо, Ева, — сказал я. — Я впустил тебя в свой дом, я повторил трижды, я представился. У меня есть древнее право по древнему закону.

— Право на три вопроса? — Ева явно развеселилась. У нее дрогнули уголки губ. — Ах, Светлый, я сама придумала это право... Мне его и менять.

Мягким кошачьим движением она села между нами. Посмотрела на меня. Посмотрела на Кешу.

— Хорошо, Антон. Мы поиграем. Ты получишь три ответа, но это не будут ответы на те вопросы, что тебя тревожат. Это будут просто ответы. Потом мы поговорим всерьез, а сейчас — разминка.

— Кто этот вампир, который нас спас, и почему он это сделал?

Ева рассмеялась и погрозила мне пальцем.

— Хорошо, — вздохнул я. — Разминка. Что связывает тебя с Завулоном.

Ева подумала. Облизнула губы.

— Кровь.

— Это не ответ.

— Это ответ, Антон Городецкий. Ты задал вопрос, я ответила. Это честный ответ. Если он не ответил на твой вопрос — виноват спрашивающий.

— Хорошо, — сказал я. — Второй вопрос. Чаба Орош. Сколько правды в его книге и сколько лжи? Посмеялись ли над ним вампиры, или легенды, которые он пересказывает, — настоящие?

Ева замерла. Кивнула.

— Правильный вопрос. Большая часть сказанного им — правда.

— Можно я спрошу? — попросил Кеша.

— Пусть парень спросит, — сказал я.

— Как вы сохраняете одежду во время трансформации? Это не магия, я бы почувствовал.

— Неожиданный вопрос, — сказала вампирша. — Какой любознательный паренек! Видишь ли, это, — она оправила полы пальто, поддернула джинсы, — не одежда. Одежду я не сохраняю.

— Это вы сами и есть, — прошептал Кеша. — Вы...

— Я голая. — Ева засмеялась. — Но как ты думаешь, малыш, трудно ли придавать своему телу видимость одежды, если ты умеешь перевоплощаться в летучую тварь? Я сама — своя одежда. Любая.

Силуэт Евы задрожал, меняя цвета и формы. Теперь она была одета в белое длинное платье, с ниткой жемчуга на шее, со сверкающими, будто хрустальными туфельками. Из глубокого декольте проглядывала высокая молодая грудь.

— Я вас не смущаю, мальчики? — Она лукаво улыбнулась.

— Нет, — сказал я. — К сожалению, я знаю истинный облик таких, как ты, — поэтому не смогу соблазниться тобой ни в мехах, ни в шелках, ни голой. Извини.

— Ничего страшного, Антон, — очень серьезно ответила Ева. — Сексуальное влечение... у таких, как я... проходит за две-три сотни лет. Его вытесняет пищевой инстинкт, он древнее, знаешь ли. Мой секс — пить кровь.

— Знаю, — сказал я. — Что ж, ты ответила на три вопроса, которые не важны...

— Они важны, даже если ты сам этого не понял, — сказала Ева. — Но пустое. Что ты хотел спросить у меня?

— Я хотел спросить о тех, кто напал на нас. И о пророчестве, которое обещает всеобщую смерть.

— Понимаю. — Ева кивнула. — Но это серьезные вопросы, и они требуют настоящей цены.

— Какой? — Я спросил, зная ответ.

— Настоящая цена — всегда одна, дозорный. Кровь.

Мне очень не хотелось этого говорить, тем более — при Кеше. Но я думал об этом полдня. Я вообще-то довольно догадлив, когда начинают гореть ботинки — обычно догадываюсь посмотреть вниз.

— Я выдам тебе разрешения, — сказал я.

— Какие? — поинтересовалась Ева.

— На кормление.

Ева развела руками.

— Разрешения? Мне? Антон, у меня лежит ворох этих разрешений. Некоторые еще на бересте, а некоторые — на глиняных табличках. Но в конце концов, если уж я захочу кого-то выпить — неужели ты думаешь, что ваши дозорные схватят меня? Вы за новообращенными вампирами охотитесь неделями и не всех в итоге ловите.

Я молчал. Она была права — и я это прекрасно понимал.

— А если я захочу чего-нибудь интересненького? — неожиданно спросила Ева. — Выпить беременную женщину? Трехлетнего ребенка? Знаменитость, писателя или музыканта, которые сеют разумное, доброе, вечное... Я же знаю, что таких вы из вампирской лотереи вынимаете...

— Не вынимаем, — твердо сказал я.

Ева рассмеялась.

— И все-таки? Выдашь разрешение? На одной чаше весов — гибель всего человечества. Иных, людей, зверей...

— Спасибо за информацию, — сказал я. — Про зверей я не был в курсе.

Некоторое время мы смотрели друг на друга. Но моя жалкая попытка вывести Еву из себя не увенчалась успехом. Напротив — она вдруг посмотрела на меня с сочувствием.

— Не ерзай, дозорный. А то прямо слышу, как у тебя шаблоны рвутся. Мне неинтересна кровь детей и матерей, да и ваших музыкантов-писателей тоже... После Достоевского у всех кровь как-то жидковата...

— Какие литературоведческие изыски, — огрызнулся я.

— То, что я мертва, и то, что я питаюсь человеческой кровью, не значит, что я не могу восхищаться настоящей литературой, — ответила Ева. — Читала и модных, и талантливых. Нет, Антон. Расслабься, не нужны мне твои индульгенции, можешь их в рамочку и на стенку.

— Тогда что тебе нужно? — спросил я.

— Кровь. Но я давно уже не пью все подряд, я коллекционирую интересные крови, Антон.

— Говори.

— Кровь Высшего Светлого — за ответ на любой вопрос.

— А ты уверена, что сможешь ответить? — спросил я.

— Уверена.

— Сколько крови тебе надо? — спросил я.

— Дядя Антон! — воскликнул Кеша. — Не соглашайтесь! Что вы делаете!

— Молчи, — сказал я. — И запоминай. Ты свидетель.

Кеша попытался вскочить, снова сел. У него задрожали губы. Он переводил взгляд с меня на Еву.

— Не мешай ему, мальчик, — сказала Ева. — Тут нет никакого насилия, все по доброй воле... Я не собираюсь выпивать тебя досуха, Антон. И обращать не намерена... Тем более что в случае Иного — это очень, очень трудно, а в случае со Светлым и Высшим — практически невозможно. Я не убийца. — Она лукаво улыбнулась, ее глаза блеснули, как живые. — Не просто убийца. Я — коллекционер.

— Сколько? — повторил я.

— Глоток-два. Не больше трех, если вдруг понравится.

— Пей, — сказал я, засучивая рукав.

— Нет-нет! — возмутилась Ева. — Это профанация. Я не перекусить на скорую руку зашла, извини за дурной каламбур. Либо шея, либо бедренная артерия. Не будем смущать мальчика, верно? Шея.

— Соси давай, — сказал я. — Я тебя позвал не разговоры разговаривать.

— Ах, Антон, Антон! — Ева снова засмеялась. — Как же ты мне нравишься! Вся эта чудесная бравада, грубость, завуалированные пошлости...

Она встала и подошла ко мне, я тоже встал. Почувствовал ее запах — одновременно свежий и сладкий, пьянящий. Глаза Евы блестели, на губах играла легкая полуулыбка. Сейчас она казалась по-настоящему красивой.

— Вижу, ты давно не ела, — сказал я. — Феромоновые железы полны.

— Если бы я захотела, — прошептала Ева, — ко мне сбежались бы все мужчины этого дома. А мальчик потерял бы сознание от вожделения... Не хочешь меня поцеловать?

— Хочу, — сказал я. — Но я знаю, что буду целовать на самом деле, поэтому воздержусь.

— Мое дело предложить, — промурлыкала она и плавным движением положила голову мне на плечо.

Шею кольнуло. Кеша тихо вскрикнул.

— Не отворачивайся, — сказал я. — Считай вслух. При каждом сосательном движении у нее будет набухать на горле мышечный мешок.

Шея слегка онемела. Боли больше не было.

— Раз, — сказал Кеша.

Ева подняла руку и погладила меня по голове.

Никаких ощущений не было. Никакой боли. Никакой слабости. Просто стоит женщина... привлекательная... склонила голову мне на плечо... И пьет мою кровь.

— Два, — сказал Кеша страдальческим голосом.

Столь же ровным, грациозным движением Ева выпрямилась. Облизнула длинным розовым языком рот. Вытерла тыльной стороной ладони остатки крови с губ.

— Кеша, дай салфетку, — сказал я, протягивая руку. Кеша вскочил, чуть не опрокинув стул, подал мне смятый пук салфеток — веселеньких, разноцветных, с изображением хохочущего Санта-Клауса. Я прижал салфетки к шее.

— Сама сейчас свернется, — сказала Ева. — Я вбрызнула фермент, Светлый.

— Спасибо. И что так — всего два глотка? Не понравилась?

— Алкоголь и табачище, миазмы большого города, адреналин и токсины, — сказала Ева. — Шучу я, Антон. Очень интересная кровь. Знакомый привкус, как я и ожидала, но интересная. Я запомню. Захотелось тебя поставить на место.

— Я не против, — сказал я.

— И запомни на будущее, — сказала Ева. — У таких... старых, как я, сосательный мешок вмещает до полутора-двух литров крови. Я могла тебя убить в два глотка. Или в три. И все было бы в рамках разрешенного тобой, мальчик был бы свидетелем. Не досуха, не обращая, три глотка. А что не смог жить с литром крови в жилах — сам дурак.

Она требовательно смотрела мне в глаза.

— Дурак, — согласился я. — Спасибо. Запомню.

— Теперь ты можешь задать свой вопрос, — сказала Ева. — Любой. Если я не смогу дать полезной информации... что ж, тогда задашь новый. Честно?

— Честно, — признал я. — Что случилось с дозорными, охранявшими Надю, почему они напали на Инквизитора, почему напали на мою семью, откуда их Сила, как их уничтожить?

— Ну ты жулик! — Ева погрозила мне пальцем. — Один вопрос, помнишь? Но я добрая вампирша, Антон. Я отвечу.

Я сел. Видимо, действие гормонов, которые Ева впрыснула в мою артерию, прекратилось — я почувствовал слабость. Литр, не литр... Но поллитра крови она все-таки высосала. В два приема. Все известные мне вампиры могли всосать за глоток не больше ста — ста пятидесяти миллилитров.

— Дозорные всего лишь оказались в неудачном месте и в неудачное время, — сказала Ева, склоняясь надо мной. — Их больше нет. В их телах проявился древний бог.

— Вампирский бог.

— Тогда не было других богов, Светлый. Древний бог, Двуединый. Бог Света и Тьмы. Первый, кого породил Сумрак, первый обретший разум — и сделавший нас, вампиров, своими слугами. Слугами и жрецами, хранителями великого равновесия...

— Какого еще...

— Не надо толковать границы вопроса так широко, дозорный. Древний бог воплотился, и это очень грустно, дозорный, потому что мы предали его. Мы, вампиры, перестали выполнять то, что должны. Мы изменились, пошли иными путями. Многие перестали пить кровь, стали пить жизнь... напрямую...

Я смотрел в глаза той, кто называла себя Евой, и видел в них бездонную пропасть. Видел черное небо детства человечества. Видел воинов, пьющих кровь врагов, — и шаманов, пьющих кровь воинов. Видел, как из тьмы вышел к костру Двуединый — и кровью скрепил самый древний из человеческих заветов...

— Двуединый обижен, Двуединый оскорблен, — прошептала Ева. — Его забыли, его обманули, пошли другими путями... И даже вампиры смирились, погрязли в разврате и чревоугодии, забыли свой долг перед людьми... Двуединый не простит, Двуединый уничтожит всех нас. Всех Иных. А для этого ему надо уничтожить главную опасность — твою дочь. И ее родителей... Потому что вы не отдадите ее на заклание.

Инквизитор слишком серьезно понимал свой долг, он пытался им помешать, хотя, как мне кажется, понял, что происходит. Ну... Может быть, он выбрал легкую и быструю смерть? Кто знает? Но помешать Двуединому он не мог. Только Шестой Дозор способен уничтожить Двуединого. Только Шестой Дозор! Но Шестой Дозор — мертв.

— Что такое Шестой Дозор? — прошептал я.

— А это уже другой вопрос. — Ева улыбнулась.

— Ты ведь тоже погибнешь, верно? — сказал я. — Так к чему эти игры! Ответь, просто ответь! Это в наших общих интересах!

— Может быть, я и не погибну? — Ева пожала плечами. — Я последняя из тех, кто помнит кровавый завет. Я последняя, кто видел предыдущее воплощение Двуединого... Шучу, Светлый. Я тоже погибну. Но я согласна, этот мир становится слишком жесток.

— Для вампиров?

— Нет. — Ева покачала головой. — Просто слишком жесток. А я не люблю пустую жестокость, Городецкий.

— Мне нужен еще один ответ, — сказал я. — Кусай снова.

— А мне не нужен дубль в коллекцию, — сказала Ева с ноткой обиды. — Нет, Антон, ты для меня — отработанный материал.

Она помолчала.

— Хотя у тебя есть что мне предложить.

— Надьку ты не получишь, — сказал я. — И не рассчитывай.

Ева вздохнула.

— Да я знаю, знаю. Даже не стала просить, чтобы не провоцировать тебя на излишнюю агрессивность. Но у тебя есть что мне предложить помимо дочери.

— Хорошо, — сказал я, поколебавшись лишь миг. — Я уверен, что Светлана поймет и согласится...

— У меня есть в коллекции кровь Высшей Светлой целительницы, — сказала Ева. — Разумеется, Светлана — мать Абсолютной, и это придает пикантный оттенок, но... Наверное, все-таки нет. Я про мальчишку.

— Да ты с ума сошла, — искренне сказал я. Посмотрел на Кешу и успокаивающе махнул ему рукой.

— Отнюдь. Высший Светлый, пророк — это большая редкость.

— Он не Высший, он первого уровня.

— О! Видишь, ты уже начал торговаться! — сказала Ева удовлетворенно. — Сейчас он первого, но стал бы Высшего. Жаль, не успеет. Но пророки — такая редкость, особенно Светлые! Я готова им удовлетвориться.

— Ева, он ребенок.

— Ему четырнадцать с половиной, какой же он ребенок? — удивилась Ева. — Паспорт имеет. В гражданскую полком бы мог командовать. Даже в вампирскую лотерею только до двенадцати не включают. И уж извини, Светлый, но он сам вправе решать!

— Я согласен, — быстро сказал Кеша.

— Он не согласен! — рявкнул я.

— Почему? — Кеша пожал плечами. Он был бледен, но вроде бы даже не испуган. — Нам нужна информация, верно? Она меня не убьет. Не превратит в вампира. Ну, выпьет немного крови, что, с меня убудет? Это все немножко извращение, конечно, но она хотя бы женщина. Была. И я считаю донорство полезным занятием, а ведь мы знаем, что двадцать процентов донорской крови достается вампирам.

Ева искренне веселилась, переводя взгляд с меня на Кешу и обратно.

Я думал. Если бы это была только напускная бравада, если бы я видел, что парнишка по-настоящему боится...

Но он не боялся. Точнее, боялся не больше, чем я. Ему было немного противно. Немного страшно. Но он совершенно четко воспринимал ситуацию. А на кону, как получается, был апокалипсис.

— Не более пятидесяти миллилитров за глоток, — сказал я. — Не более трех глотков.

— Хорошо, — согласилась Ева. Подошла к Кеше. Тот вскочил. Замер перед ней.

— И не окучивай парня своими феромонами, — добавил я.

— Не стану, — легко согласилась Ева, разглядывая Кешу. — Что ж вы, молодежь, так плохо к гигиене относитесь? У тебя шея грязная.

— Я толстый и поэтому легко потею, — ответил Кеша. — Не нравится — возьми полотенце и протри.

Ева захлопала в ладоши.

— Браво! Браво! Антон, какой славный парень, не находишь? С тебя пример берет...

Она наклонила голову и прижалась к шее Кеши.

Я встал, обошел стол, приближаясь к ним.

Ева сделала глоток — у нее на шее надулся мешок. Помедлила. Глубоко и страстно вздохнула, не отрываясь от парня. Глотнула второй раз. Помедлила. Глотнула третий.

— Отрывайся, — сказал я.

Ева стояла не шевелясь. Скосила на меня один глаз — тот был дурной, затуманенный...

— Отрывайся от него, Лилит, — прошептал я ей на ухо. — Или я выпотрошу твое гнилое нутро, клянусь Светом...

Вампирша, называвшая себя Евой, отскочила от Кеши. С ненавистью уставилась на меня. Ее испугала не угроза — имя.

— Раны закрой! — приказал я. — Играем по-честному, помнишь?

Лилит сплюнула в ладонь кровавой слюной, провела ладонью по шее Кеши. Отняла руку — кровь больше не шла. Кеша тяжело сел на стул. Я дал ему остатки салфеток — он прижал их к ране.

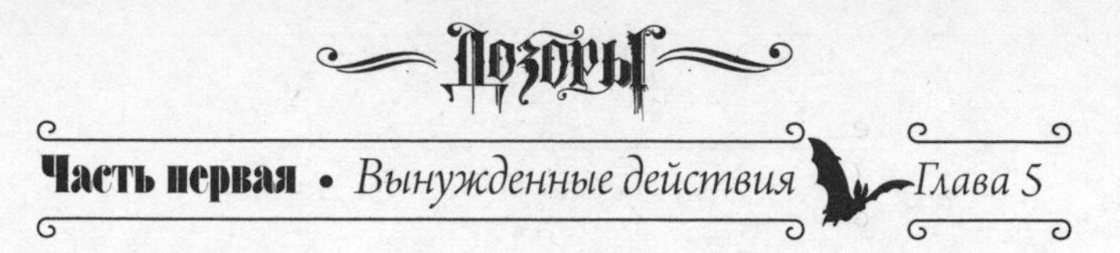

— Я тебе припомню, — пообещала Лилит, буравя меня взглядом.

— Не надо считать других дураками, «Ева», — сказал я. — А теперь отвечай на вопрос...

— Кровь дал мальчишка, — сказала Лилит. — Ему и спрашивать.

— Спроси, что такое Шестой Дозор и как его создать, — сказал я.

— Это твой вопрос? — спросила Лилит у Кеши.

Кеша помолчал.

Кеша покачал головой:

— Нет. Мой вопрос другой.

Мне надо было заорать, остановить его. Объяснить, что вопроса важнее сейчас нет. Но я не мог. Он преодолел свой страх. Он дал свою кровь. Эта была самая древняя и самая сильная магия в мире.

Кеша посмотрел на меня, и я кивнул.

— Скажи, каковы отношения между Двуединым, Сумраком и Тигром? — спросил Кеша. — Кто и чего хочет? Кто сильнее? И почему если погибнут Иные, то погибнут люди и животные? И выживет ли Сумрак, если погибнет все живое?

— Это много вопросов, — сказала Лилит. — Это очень много вопросов, наглый мальчишка! И я не буду...

— Вопрос на самом деле один, и ты это знаешь, ценой была моя кровь, и ты забрала данное, ты не можешь вернуть взятое обратно, и я требую обещанного, — сказал Кеша. — Говори.

— Откуда ты знаешь слова требований? — спросила Лилит после короткой паузы.

— Я же пророк, — сказал Кеша. — Я просто знал, что скажу тебе именно эти слова.

— Вам не понравится мой ответ, — сказала Лилит. — Он даст вам то, что нужно, но не даст того, что необходимо, а больше у вас нечем торговать со мной...

— Говори, — сказал я. — Ты дала обещание.

— Сумрак жив, но не имеет разума, Сумрак хочет только жить. — Лилит развела руками, будто сама удивляясь сказанному. — Тигр — хранитель Сумрака, он разумен, но не имеет воли. Тигр силен. Но Двуединый имеет разум и волю, Двуединый — такое же порождение Сумрака, и если Тигр встанет на его пути — Двуединый сметет Тигра. Все живое погибнет, потому что Иные — не только паразиты, но и хранители жизни. Умрут Иные — умрет все живое. Умрет живое — умрет Сумрак. Умрет Сумрак — умрет Тигр, умрет Двуединый, умрет все и вся вокруг этой маленькой кучки грязи. Я дала ответ.

— Ты не ответила, — сказал я. — Почему мы хранители жизни? Мы, Иные, такие же паразиты, как вы, вампиры. Почему вслед за Иными умрут люди?

Лилит оскалилась. У нее даже не были втянуты клыки.

— Вы хитрите, и я хитрю. Вы получили ответ, детали никто не обещал говорить... Светлый.

— Хорошо, — сказал я. — Хорошо. Мы приняли твой ответ. Но нам надо знать, что такое Шестой Дозор.

Лилит развела руками.

— Чем мы можем заплатить за ответ? — спросил я. Где-то в груди нарастала тоскливая давящая боль. Наверное, так себя чувствуют люди за мгновение до инфаркта. — Будет ли кровь моей дочери...

— Нет, Светлый! — Лилит замотала головой. — Время этой цены прошло! Ее кровь может сжечь меня, но я готова была рискнуть, но теперь — нет! У вас нет цены за новый ответ!

И я вдруг увидел, как глаза Кеши округлились. И как в них смешались воедино удивление, надежда и страх — страх в глазах мальчишки, только что добровольно подставившего шею тысячелетней вампирше.

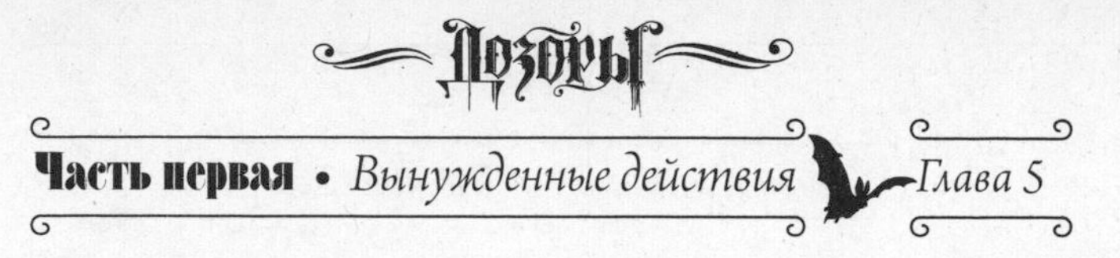

— Может быть, у меня есть цена за любой твой ответ? — раздалось за моей спиной.

Я повернулся.

Тигр стоял у плиты и наливал себе в чашку кофе из дышащего паром кофейника. Он был таким же, как раньше, — высокий молодой мужчина, одетый в строгий деловой костюм. Тигр поднес чашку к лицу, сделал глоток. Медленно повернулся к нам.

— У меня, как ты заметила, нет своей воли, — сказал Тигр. — Но у меня есть кровь. Кровь Сумрака, извини за дурной каламбур. Ты ведь хочешь достойно завершить свою коллекцию перед концом времен, дряхлая тварь?

Белое платье вампирши порозовело, будто напиталось кровью. Она шарахнулась к стене, врезалась в нее, глухой удар выбил белую пыль штукатурки на ее плечи. Она полусогнулась-полуприсела, выставив перед собой руки. Пальцы превратились в черные когти.

— Ну, так каков твой ответ? — спросил Тигр.

— Н-н-нет! — простонала вампирша. — Нет!

Она отпрыгнула от стены, бросилась к окну, пытаясь то ли открыть его, то ли разбить в прыжке стекло.

Но Тигр уже был у окна. По-прежнему сжимая в руке чашку кофе, не сделав ни единого движения. Просто оказался там, куда прыгнула вампирша, — и его ладонь прервала ее движение.

— Ты не поняла, — сказал он. — У тебя нет выбора. Я заплачу цену, и ты ответишь на вопрос.

— Я отвечу! — выкрикнула Лилит. — Я отвечу, мне не нужна плата!

— Правила есть правила, — сказал Тигр.

Глотнул из чашки. Поставил ее на подоконник. Склонил голову на правое плечо, подставляя шею.

— Кусай.

Лилит затряслась. Потом кивнула, смиряясь.

— Да... да.

Ее рот на мгновение прижался к шее Тигра — и через миг вампирша отпрянула. Губы ее стали бордовыми. На шее Тигра появилось два крохотных укуса.

— Ты взяла цену и дашь ответ, — сказал Тигр. — Что такое Шестой Дозор?

— Шестеро заключали договор с Двуединым, — прошептала вампирша. — Шестеро могут разорвать договор.

— Кто они? — спросил Тигр.

— Порожденная Светом. Порожденный Тьмой. Тот, кто взял чужую Силу. Тот, кто не имеет своей Силы. Тот, кто видит. Тот, кто чует.

— Должно быть три условия, — сказал Тигр. — Я знаю правила.

Лилит кивнула, с ненавистью глядя на него. Из ее рта вырывались облачка пара.

— Любовь, Ненависть, Благородство, Предательство, Сила, Слабость. Это первое условие.

Тигр кивнул.

Лилит подняла руки, с удивлением посмотрела на свои пальцы. Потом продолжила:

— Посланник каждой из великих сторон должен присутствовать. Глава каждой стороны должен прийти или назначить посланника. Это второе условие.

— Что такое великие стороны? — спросил я. — Свет? Тьма?

Лилит оскалилась.

— Я обязана назвать, но я не обязана пояснять. Так, Тигр?

Тигр кивнул, задумчиво глядя на нее.

— И третье. — Вот теперь Лилит улыбалась искренне. Я бы сказал «от души», но души у нее давно уже не было. — Шестеро должны быть связаны первой и главной Силой.

— Сумраком? — Я не выдержал и все-таки уточнил.

К моему удивлению, Лилит ответила:

— Нет, Светлый. Самой первой и самой главной. Кровью.

— Может быть, ты хочешь сказать что-то еще? — спросил Тигр.

— Я надеюсь, вы сдохнете! — выплюнула ему в лицо Лилит. — Все вы сдохнете! И ты, раб Сумрака, тоже!

— Что ж, мы это скоро узнаем, — сказал Тигр. — А ты — нет.

Лилит захохотала.

— Нет? Посмотрим. Посмотрим. Я хранила верность Двуединому, я приветствую его...

— Там, куда ты отправишься, нет ничего, — сказал Тигр и поднял руку.

Лилит засияла ослепительным белым светом. Что-то сжигало ее изнутри. Белое платье налилось кровью, потом почернело — и вампирша осела холмиком праха.

Я взял остолбеневшего Кешу за голову и заставил отвернуться.

— Извини, я намусорил, — сказал Тигр. — У тебя есть совок и веник?

Некоторое время я смотрел на останки вампирши.

— Нет. Только пылесос.

— Годится, — сказал Тигр. Не спрашивая, куда идти, вышел из кухни, вернулся с пылесосом. Задумчиво осмотрел шланг, опустил. Пылесос тихонько загудел. Тигр протянул щетку к праху — и тонкий пепел струйками потек в мусоросборник.

В розетку он пылесос включить забыл. Впрочем, это не мешало пылесосу работать.

— Спасибо за помощь, уберу я сам, — сказал я. — Как-то будет негостеприимно, если ты начнешь мне пылесосить.

Тигр едва заметно улыбнулся, выключая пылесос. Или мне показалось? Улыбающийся Тигр — зрелище фантастическое.

— Тогда еще одно, и я уйду, — сказал Тигр. — Если ты спросишь, понял ли я слова Лилит, — нет. Я не Сумрак, я лишь малая его часть. Ответ тебе придется найти самому.

— А если не найду? — спросил я.

Тигр глянул на меня с удивлением.

— Разве ты не слышал? Мы все умрем.

— Как страшно жить, — фыркнул Кеша, повернулся и посмотрел на горку пепла. И зевнул.

Я посмотрел на него.

— Иди-ка ты спать, Кеша. Домой я тебя сейчас не повезу, переночуешь в комнате Нади. Возьми чистое белье, оно в комоде...

— В нижнем ящике, — сказал Кеша, вставая. — Я знаю.

— Откуда? — резко спросил я. — Откуда ты это знаешь?

Кеша удивленно посмотрел на меня.

— Я же все-таки пророк... Кстати, у вас и веник есть, и совок — в кладовке в прихожей.

Рядом послышались тихие булькающие звуки. Я повернулся и посмотрел на Тигра.

Он сдавленно хохотал, зажимая рот руками.

А потом растаял в воздухе.

ЧАСТЬ

Вынужденные союзы

Глава 1

В архиве было все так же холодно и темно. Но сегодня кое-что изменилось — играла музыка. Я бы не удивился, услышав классику — от Вивальди до Баха. Или зажигательную ирландскую музыку — джигу или рилу. Но Элен Киллоран слушала русского барда.

> Мы как тени — где-то между сном и явью,
> и строка наша чиста.
> Мы живем от надежды до надежды,
> как солдаты — от привала до креста.
> Как расплавленная магма, дышащая небом,
> рвется из глубин,
> Катится по нашим венам Вальс Гемоглобин.

Я тихо пошел между сумрачными стеллажами, на которых дремали книги, свитки, распечатки, перфокарты, дискеты, глиняные таблички и лазерные диски.

> Так сколько ж нам лет, так кто из нас кто — мы так и не поняли...
> Но странный сей аккорд, раскрытый, как ладонь, сквозь
> дырочки от снов все ж различить смогли —

Так вслушайся в него — возможно, это он качался над Японией,
Когда последний смертник запускал мотор над телом
скальпированной своей земли...

Я подошел к столу, на котором стояла старенькая магнитола с торчащей из гнезда флешкой. Нажал на «стоп».

— Элен!

— Да, Антон?

Я вздрогнул, оборачиваясь. Киллоран стояла за моей спиной, держа в руках пухлый том в кожаной обложке.

— Напугала, — признался я.

— Я тоже испугалась, — ответила она. — Вижу, тень мелькнула. У меня тут трафик небольшой...

Она вдруг смутилась и положила книгу на стол. Огреть она меня, что ли, собиралась этим томом?

— Хорошая песня, — сказал я. — Не знал, что ты любишь русских бардов.

— Не всех. — Она поморщилась. — Но это — хорошо... Как твои дела? Вы поймали вампиршу?

— У нас... все запутанно, — сказал я. — Нальешь чая? Сегодня хочется.

Она улыбнулась и включила чайник. Я сел за стол, налил себе чашку и кратко рассказал все то, что Элен в своем подвале, похоже, не слышала. Только про визит Тигра я умолчал — пусть даже Элен и решила в итоге, что Лилит упокоил лично я.

— Очень... — Она подумала секунду. — Очень серьезно. Ты хочешь еще что-то узнать?

— Да. Я послал запрос в Дневной Дозор и нашим тоже. Но может быть, у тебя здесь что-то найдется...

— Двуединый?

— И еще — Шестой Дозор. И Великие Силы.

— В компьютерах что-то есть? — спросила Элен.

— Нет. Кроме вампирской легенды о Двуедином из книжки Ороша.

Элен кивнула.

— Еще кое-что... Мне кажется, ты должна это знать. — Я достал смартфон и вывел на экран письмо от нашего доктора. — Еще восемь укушенных. В один пробег... Кусала совершенно символически, просто чтобы знак подать. И результат... не тот, что я ждал.

Элен склонилась над экраном.

— Порядок укусов?

— Именно такой, — кивнул я.

— Роман, Олег, Данияр, Елена, Цезарь... разве это имя?

— Имя. Причем мальчик не итальянец, русский. Ты не представляешь, какими странными бывают некоторые родители.

— Куржан, Ирина, Йоаким. Что, правда? Через «и краткое»?

— Совершенно верно. Мальчик — финн. Наверное, в разговоре его наши ребята зовут вообще Акимом, но по документам он пишется через «и краткое».

— «Родецкий», — сказала Элен. — Дописала фамилию, выходит. И даже «и краткое» нашла.

— Угу, — кивнул я. — Это как раз понятно и ожидаемо.

— Теперь отчество, — произнесла Элен. — Что там было? «За тобой»?

— «За тобои», — поправил я. — Но, похоже, там она просто не нашла подходящего отчества.

— Романович, Евгеньевич, Шамильевич, Егоровна, Николаевич... — Элен глянула на меня. — Николаевич — это Цезарь?

— Да, — кивнул я. — Цезарь Николаевич. А что? Торжественно звучит.

— Ибрагимовна... Евгеньевна... Почему прочерк? Нет отчества?

— Да, у финнов отчество не пишется, — сказал я. — «Решение».

— «За тобой решение». — Элен кивнула. — Повеселее, чем просто «за тобой».

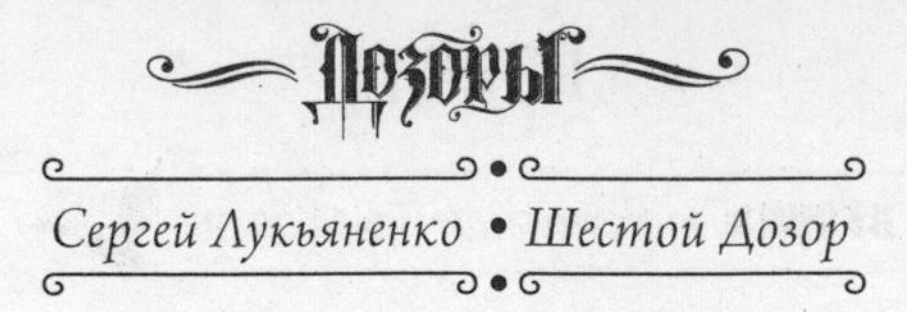

— Да. Хотя когда от меня так своеобразно требуют решение... это тоже напрягает.

— Ничего, тебе не привыкать решать, — утешила Элен. — И финал. Было «Пришла я», стало... Семенов, Игнатьева, Лешкарой, Андрухович, Жабин...

Элен нахмурилась.

— Да-да, спрашивай, — сказал я.

— Цезарь Николаевич Жабин? — спросила Элен с содроганием. — Это нынче нормально для России?

— У меня не хватает фантазии предположить, что нынче для России окажется ненормальным.

— А он как вообще... Цезарь? — деликатно спросила Элен. — Ты его не видел?

— Совершенно случайно видел. Совершенно чудесный ребенок. Невзирая на фамилию-имя-отчество.

Элен вздохнула и закончила:

— Дилятдинова. Ёршикова. Тойвонен.

— «Сила ждёт», — кивнул я.

— Смысл в итоге совсем не тот, как ты ожидал, — сказала Элен. — Это не угроза. Не за тобой она пришла. «Пришла я, сила ждет, Антон Городецкий, за тобой решение».

— Я бы не зарекался, что тут совсем уж нет угрозы, — заметил я.

— Но ведь она спасла твою дочь, и тебя самого, и твою жену.

— Может, не хотела делиться добычей? И, знаешь, мне кажется, тут не «пришла я». Тут «пришлая». «Пришлая сила ждет».

Элен развела руками:

— Хорошо, Антон. Не буду гадать впустую. Чем я могу тебе помочь? В первую очередь? Шестой Дозор?

— Лучше начни с Великих Сторон, — сказал я. — По компьютерным базам мне уже все прогнали. Великими силами иногда называют Изначальные — Свет и Тьму. Но тут явно речь о чем-то другом.

Элен вздохнула.

— Сейчас... Стороны, значит...

Она вновь удалилась в темноту, прошла между стеллажами, остановилась у одного из них. Тускло засветился маленький фонарик.

— Элен, почему все-таки ты так любишь темноту? — спросил я. — Многие фолианты боятся света, понимаю. Но тебе же неудобно!

— У меня очень хорошее ночное зрение, — отозвалась Киллоран, шурша бумагами. — И память.

— И каталоги, — сказал я.

— Разумеется. И каталоги. Великие... Кстати, меня поражает та небрежность, с которой содержал архив прежний хранитель. В России традиционно очень хорошая школа архивистов, вероятно, в связи с тем, что многие документы принято хранить в тайне от народа...

— Ну-ну, иронизируй, — буркнул я. — Суровая Россия, полные тайн архивы, которые стерегут белые медведи с балалайками наперевес...

Киллоран фыркнула.

— По сравнению с американскими, английскими или французскими архивами ваши не такие уж и тайные. Но это не касается архивов Дозоров, разумеется. Эти — вполне...

— А ты и про архив Дневного что-то знаешь?

— Конечно. У нас свои контакты. Обмениваемся дубликатами документов, списками, консультируемся...

— Ну ничего себе, — сказал я. — Ничего себе тайны дозорных подвалов. Гесер-то в курсе?

— В общих чертах, — уклончиво сказала Эллен. — Хм... Великие Стороны. Есть одна ссылка. Протокол одна тысяча двести пятнадцатого года «О мерах требуемых и излишних». Не сам протокол, конечно, список... Там есть упоминание Великих Сторон.

— О чем там говорится?

Элен рассмеялась.

— Откуда я знаю? Ты всерьез думаешь, что я здесь все прочла? Пошли, я знаю, где он хранится. Пошли, пошли!

Я встал, двинулся на слабый отсвет фонарика. Элен крепко взяла меня за руку твердой холодной ладонью и повела за собой в темноту. Бледный молочно-белый лучик света несколько секунд светил перед нами на пол, потом погас.

— Зачем? — спросил я.

— Так лучше, — туманно ответила Элен. — И мой тебе совет, не смотри сквозь Сумрак. Даже не совет, а настоятельнейшее повеление.

— С чего так? — шагая в темноте и непроизвольно морщась в ожидании удара лбом о какой-нибудь стеллаж, спросил я. Не выдержал, поднял свободную руку и стал держать ее перед собой.

— Тебе лучше не знать, с чего, — сказала Элен. — Да, рукой заслоняйся, если тебе спокойнее, но света не зажигай.

Мы прошли метров десять по старому похрустывающему линолеуму, покрывающему пол в первом зале. Судя по движению воздуха — вышли в следующий зал. Здесь под ногами поскрипывал то ли дощатый пол, то ли рассохшийся паркет. Один раз Элен резко дернула меня к себе. Сказала:

— Извини. Там кость с полки высунулась, я не сразу заметила, приложился бы об нее...

— Какая кость?

— Человеческая. Берцовая.

— Что она делает в архиве?

— На ней заклинание выгравировано.

— Какое?

— Никто не знает, язык неизвестен.

— И почему у тебя в архиве такой непорядок? — начиная злиться от разговора, спросил я. — Кости поперек прохода торчат...

— Так она только что высунулась, — пояснила Элен. — Когда мы подходили.

Я удержался от глупого вопроса, шутит ли она. Могла и не шутить.

Дерево под ногами кончилось. Теперь мы шли по каменным плитам. В какой-то момент они стали неровными, будто вспученными. Потом снова выправились.

Потом Элен остановилась и после короткой заминки сказала:

— Обойдем через восьмой зал, пожалуй...

— Ты видела фильм «Сталкер»? — спросил я.

— Тарковского? Нет, конечно. Читала в энциклопедии.

Мы прошли по дереву, снова по камню, потом — по грубо уложенному булыжнику. Я спросил:

— А фильм «Буратино»? Это русская версия «Пиноккио».

Элен засмеялась.

— Ты к чему?

— Ах поле, поле, поле чудес... — немузыкально напел я. — И лиса Алиса с котом Базилио везут Буратино на Поле Чудес. Верхом на ослике. По кругу. Мы прошли уже метров двести — у нас нет таких подвалов.

Элен вздохнула. Включила фонарик, посветила. Лучик, хоть и тусклый, высветил проход между стеллажами метров на десять, дальше все терялось в темноте. Потом она посветила в противоположную сторону — то же самое. Я попытался разглядеть то, что лежит на стеллажах, — но она погасила свет.

— Не по кругу, — сказала Элен. — Напрямую идти — не всегда самый короткий путь, но не по кругу...

Мы шли еще минуты три-четыре. Один раз прошли по луже, где-то рядом капала вода.

— Элен, ну это совсем непорядок, — попытался я укорить ее.

— Да, высохло сильно, — согласилась Киллоран. — Я потом подрегулирую краник...

Я смирился, лишь в последней попытке отстоять свои позиции протянул руку, пытаясь нащупать, что лежит на стеллаже, мимо которого мы проходили. Рука уткнулась во что-то теплое, липкое и, кажется, медленно двигающееся. Я отдернул руку и торопливо вытер о брюки.

Элен обидно засмеялась. Потом сказала:

— Да пришли уже, пришли... Сейчас, Антон...

И она внезапно отпустила мою руку.

— Элен? — спросил я.

Она не ответила. Я бесшумно сдвинулся на шаг в сторону. Очень хотелось зажечь свет. Я решил, что досчитаю до трех и сделаю это.

— Вот и он, — весело сказала Элен. — Теперь можно!

Фонарик в ее руках засветился ярко и чисто, будто переключенный в другой режим. Элен пристроила его на полку, так, чтобы он светил вниз, с улыбкой посмотрела на меня.

— И что ты ожидал увидеть, Великий? Что я превращусь в вампиршу?

— С чего вдруг? — спросил я.

— Ну, для начала — у тебя «серый молебен» полуактивирован, даже я вижу. Пожалуйста, не применяй, а то погубишь массу ценных документов.

— Ты приехала из другой страны, десять лет назад, — сказал я. — Сидишь все время тут, в подвале. На свет носа не кажешь. А уж эта прогулка!

Элен тихо засмеялась.

— Извини, Антон. Но ты что же, всерьез предположил, что вампир может так долго и успешно маскироваться под Светлого? От Гесера? От Ольги? От тебя? А потом завлечь тебя куда-то во тьму на расправу?

— Ничего я не думал! — огрызнулся я. — И руки у тебя холодные!

— Конечно, при такой температуре в помещении. — Элен вздохнула. — Еще раз прошу прощения. Я немного нагнетала,

признаю. Считай это профессиональной шуткой. Но тут действительно лучше ходить хитрыми путями и без света.

— И ты извини, я не прав, — признал я, сворачивая полуразвернутое на пальцах заклинание. Готовые уже оборваться ниточки Силы втянулись в кожу. — У меня сейчас не лучший период в жизни.

— Ладно, мир, — согласилась Элен. — Оставим дурацкие шутки. Смотри, вот твой документ...

Стеллаж в этом месте, насколько хватало света и взгляда, был забит фанерными коробками. Некоторые — плоские, некоторые вытянутые наподобие упаковок от дорогого вина. На всех лежали старомодные, но рабочие чары сохранности. На некоторых — незнакомые мне заклинания, разбираться я в них не стал. Стеллаж в этом месте был помечен кодом LT-32, набранным большими медными буквами и цифрами, прикрученными к полке на высоте глаз.

— Список тоже довольно старый, — сказала Элен, доставая и открывая плоскую коробку. — Но уже бумажный... Вроде как ничего магического в нем самом нет. Ты не видишь?

Я посмотрел на плотный толстый бумажный лист в ее руке. Покачал головой. Не глядя сквозь Сумрак, сказать трудно, но я магии не обнаружил.

— Ты знаешь старонемецкий? — спросила Элен.

— Даже просто немецкого не знаю.

— Тогда переведу близко к смыслу. Официальный заверенный перевод будет у тебя к вечеру.

Элен откашлялась, вглядываясь в каллиграфический рукописный шрифт.

— Итак... «В году одна тысяча двести пятнадцатом...» Чем примечателен этот год?

Я подумал.

— Инквизиция?

— Точно. Папский престол, точнее, Иннокентий Третий учредил Инквизицию.

— Ну, это же... — Я пожал плечами. — Несерьезно. Занималась Инквизиция всякой хренью. Старушек-травниц топили, евреев преследовали...

— Джордано Бруно сожгли, Галилея преследовали, — в тон мне продолжила Элен. — Но понимаешь ли, у Инквизиции был потенциал. Вера в ту пору была практически у всех, включая Иных. Светлые в большинстве своем считали, что наделены особым даром Создателем, в то время как Темные — слуги... — она запнулась, — понятно кого. И если бы в Инквизицию пришли настоящие Иные, объединили свой потенциал с силами Церкви...

— Пожалуй, мы бы вынесли Темных, — сказал я. — Начисто.

— Начисто бы не вышло, — сказала Элен. — Рождались бы новые. И казнили бы их.

— Может быть, мир бы стал лучше, — предположил я задумчиво.

— И сейчас бы все люди знали об Иных, вампирах, оборотнях. Завидовали бы Силе, долголетию, знаниям. При случае старались бы вынести и Светлых, пусть даже мы посвятили бы всю жизнь защите людей.

— Как-то так, — сказал я. — Как-то так...

Элен вздохнула.

— Итак... «В свете создания Инквизиции и соответствующих пророчеств, после консультаций и соответствующих гарантий...» Тут не совсем «гарантий», скорее «обещаний», но, наверное, «гарантии» будет точнее. «В городе Риме встретились Шесть Великих Сторон...»

— В точку, — сказал я. — Элен, какая ты молодец. Ты и твой каталог.

— «Доклад представили Элпис Иератикус из Афин и Курт Гессе из Кельна....» Странно, даже не указывают, Светлые или Темные. А Иератикус вообще похоже на псевдоним. Так... Они предлагали наладить контакт с Инквизицией, по сути — раскрыться перед ней и сотрудничать. «Обсудили... Спорили... Возразили... Отклонили... Приняли...»

Элен вздохнула.

— Извини, я тоже только общий смысл понимаю. Ну, в общем, это такая выжимка. Мол, обсудили вопрос — опасна ли Иным Инквизиция и стоит ли с ней иметь какие-то дела. В итоге... «Сочтено опасным, искушающим, непредсказуемым и вредоносным — единогласно. Не дóлжно быть никаким сношениям между Иными и Инквизицией, даже если Светлые или Темные сочтут это полезным для себя или вредным для других. Не должно быть явного вмешательства в дела Инквизиции, даже если затронута жизнь Иного...»

— Что-то сомнительно, — хмыкнул я. — Я навскидку назову нескольких Темных, кого Инквизиция сожгла не без помощи Дозоров.

— Жиль де Рей, — кивнула Элен. — Да и хозяйка его... А уж настоящих ведьм среди склочных бабок наверняка не один десяток был. Просто по закону больших чисел. Что ж, все законы нарушаются, но в целом это соблюдалось. Более или менее.

— Так кто же эти Высшие Стороны? — спросил я. — Бог с ней, с Инквизицией...

— А вот про это тут ничего не сказано, — растерянно сказала Элен. — Либо было общеизвестно, но вряд ли, тогда бы любой наш старичок вроде Гесера тебе ответил про Великие Стороны. Либо настолько секретно, что упомянуть-то упомянули, но без конкретности.

— Блин, — сказал я. — Блин!

— Подожди! — Элен вгляделась в бумагу. — Тут еще подписи есть, Антон.

— Ну?

— Без имен. — Она поднесла лист ко мне. — Видимо, подписи переносить не рискнули. Я бы тоже некоторые не рискнула, если честно. Тут только должности.

— Ну!

— Я тоже плохо знаю древневерхненемецкий, — сказала Элен. — С какой стати на нем писали в тринадцатом веке, он уже вышел из обихода! Вот если бы на средневерхненемецком или на ранненововерхненемецком! Ха! Да на ранненововерхненемецком я могу говорить свободно!

— Я потрясен, восхищен и признаю свою необразованность, — сказал я. — Но все-таки ты можешь попробовать? Или будем искать переводчика?

— Могу, — вздохнула Элен. — Через Сумрак... Сейчас.

Несколько мгновений она смотрела на бумажный лист, потом вздохнула и отложила его.

— Я прочитала. Только не знаю, поможет ли. Кое-что тут понятно, но другое... Тут шесть подписей. Очевидно, это и есть шесть Великих Сторон.

Я не торопил, я ждал.

— Свет, — сказала Элен. — Тьма. Это понятно, да?

— Светлые и Темные, — сказал я. — Я не вижу других вариантов.

— А я бы скорее сказала — Ночной и Дневной Дозоры. — Элен подняла вверх палец, будто строгая учительница, поправляющая ученика. — Это же не Силы. Это Стороны.

— Принимается, — сказал я. — Дальше будет Инквизиция...

— Инквизиции не будет, — сказала Элен. — В тысяча двести пятнадцатом году учреждена человеческая, церковная Инквизиция. Наша была создана...

— В одна тысяча двести семнадцатом, — сказал я. — Верно. По сути, мы заимствовали идею и название. Что-то я забываю основы. Хорошо, что там дальше?

— Конклав.

— Это понятно, — сказал я с облегчением. — Я был знаком... Это Конклав ведьм. Они всегда держались наособицу. Но... Великая Сторона?

— Сейчас ведьмы — лишь часть Дневного Дозора, — сказала Элен. — Ну или Ночного, просто они предпочитают называться волшебницами, целительницами...

— Элен!

— Извини, Антон, но не стоит быть фарисеями. Целительницы и волшебницы — по сути своей ведьмы. Все женщины в большей мере используют приемы ведьмовской магии.

— Моя жена не ведьма!

— Хорошо, — сказала Элен. — Я вовсе не имею в виду, что она подходит под формальный признак. Я о некой сути.

— По некоторой сути — все женщины ведьмы, даже не Иные, — сказал я. — Но Светлана не может быть одной из сторон, в смысле — той стороной, которая Конклав... Она не входила в круги ведьм, она не присягала Конклаву, она не ведьма... де-юре.

— Согласна, — сказала Элен, помолчав. — Если тебя тревожит мысль, что Светлана может потребоваться в этом Шестом Дозоре, то я согласна — она не подходит. Действительно, согласна, тебе придется искать настоящую ведьму.

— Что там дальше? — спросил я.

— Хозяин Хозяев.

— Мне кажется, это очень просто, — сказал я. — Хозяин. Как нынче принято говорить — Мастер.

— Логично. Мастер вампиров. — Элен нахмурилась. — Но я никогда не слышала, что у них есть некий верховный вождь. Вампиры связаны узами крови, подчинение идет именно по линии «кто кого обратил». Но неужели есть самый первый вампир?

Я молчал. Я думал о Лилит. Могла она быть самой первой вампиршей мира? Самой-самой? Той, что в преданиях и легендах стала старше Евы, превратилась в демоническое и неудачное творение Бога? Той, что назвалась Евой то ли в приступе гордыни, то ли забавляясь этой нехитрой загадкой? Все может быть.

Но тогда Тигр ее прикончил. И пропылесосил. Что это значит — Мастера Мастеров больше нет? Или эту должность кто-то займет?

Я мысленно отметил, что у меня есть вопрос к Завулону — очень серьезный и важный вопрос.

— Видимо, есть, — сказал я. — В конце концов, я никогда не слышал и о том, кто главный в Ночном Дозоре. Ну, если брать мировой масштаб. В Москве главный Гесер, по России — тоже он, это никак бумажками не предписано, но все это понимают. Но чтобы по всему миру... Самый-самый Светлый... Великий вождь и повелитель... Не слыхал.

— Наверное, у нас как у вампиров, — ехидно сказала Элен. — Все по географическому признаку.

Мы понимающе улыбнулись друг другу.

— Дальше в принципе тоже понятно. — Элен задумалась на миг. — Принимающий Облик.

— Оборотни, — кивнул я.

— Ты хоть когда-нибудь хоть что-нибудь слышал о какой-то руководящей структуре у оборотней? Вожак стаи или еще кто?

Я покачал головой.

— У Дозоров есть локальное руководство, — сказала Элен. — В Европе, к примеру, де-факто управляют всем французские и немецкие Дозоры. Французский Ночной и немецкий Дневной. Хотя голландцы... Ладно, не знаю, но Гесер тебе подскажет, наверное, кто им командует. У ведьм Конклав, тут все четко. У вампиров Мастер, хоть никто и не слышал о высшем хозяине для всех вампиров. Но оборотни?

— Семейная структура, — сказал я. — Укушенные образуют прайд. Но прайд не бывает большим, там один вожак — самец или самка...

— Эка ты о них жестко, — сказала Элен. — Как о зверях.

Я упрек проигнорировал.

— И никогда один прайд не командует другим. Если возникает конфликт — они сражаются, если конфликт доходит до полного ожесточения — сражаются вожаки. Прайд убитого вожака поглощается победившим прайдом. Но какого-то суперпрайда нет.

— Спроси Хену, — сказала Элен. — Это самый старый оборотень, насколько я знаю. Превращается в смилодона.

— Знаю. — Я потер переносицу. — Принимающий Облик. Даже намека на название структуры нет. Ну ладно. Спрошу Хену. Читай, кто там еще?

— А вот это ставит меня в тупик, — призналась Элен. — Я и перевела-то только через Сумрак. Основа.

— Основа?

— Краеугольный камень. Фундамент. Опора. Основа. Я не знаю этого слова, я только смысл считала. И подпись шла последней, а в таких документах это важно.

— Знаю, не дурак, — кивнул я. — Скрепляющая подпись, окончательное решение. Основа...

— Сумрак? — предположила Элен.

— Лично. Пришел и подписал документ. — Я пожал плечами. И представил себе Тигра, пылесосящего пол на кухне — с чашкой кофе в свободной руке.

— Все может быть, — сказала Элен.

— Все, — согласился я. — Настала пора задавать вопросы Великим.

Элен вернула документ в футляр, выключила фонарь и взяла меня за руку.

— Пойдем обратно, Антон.

* * *

После неизменной прохладной сырости подвала коридоры Дозора казались почти жаркими. Хотя судя по попадающимся навстречу сотрудникам, многие из которых были в джемперах или свитерах, у нас что-то опять не ладилось с отоплением. Старое здание — оно и есть старое здание.

К шефу я не пошел. Я искал Ольгу. В ее кабинете было пусто, в отделе внутреннего контроля, который она возглавляла последние годы, тоже никого не оказалось. Да и отдел-то этот, шутливо называемый «внутренней инквизицией», состоял из двух человек — самой Ольги и Алишера.

Нашел я Ольгу в научном отделе, тоже полупустом — последнее время часть сотрудников повадилась работать «по удаленке», а другая, вероятно, сейчас рыла носом землю «в поле» — пытаясь узнать у старых Иных и в региональных Дозорах хоть что-то, относящееся к сказанному Тигром. Удивительно, что при этом никто не удосужился спуститься в архив...

Ольга сидела рядом с единственной оказавшейся в отделе сотрудницей — Людочкой. Выглядела Иная пятого уровня именно так, как должна выглядеть женщина, которую зовут уменьшительным именем, — двадцатилетней девчонкой. Уже лет десять она так выглядела, а вообще-то ей было под пятьдесят. Впрочем, и Ольга никак на свои сотни лет не тянула.

Женщины мило трепались. В окружении пустых столов с компьютерными терминалами, шкафов с книгами и свитками (ну, не архив, но тоже немало) они выглядели сплетничающими в библиотеке студентками.

— А еще он любит спать со мной на подушке, — говорила Людочка. — Представляешь, забирается под одеяло, голову высовывает и кладет на подушку! Как человек. Такая кроха, а умный...

— Как человек, — подтвердила Ольга, косясь на меня. — Привет, Антон. Только он не Иной, не человек. Он собака.

— Конечно. — Людочка слегка обиделась. — Разумеется. Ой, здравствуйте, Антон!

— Могу я с вами посидеть? — спросил я, беря стул.

— Садись, — сказала Ольга. — Удивлен?

— Чем?

— Что я сижу и болтаю. Конец света на носу, а я тут с подружкой присела...

— Может, для тебя конец света — рядовое мероприятие, — дипломатично ответил я.

— Нет. Но жизнь так устроена, что где-то всегда происходит какой-нибудь маленький, локальный конец света. Сходят с путей поезда, падают самолеты, тонут корабли, взрываются нефтехранилища. Эпидемии выкашивают целые страны, убийцы вырезают целые семьи, маньяки пытают детей...

Ольга встала, присела на стол — глядя мне в глаза. Людмила попыталась подняться, видимо, чтобы уйти, но Ольга остановила ее взмахом руки и продолжала:

— Умирают те, кто кому-то дорог. Годами и десятилетиями полыхают войны. Крестоносцы режут мусульман, мусульмане взрывают иудеев. Хуту режут тутси. А люди живут. Кто-то смотрит в небо, исчисляя ход планет. Кто-то сеет зерно. Кто-то изменяет жене. Кто-то режет кошельки. Кто-то рисует картины. Солдаты задыхались на Ипре, а Бальмонт писал: «Высокий миг — создать свою струну, струить жемчужный дождь, сердца волнуя». Люди заживо горели в танках, дети плакали от голода в холодных постелях, женщины, синие от голода, таскали листы брони, строя танки, — а где-то рядом композитор писал бравурный марш для победного шествия, а где-то писатель сочинял для детей веселые рассказики...

— Какие веселые истории в войну... — начал было я.

— Носова читал, дозорный? — Ольга прищурилась. — Не мог не читать в детстве-то. Да и дочке небось читал. «Мишкина каша», «Огородники»... В сорок втором году он их писал. Когда все на волоске висело. Есть там хоть слово о войне и смерти? Нет. Потому что если нельзя дать детям хлеба, то надо дать хотя бы надежду. Да, ты сейчас скажешь, что я дозорная, я Светлая, я Высшая, а я сижу и болтаю... Сядь! Я еще не закончила, Людмила! Да, я болтаю, потому что все, кто может заниматься твоим делом, этим сейчас занимаются. А кто не может — занимается обычными своими делами. Своим хлебом, своей мелодией, своими жуликами-карманниками.

Своим дурацким маленьким расследованием. Даже если апокалипсис. Потому что если он не случится — хлеб не должен сгнить на корню, а песенка не прозвучать. И вор должен сидеть в тюрьме. И служебные проступки должны быть расследованы.

Она повернулась к Людочке. Та смотрела на нее круглыми перепуганными глазами.

— Сколько лет твоему песику?

Людмила сглотнула. Опустила взгляд.

— Двадцать...

— Не слышу!

— Двадцать семь... Я не... Я очень правильно кормлю...

Ольга молчала.

— Это даже не седьмого уровня воздействие! — со слезами воскликнула Людмила. — Когда я что просила от Дозора?

— Дело не в том, что не просила! — рявкнула Ольга. — Дело в том, что не предупредила, дура! Тебе положено по рангу несколько вмешательств ежегодно, до пятого уровня включительно! Табель зарплатный открой!

— Но что может...

— Я сегодня лично подписала право на продление жизни ведьминому коту! И это не обычная мелкая гадкая ведьмочка, это Бабушка московского отделения. И ее коту — семьдесят с лишним лет, и хрен бы мы выдали разрешение, мы этого кота отслеживаем невесть сколько, в нем — не меньше половины ее Силы! Но поскольку у ведьмы на руках имелся акт расследования Дневного Дозора о твоем двукратном продлении жизни домашнему животному — ничегошеньки я сделать не смогла!

Людочка, побелев как лист бумаги, смотрела на Ольгу.

— Встала и пошла вон, — сказала Ольга. — И не попадайся мне сегодня на глаза. Иди работай дома — сама знаешь, что происходит.

— А что... что будет... — Людмила сглотнула.

— Да ничего не будет, — буркнула Ольга. — Животное-то ни при чем...

Людмила бросилась к дверям, будто боялась, что Ольга передумает.

— В следующий раз, дура, подавай официальный запрос! — крикнула ей в спину Ольга. Вздохнула, покачала головой. — Антон, ну вот как с такими работать... С чем пришел?

— Ты мне нужна как женщина, — буркнул я.

— Что, мячик в туалет закатился? — поинтересовалась Ольга.

— Слушай, ты что, специально изучила все детские анекдоты? — спросил я.

— Нет. Я, если ты помнишь, очень долго была чучелом совы. — Ольга ухмыльнулась. — И не всегда стояла в кабинете Гесера. Двадцать лет простояла в школе, в кабинете биологии.

— Какой ужас! — искренне воскликнул я.

— Не то слово. Такого насмотрелась и наслушалась... Ну, так что нужно?

— Кому подчиняется твой муж? — прямо спросил я.

Ольга подумала. Уточнила:

— Это как-то связано с расследованием?

— Напрямую. Ты же читала мою утреннюю докладную...

— Конечно, не повторяйся, — отмахнулась Ольга.

— Про шесть Великих Сторон помнишь?

— Да. Чушь. Я на свете пожила, Антон. Всю жизнь в Дозоре. Никто никогда никаких Великих Сторон...

— Я был внизу, в архиве. Попросил помощи у Киллоран. Она нашла один старый документ, там упоминаются шесть Великих Сторон. Но очень туманно. В общем — это Свет, Тьма, Конклав, Хозяин Хозяев, Принимающий Облик, Основа.

Ольга потерла лоб. Опустила глаза. Посмотрела на меня. Спрыгнула со стола, достала пачку сигарет, закурила. Прищурилась, посмотрела на меня с иронией.

— И ты, соотнеся сказанное Тигром и... новую информацию... решил, что это...

— Ночной Дозор. Дневной Дозор. Ведьмы. Вампиры. Оборотни. И неведомая хрень, может быть, даже сам Сумрак.

Ольга выпустила струю дыма, запрокинула голову, глядя в потолок.

— Значит, Киллоран... Как там ее зовут? Элен?

— Да.

— Шесть Высоких Сторон... — Ольга вздохнула. — Ну смотри, у меня для тебя есть две новости.

— Хорошая и плохая?

— Да, как положено, — сказала Ольга, но тон ее мне не понравился. — Во-первых, ни у Ночного, ни у Дневного Дозоров нет высшего руководства. Даже по России официально нет, хотя Гесер, конечно, главный.

— То есть у нас как у вампиров? Хозяин территории, который всех на ней укусил...

— Примерно так. Или кто всех инициировал. Не знаю, помнишь ли ты еще, но тебя ведь инициировал Гесер? Если разобраться, то почти все у нас и восходят к нему, как к инициатору.

— Уже плохо, — кивнул я.

— Про ведьм вроде как понятно, — сказала Ольга. — Про самого-самого главного вампира не в курсе. Но у оборотней точно верховных властителей нет. Можешь Хену спросить.

— Вот и Элен то же самое посоветовала, — разочарованно ответил я.

Ольга косо глянула на меня. Потом продолжила:

— Что касается Основы — тоже без понятия. И это, Антон, была хорошая новость.

— А что тогда у нас плохое? — требовательно спросил я.

— Пошли, — ответила Ольга, беря меня за руку. — Пошли... Высший...

Спрашивать я ничего не стал. Во-первых, сам люблю устраивать такие выволочки. Во-вторых, она бы ничего не ответила. В-третьих, я чувствовал, что мне очень не понравится плохая новость.

Мы спускались все ниже и ниже. К шестому подземному уровню. К архиву. У меня тревожно заныло в груди.

— Городецкий сегодня заходил в архив? — спросила Ольга у двух охранников.

Те явно растерялись.

— Да... — решился наконец ответить старший из них, шестого уровня. — Но... Он же имеет право.

— Он бы мог пройти так, что мы не заметили, — добавил второй. Вообще седьмой уровень. Надо же, подняли самых слабых на дежурство, все «в поле».

— Разумеется, — сказала Ольга. — Высший всегда может задурить голову низкоуровневому...

С этой доброй фразой она потащила меня дальше. Распахнула двери архива. Все было как и час назад — темнота, конус света над столом.

Ольга молча пошла к столу. Но я, уже предчувствуя недоброе, посмотрел на нее сквозь Сумрак. К чертям все предостережения Элен!

Ольга шла по архиву, покрытая чешуйчатой броней из заклинаний. Похоже, пока мы опускались, она активировала изрядную часть своего арсенала. На пальцах Великой полыхали разноцветные радуги заклинаний.

У стола Ольга остановилась. Оглянулась. Потрогала чайник, стоящий на столе. Открыла коробку, которую мы нашли с Элен, достала документ, глянула мельком.

— Не молчи, — сказал я.

Ольга молчала.

— Элен! — позвал я. — Элен!

— Не ори, — сказала Ольга. — Нет ее здесь.

— А где она?

— Откуда я знаю? В Дублине, к примеру. Ты часто к ней заходил?

— Вчера и позавчера.

— До этого?

— Ну, год, наверное, не заглядывал... — пробормотал я, чувствуя, как наползает ужас.

— Она уехала год с лишним назад. Закончила делать свои выписки, скопировала то, что хотела, в обмен на другие документы. Ну и уехала. Надоело ей тут сидеть. Тебя что, не было тогда в Москве?

Я молчал.

— Кто же тебе голову задурил-то? — спросила Ольга. — Высший... Ты понимаешь, что был одурачен, одурманен, околдован? Кто бы тут ни был — это не Элен Киллоран! Архив давно уже стоит пустой! Надо — спустился, свет зажег, закопался в каталоги и ищешь, что тебе надо!

— Знаешь, что самое плохое? — спросил я.

Ольга замолчала.

— Я помню, как Элен уезжала, — сказал я. — Она же вечеринку устраивала, прямо тут. Мы с ней даже танцевали. Я помню. Теперь — помню.

Глава 2

Картина была старая, похоже — итальянцы семнадцатого века. Ничего особенного, вид на венецианские каналы. Наверное, Гесер был знаком с художником или это место для него что-то значило.

Я сидел, разглядывал домики, мостики, гондолы и старался не обращать внимания на прохладу, волнами пробегающую по затылку. Будто колышутся рядом створки кондиционера, дуют холодным ветром...

— Пожалуй, хватит, — сказал Гесер. Тяжело опустил руку мне на плечо, вернулся за стол. Ольга сидела чуть сбоку, на приставленном стуле.

— Так что со мной? — спросил я.

— Наведенная амнезия. — Гесер посмотрел на меня с легким удивлением, будто я сказал глупость. — Всего лишь наведенная амнезия. Тебя заставили забыть, что Киллоран шестнадцать месяцев назад покинула Москву. Поэтому, спустившись в архив и увидев... кхм... увидев там кого-то, выглядящего как Элен, ты преспокойно начал с ней общаться.

— Гесер, у меня стоят все положенные ментальные защиты.

— И даже несколько неположенных, я заметил. Дело в том, Антон, — Гесер крякнул, покачал головой, — что это наша промашка. Общая. Мы все хорошо закрыты от возможности навязать нам ложные воспоминания или исказить имеющиеся. Во всяком случае, от более слабых или равных по Силе Иных. Это означает, что никто, даже Высший, не сумел бы внедрить тебе в память некий образ, которого не было. Но...

— От стирания мы не защищены, — сказал я.

— От блокировки. Стирание памяти тоже вызвало бы защитную реакцию. А вот аккуратная блокировка — нет. Ты просто забыл, что Киллоран уехала. Вот и все.

— Но как она, — я поморщился, — если это «она», а не «он», прошла к нам в офис?

— С трудом, вероятно. — Гесер помолчал. — Защита нашего офиса очень надежна. Но если допустить несколько факторов, то просочиться можно.

— Каких? — спросила Ольга с любопытством. — У меня есть и свои версии, но я бы хотела услышать.

— Высший уровень Силы, — сказал Гесер. — Цвет... Светлый или Серый. Отсутствие вредоносных намерений. При этих условиях преодолеть наложенные чары возможно. А умея стирать память — можно пройти и мимо охраны. Либо заблокировав у них воспоминания об отъезде уважаемой Киллоран, либо стерев вообще воспоминания о прошедшей мимо Иной. Я думаю, что, проверив всех, кто был на охране, мы найдем эти блоки, снимем их и узнаем день и час, когда она пришла.

— Ушла она только что, — сказал я. — Я ведь сразу после разговора двинулся искать Ольгу, она обещала сама отдать документ на перевод. А на самом деле явно вышла вслед за мной и смылась. Борис Игнатьевич, так кто это может быть? Светлых Высших мы всех знаем, нас не так много, даже отставников. Серые — это Инквизиторы?

— Не обязательно, — сказала Ольга. — Это могут быть Иные в процессе смены цвета. Сам знаешь, случается потря-

сающе редко, обычно с Высшими. Иногда цвет меняется до конца, иногда застывает посередине, как у Инквизиторов.

— Высший, могущий быть любого цвета, — сказал я. — Прекрасно. Чувствую себя идиотом.

— Не надо, — сказал Гесер. — Если я за свою довольно долгую жизнь не подумал об опасности амнезийного воздействия — то я и есть самый больший идиот.

— В любом случае влиять должен был Высший, — сказала Ольга. — И очень-очень профессионально. Мастерски.

— Я понимаю, к чему ты, — кивнул Гесер.

— И я тоже, — пробормотал я. — Вампиры. Даже самый слабый вампир — мастер амнезии.

— Причем не только из-за секрета в слюне, — кивнула Ольга. — Высший вампир — мастер иллюзий. Это мог быть даже мужчина... Ты там с ней не целовался, Антон? А то, может, это не вампирша, а вампир был.

— Тьфу на тебя, — ответил я.

Ольга засмеялась:

— Ладно-ладно, я Свете ничего не скажу.

— Еще раз тьфу, — сказал я с чувством. — Спасибо за попытку меня развеселить, но я в порядке. Борис Игнатьевич, больше ничего нет? Вмешательств, маячков?

— Нет. — Гесер покачал головой. — Все было сделано ювелирно. Как ни трудно мне это предположить, но возможно — наш незваный гость желал добра.

— Будь он самым что ни на есть Темным, умирать ему тоже не хочется, — кивнула Ольга. В ее сумочке, лежащей на полу, звякнул телефон, Ольга наклонилась, достала его, молча приложила к уху. Помолчала, что-то выслушивая. Сказала: — Понятно. Продолжайте.

— Из архива? — спросил я, когда Ольга спрятала телефон.

— Да. Все чисто. Следы пребывания постороннего есть, но ни человеческие методы, ни наши ничего не дают. В общем, и не ждали... Антон, ты хотел что-то узнать у Гесера, когда искал меня.

Гесер приподнял бровь, посмотрел на меня. Спросил:

— Хотел узнать у меня, а пришел к Ольге?

— Вопрос деликатный, — объяснил я. — Гесер, кто стоит над тобой?

— Не понял. — Гесер начал хмуриться сильнее.

— Ты глава Светлых Москвы. Ну и всей России, конечно. В какой-то мере, наверное, и сопредельных территорий, да?

— В какой-то мере, — сказал Гесер. — Это все мой тибетский империализм, видишь ли. Ну и то, что Ночной Дозор Киргизии, к примеру, возглавляет Иной второго уровня.

— Кто возглавляет Светлых Европы? А всего мира?

— Ответ простой в обоих случаях, — сказал Гесер. — Никто.

— Этого не может быть.

— Кто глава всех людей земного шара?

— Про ООН не будем, — сказал я. — Но при всем моем старомодном человеческом патриотизме — США самая сильная страна мира.

— Разумеется, — отмахнулся Гесер. — Однако они не возглавляют мир по одной поразительно простой и смешной причине, которую я не буду сейчас объяснять. У людей нет самого-самого главного правителя. У Иных — что Светлых, что Темных — тоже.

— А если потребуется? — спросил я. — Документ из архива датирован одна тысяча двести пятнадцатым годом. И кто-то подписал его от имени Света. Если вдруг сейчас потребуется решать какой-то очень важный вопрос...

— Его и требуется решать, — сказал Гесер. — И об этом я уже сообщил всем региональным дозорам, как Ночным, так и Дневным. В письме, которое подписано мной и Завулоном, заверено клятвой Света и клятвой Тьмы.

— И что? — спросил я напряженно.

— Дальше будет так, как уже несколько раз случалось в истории. Мне и Завулону будет дано право принимать решение от имени Света и Тьмы. Формально мы будем главными. В решении этого вопроса.

— Так просто? — воскликнул я.

— Демократия в ее высшем выражении. — Гесер ухмыльнулся. — Хотя нет, скорее это похоже на тот коммунизм, который мы хотели когда-то построить. Два разумных и ответственных чело... кхм... бывших человека, обладающих достаточными знаниями и жизненным опытом, волей судьбы оказавшиеся в нужном месте и в нужное время, облекаются правом решать за всех.

— Ефремов, — сказал я.

— Хороший был дядька, жаль, что человек, — кивнул Гесер. — А на самом деле — простая целесообразность.

— То есть две стороны мы нашли, — сказал я. — Это уже хорошо. Теперь ведьмы, оборотни, вампиры и непонятно что.

— Если, конечно, мы все поняли правильно, — сказал Гесер скептически. — Ведьмы — да. Все остальное — я не уверен.

— Уже работаем, — сказала Ольга. — Все ориентированы на новые данные.

— Что мне делать? — спросил я.

— Родных навести, — посоветовал Гесер.

— Пока обожду, — ответил я. — Поскучают.

— Тогда работай, — сказал Гесер. — Ольга, что у нас есть на гражданку Юлию Хохленко?

— Да ничего у нас нет, — кисло сказала Ольга. — Три страницы ориентировки. Родилась в одна тысяча восемьсот девяностом, в Малороссии. Потом обитала в Киеве, Одессе, Питере, Москве. У нас и осела. Четверть века назад была выбрана Бабушкой.

— Молода она для Бабушки-то, — усмехнулся Гесер. — Жаль, Арина ушла. Вот она-то была хороша. Или Лемешева. А эта Хохлова...

— Хохленко, — поправила Ольга.

Гесер только отмахнулся:

— Не важно. Не факт, что фамилия настоящая. Скорее прозвище, по месту рождения. Что там с ее Германом?

— Вынуждены были разрешить очередное омоложение, — со вздохом сказала Ольга. — Я потом тебе расскажу. Вот, как раз собиралась отправить ей бумагу.

— Она же не в Дозоре? — спросил, прищурившись, Гесер. — Давай-ка разомнись, Антон. Ты отвезешь, ты и поговоришь с ней.

— Что могу рассказать? — уточнил я.

— В пределах разумного — все.

— Что нам нужно?

Гесер фыркнул.

— Сам должен понимать. Нынешняя Всеобщая Бабушка. Глава Конклава.

— Если не захочет говорить? — спросил я, вставая.

— Силовых действий не предпринимай, это уж точно, — сказал Гесер. — В таком случае поеду я. Но постарайся справиться. Я сам сейчас навещу Хену.

— А я отправлюсь к московскому Мастеру вампиров, — сказала Ольга. — Время пока есть, но не стоит его терять.

* * *

Юлия Хохленко, глава московских ведьм, Бабушка по их терминологии, слишком сильно не молодилась. Может быть, в силу должности. Может быть, из каких-то иных соображений.

Выглядела она, конечно, не на век с четвертью. От силы лет на шестьдесят. Худощавая, обаятельная, с густыми черными волосами — окружающие наверняка считали, что она их красит.

Работала Баба Юля в обычном муниципальном детском садике «Солнышко» на юго-востоке Москвы. Даже не заведующей — воспитательницей. Как родители, так и дети в ней души не чаяли.

У входа в садик я навесил на себя простое, но очень удобное заклинание «свой парень». После этого можно было не беспокоиться, как пройти мимо охранника, что подумают попавшиеся навстречу нянечки и воспитательницы — каждый из них видел во мне кого-то знакомого, привычного, имеющего право тут находиться. Охранник сердечно пожал мне руку, воспитательницы улыбались, даже суровый похмельный электрик, возившийся с лампой дневного света, выдавил скомканное приветствие.

В ориентировке, которую мне дала Ольга, было сказано, что Юлия Тарасовна Хохленко ныне работает воспитательницей в старшей группе. Садик был маленький, в девяностые годы, когда москвичи практически не рожали, половину садика отгородили и сделали там частный лицей. Но времена сменились, лицей из второй половины садика выселили, сейчас там копошились таджики-гастарбайтеры, штукатуря, крася и настилая полы. Кажется, даже все одновременно. Скоро «Солнышко» обещало расшириться.

Я поднялся по лестнице со смешными двойными перилами — одни на уровне руки взрослого человека, другие ниже — для малышей. Толкнул дверь, на которой была наклеена цветная картинка, вырезанная из какой-то детской книжки: Баба-Яга в ступе и с метлой в руках, вошел в помещение старшей группы.

На меня уставилось тридцать пар глаз. Старшая группа детского сада «Солнышко» как раз вернулась с прогулки. Кто-то уже успел переодеться, кто-то путался в полуснятых комбинезонах и штанах, кто-то даже шапку не снял.

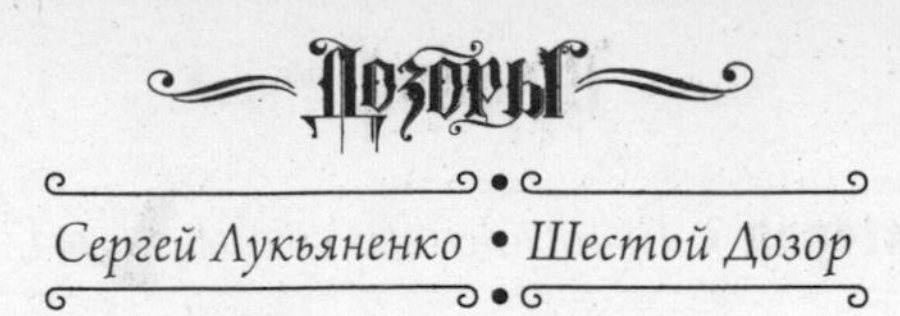

Через мгновение меня захлестнул вал из орущих и галдящих детей.

Если вы думаете, что шестилетний ребенок — ничто по сравнению со взрослым, то на вас никогда не бросалось тридцать дошколят.

— Вы что! — завопил я, когда меня повалили на пол, больно приложив головой о сушилку для обуви. Чей-то мокрый валенок свалился мне на лицо. Тридцать пар рук вцепилось в меня.

Да неужто сумасшедшая бабка превратила своих подопечных в охрану?

— Дядя Дима! — радостно вопил какой-то светловолосый пацаненок, навалившийся на меня.

— ДядяПашадядяПашадядяПаша! — верещала рыжая девчонка.

— Папа! Папа! — едва ли не со слезами радости на глазах вопил толстый конопатый мальчишка.

— А ну-ка кыш все отсюда! — раздалось надо мной, и дети отступили. Юлия Тарасовна выступила — иначе и не скажешь, откуда-то из комнат, где обитала ее группа. — А не то сварю из вас суп, давненько я молодого мясца не ела!

Дети с хохотом разбежались.

— Всем переодеться, пописать и мыть руки! — скомандовала Юлия Тарасовна. А мне протянула руку, помогая подняться. Я, впрочем, старушкиной помощью пренебрег, встал сам — опасливо поглядывая на малолеток. Сказал:

— Здравствуйте, Юлия Тарасовна.

Ведьма была в ярком цветастом платье, а по обилию бус, браслетов и колец могла поспорить с любой цыганкой. Ну что тут скажешь — ведьмы, магия артефактов...

— И ты здравствуй, Антон Городецкий, Светлый маг, — негромко сказала Хохленко. — Что ж ты, Великий, на себя «обаяшку» навесил, в детский садик входя? Неужто не зна-

ешь, что дети на магию отношений в двенадцать раз сильнее реагируют?

— Как-то не доводилось проверять, — признался я. — Ваша охрана?

— Ну что ты так, Антон! — обиделась Юлия Тарасовна. — Разве ж можно так о детках? Да хоть бы и охрана — что в том плохого? Три десятка дошкольников в ограниченном пространстве способны задержать, искалечить или даже убить взрослого человека.

— Шуточки у вас, Бабушка, — сказал я. — Где мы можем поговорить?

— Заходи, — вздохнула ведьма. — Только разуйся, у меня тут санитария и гигиена. Дети все-таки!

Мне пришлось дожидаться минут десять, прежде чем Хохленко загнала всех своих подопечных в спальню, распихала по кроватям — и вышла в игровую комнату. Выходя, она что-то сделала, я почувствовал слабое дыхание Силы — и через миг эмоциональный фон вокруг изменился. Дети уснули. Все, разом.

— Ай-ай-ай, — сказал я.

— Обычно я такого не делаю, — строго ответила Юлия Тарасовна. — Но ты же хотел поговорить.

Я кивнул. К моей радости, в игровой комнате была пара нормальных, человеческих размеров стульев, а то бы пришлось скрючиваться на детском или стоять.

А еще в игровой комнате был кот.

Пока дети не улеглись спать, он сидел на шкафу и умывался. Огромный рыжий котяра, с мордой настолько добродушной, что это выглядело подозрительным. На меня кот поглядывал с умилительным радушием.

Когда дети ушли, кот спрыгнул, подошел ко мне и запрыгнул на колени. Тут же повалился на спину, подставив пузо.

— Вот же зараза, — сказал я.

Но брюхо коту все-таки почесал.

— Любишь животных? — поинтересовалась Юлия Тарасовна, усаживаясь напротив меня.

— Обожаю, — сказал я. Достал из кармана рубашки сложенный вчетверо листок, протянул ведьме: — Вот официальное разрешение Ночного Дозора на использование вами магии с целью продления жизни коту Герману.

— Ох, спасибо, — обрадовалась ведьма, бережно расправляя, разглаживая, рассматривая — и снова складывая и пряча куда-то документ. — Вот радость-то старушкина, вот счастье-то.

— Немецкой породы кот? — спросил я, ссаживая Германа на пол и отряхивая брюки от рыжих волосков.

— Нет-нет, наш, русский, дворовой породы. А имя получил в честь второго космонавта планеты, Германа Титова!

Я чуть не поперхнулся.

— Очень он мне понравился, — доверительно сообщила Юлия Тарасовна. — Юрик, конечно, обаятельный, одна улыбка чего стоит! Но мне Герман больше нравился. Мужчина! Герой! К тому же — второй. Представляешь, Светлый, как трудно быть вторым? Тот же подвиг — но ты второй. И навсегда им останешься. Пятому не так обидно. Десятому. А вторым быть — тяжкий груз навсегда.

— М-да, — пробормотал я. — Крайне занимательно. Против кота-то директор садика не возражает? Санитария, гигиена...

Хохленко расхохоталась. Кот запрыгнул ей на колени, привычно свернулся клубком. Ведьма погладила его привычным движением.

— Ой, Антон, ой, умора... Ну кто ж мне возразит-то?

— Сделаю вид, что я этого не слышал, — хмуро сказал я. — Юлия Тарасовна, я к вам не из-за этой бумаги пришел.

— Да уж понимаю, что Высшие курьерами не работают, — сразу посерьезнела Хохленко. — Позволь догадаться? Визит твой связан с тем пророчеством? Нужна тебе Бабушка Бабушек, глава Конклава?

— Вы, я вижу, еще и пророчествами подрабатываете, — сказал я.

— Тут пророчествовать не надо, Антон. Тут голову на плечах надо иметь.

Я кивнул.

— Впрочем, Завулон держит меня в курсе дела, — сказала Хохленко задумчиво. — Так что я знаю. Кое-что.

Спрашивать, знает ли она про архив и то, что меня обвели вокруг пальца, я не стал.

— Мне нужна встреча с главой Конклава, — сказал я. — С Ведьмой Ведьм, Бабушкой Бабушек, Прабабушкой — как ни зови. Я знаю, что эту информацию вы никому не выдаете, тем более Светлым. Но вы сами понимаете — это не для зла.

— Ваше добро нам тоже не в радость, — хмыкнула Юлия Тарасовна.

— Мы все можем погибнуть, — сказал я. — Весь мир. Все Иные. Все люди.

— Может, давно уже пора? — спросила Хохленко негромко. — Все заслужили, если уж честно говорить. Полной мерой. И люди, и Иные.

Она на миг замолчала. Подняла на меня взгляд — тяжелый, твердый. Не хотел бы я встретиться с ней один на один ночью в темном лесу. Впрочем, и светлым днем в шумном городе — тоже. Если она сочтет меня врагом.

— Понимаю, — сказал я. — Вы же украинка, верно? Да, у вас там нынче...

— Я малоросска, — сказала ведьма. — Хохлушка. Украинкой меня не зови — обидишь.

Я кивнул:

— Понимаю.

— Что там нынче творится — дрянь, да в девятнадцатом при Симон Васильиче и не такое бывало, — сказала Хохленко. — А что, где-то лучше? Русская дурь да пьянство? Американское чванство и лицемерие? Европейское фарисейство? Азиатская жестокость?

— Это все люди, — сказал я.

— А мы лучше? — спросила ведьма. — Что наши, что ваши... Может, и пускай оно, а?

Я перевел взгляд на полуоткрытую дверь спальни, где лежали в своих кроватках дети. Свешивались из-под одеял ручки-ножки, валялись на полу носки и сандалеты.

— Они тоже виноваты? — спросил я. — Им тоже умирать?

— Всем когда-то умирать, — ответила ведьма. — Они, может, и не виноваты, но это пока... Все рано или поздно будет... Сто лет назад я бы парочку из них точно в поросят превратила, от греха подальше.

Я позволил себе улыбнуться.

— Неужто можете, Юлия Тарасовна?

— Как знать? — Она погладила кота. — Нет у меня для тебя хорошего ответа, Светлый.

— Юлия Тарасовна, Гесер же спросит в Инквизиции, — бросил я наугад.

— Пусть хоть заспрашивается, — фыркнула ведьма. — То дело наше, бабье. Ничего Инквизиция о том не знает.

— Я все равно узнаю, — сказал я. — Так или иначе.

— Тьфу! — Старушка взмахнула рукой. — Да что ж ты дурак такой, а? Ты и так знаешь. Бабушка Бабушек — знакомая твоя!

— Как? — растерянно сказал я. — Но как... она же цвет сменила!

— Ведьма не обязана Темной быть, — отрезала Хохленко. — Сменила и сменила, ее дело, лишь бы законов не нарушала.

— Но она...

— Знаю. Ты ее в Саркофаг Времен посадил. До конца вселенной.

— Ее все равно что нет, — сказал я. — Можно сказать, что умерла!

— Можно, да нельзя. Она не умерла. Она в тюрьме сидит. А что тюрьма вечная и магическая — то ничего не меняет. Собирались мы, Бабушки, на Конклав. Обсуждали. Нельзя, никак нельзя другую Бабушку Бабушек избрать, пока Арина жива.

— Она вечно будет жить.

— Значит, и будет вечной главой Конклава.

— Глупо! — воскликнул я. — Глупо это, глупо! Надо менять правила в такой ситуации! Если с нами не будет главы Конклава — мы не сможем ничего сделать!

Некоторое время Хохленко строго смотрела на меня. Потом сказала:

— Иди домой, Светлый. Ищи, что ищешь — не думаю я, что все твои дела в старую ведьму уперлись. Сегодня ночью мы, Бабушки, на свои разговоры соберемся.

— И выберете новую? — спросил я с надеждой.

Хохленко пожала плечами.

— У вас есть шанс? — зачем-то спросил я.

— Тебе-то что? — удивилась ведьма. В глазах ее мелькнула застарелая обида. — Нет. У нас не принято дважды подряд из одной местности брать. Протекционизм, знаешь ли, и у ведьм существует, никому это не нравится. Иди, Антон. Я позвоню тебе завтра утром.

— Мой номер...

— Знаю я твой номер. — Она вздохнула. — Иди уж. Ты тут все-таки натоптал, а мне еще пол мыть. Нянечек не хватает, уборщиц не хватает, зарплата в садике маленькая. Ты же за швабру не возьмешься? Тебе мир надо спасать. Вот и иди, спасай.

* * *

На полдороге к офису я остановил машину, запарковавшись под знаком «Остановка запрещена». Смысла в знаке не было совершенно, я здесь никому не мешал. Включив «аварийку» и порывшись в бардачке, я нашел пачку сигарет, закурил. Сделал погромче радио.

Арина...

Насколько все было бы проще, будь она на моей стороне. Старая ведьма много чего знала, много чего умела и отличалась железной устремленностью к цели. Но я посадил ее в Саркофаг Времен. В тот момент это казалось единственным разумным выходом. Красивым таким... С самопожертвованием...

Вот только меня вытащил Тигр. Испугался, что Надя сорвется и ринется с ним в обоюдоубийственный бой. Арина осталась в Саркофаге.

А действительно ли мне было бы с ней проще? С чего я взял, что она не нашла бы в гибели всего живого позитивный смысл, как ее коллега и, похоже, в свое время соперница Юлия Тарасовна?

Ведьмы — их не поймешь. Что Темные они, что Светлые. Все равно думают иначе. Женщины...

Я вдруг понял, как хочу увидеть Светлану и Надю. Коснуться их. Или хотя бы позвонить и поговорить минутку. Мобильные у них выключены и батареи вынуты, все в лучших традициях конспирологии. Но я знаю номер обычного городского телефона. И у меня есть никому не известная сим-карта для телефона, купленная у московской мечети у торговца-таджика (ничего особо криминального, просто сим-карта удобная для звонков в Среднюю Азию и без предъявления любых документов).

Нет, глупо. Если меня всерьез пасут — то звонок отследят. А я не хочу никому давать такую возможность. В конце концов, если прижмет, то Светлана сама позвонит мне на мобильный.

С ведьмами пока непонятно. Вся надежда на то, что сегодня они соберутся на свой шабаш и выберут новую Бабушку Бабушек. Надо ждать. И надо доложить.

Я достал телефон – и тот зазвонил в моих руках. Появилась фотография шефа (не спрашивайте, как мне удалось его сфотографировать, Гесер терпеть не может фото- и видеосъемок), заиграла бравурная музыка:

— Та та-та та та-та-та-та, та-та та-та,

Та-та та-та, та-та та-та та-та та та.

Все Высшие по-своему позеры. Бабушка российских ведьм работает в детском саду и моет грязные горшки. Главный Светлый Москвы не любит, когда ему звонят, и предпочитает позвонить сам за секунду до твоего решения.

— Слушаю, Гесер.

— Как твой разговор с Бабушкой? — спросил шеф.

— Хм... — Я задумался на миг, пытается ли шеф говорить иносказательно, или сам не заметил туманность сказанного. — Бабушка говорит, что Бабушка ее, Арина, жива, и никто не заменит живую Бабушку. Но сегодня Бабушка собралась вечерять с подружками, и они хорошенько поговорят об этом.

— Значит, Арина, — сказал Гесер. — Я практически не сомневался. Ясно.

— Вас плохо слышно, шеф, — покривил я душой против истины. — Вы далеко?

— В Праге, я же говорил.

Значит, Гесер отправился в Инквизицию через портал. На такое расстояние и так быстро — портал у него был приготовлен заранее. Хотя чему я удивляюсь? Обратное было бы странно.

— Как котик? — спросил я.

— Котик? Котик Бабушки? — Мне вдруг удалось озадачить Гесера. — Ты об этом толстобрюхом Германе?

— Нет, я про другого котика, — осторожно сказал я. — Ну, у которого врожденные стоматологические проблемы.

Мне послышалось какое-то ворчание и бурчание на заднем фоне. Гесер что-то коротко сказал на незнакомом мне языке. Потом сообщил:

— Хена просил передать, что парочка больших клыков — это вовсе не проблема. Наоборот. И если ты сомневаешься, он любезно приглашает тебя на охоту.

— Приношу уважаемому Хене свои извинения, — сказал я. Посмотрел в зеркало и показал сам себе язык.

Блин, ну кто же знал, что Хена там рядом!

— И не сообщил ли почтеннейший Хена, не является ли он бесспорным лидером среди... э... своей... своих...

— Любезнейший Хена сказал, что он старейший из своей породы, — сказал Гесер. — Еще он сказал, что у них нет, не было и никогда не будет общего лидера, ибо это противоречит самой их сути. Он сообщил это твердо и ясно, на языке охотников на мамонтов, в котором просто не существовало понятия лжи.

— Понятно, — разочарованно сказал я.

— Так что Принимающие Облик — это не оборотни. Думай, Антон.

Шеф прервал связь.

Я несколько секунд сидел, тупо глядя перед собой. Не оборотни. Вот так облом. Ведьмы — да, вампиры — да. А оборотни не вошли, какая жалость. Никто не любит бедных оборотней. Даже девочки-старшеклассницы выбирают гламурных вампиров.

В стекло с моей стороны деликатно постучали. Я повернулся. Немолодой грузный инспектор ДПС сладко улыбнулся мне и сделал рукой жест, приглашая опустить стекло.

Я торопливо нажал кнопку, стекло поползло вниз. С моих пальцев сорвался столбик пепла, прямо мне на штаны — закуренная пять минут назад сигарета истлела в пальцах.

— Блин... — сказал я и рефлекторным движением выкинул окурок под ноги инспектору.

— Мужик, ну ты совсем охамел! — воскликнул инспектор с восхищением. — Нет, ну просто совсем! Встал под знаком «Стоянка запрещена». Хорошо, с аварийкой... Вижу, ты по телефону говоришь... Что же, я не зверь, всякое бывает! Я не зверь?

— Не зверь, — растерянно согласился я.

— Останавливаюсь позади, — продолжал инспектор.

Я глянул в зеркало — и впрямь машина ДПС с включенным проблесковым маячком стояла сзади. Видимо, давно стояла.

— Стою жду, — продолжал инспектор. — Думаю, сейчас совесть у человека проснется! Нет, не просыпается. Еще и язык мне в зеркало показал. Слушайте, вы же взрослый и разумный человек. У вас совесть есть?

— Есть, честное слово! — воскликнул я.

— Договорил, — продолжал инспектор перечислять мои прегрешения. — И продолжает сидеть! Хорошо, мы не гордые. Вышли, вежливо постучали... И ты что делаешь? Открываешь окошко и швыряешь в меня окурок!

— Извините, — сказал я.

— Остановка под знаком. Выброс мусора из машины... — Инспектор запнулся на миг. — Честно говоря, даже не помню, что за это положено.

— Оштрафуйте меня, — сказал я. — Я виноват кругом, отпираться не буду. Хотите — штрафуйте, хотите — права отбирайте.

— Права не за что, — со вздохом сказал инспектор. — Ты же не пьян?

— Нет.

— А рожа у тебя вообще-то такая, будто ты выпил.

— Проверьте, — вздохнул я. — У меня вообще такая рожа. По жизни.

Некоторое время инспектор смотрел на меня. Потом наклонился, принюхиваясь. Я выдохнул.

— Что случилось-то? — спросил инспектор с внезапной нотой сочувствия.

— Жена, дочь... — сказал я. Тут же поправился: — Нет, не подумайте, живы-здоровы, только...

— Только далеко, — сказал инспектор.

— Да. Ну и...

— С ними говорил?

— Нет. С шефом.

— Головомойку получил?

— Типа того.

— На работе плохо?

— Кризис.

Инспектор кивнул. Предложил:

— Позвони жене. Сам, первый позвони.

— Не могу, — сказал я. — У нее и мобильник выключен.

Инспектор вздохнул:

— Понятно. Но стоять тут нельзя.

— Я не буду, — кивнул я.

— И курить бросай, — добавил инспектор. — У нас в стране идет борьба с курильщиками. То есть с курением. Премьер-министр бросил курить, а у него работа нервная. Значит, и ты сможешь.

— Смогу, — кивнул я. — Я редко курю. Расстроился просто.

Инспектор погрозил мне пальцем.

— И в зеркало смотри! Что оно, для красоты в машине повешено?

— Зеркало не для красоты, — согласился я.

— Верно. Оно не твой помятый облик должно отражать, а то, что поважнее.

Я молчал, тупо глядя на инспектора.

— Ты точно не пил? — спросил он.

— Вы даже не представляете, какую важную вещь сейчас сказали, — произнес я. — Вы сами этого не понимаете. Спасибо вам огромное! Спасибо!

Инспектор отступил на шаг, покачал головой.

— Езжай-ка ты домой. Слышишь меня? Спокойно и медленно езжай домой. У тебя голова чем-то другим забита, тебе сейчас за руль садиться нельзя. Если хочешь, я поеду впереди, ты за мной.

— Вы очень светлый человек, — сказал я. — Но вы не беспокойтесь. Я в аварию не попаду. Все будет хорошо.

Инспектор еще раз покачал головой и пошел к своей машине.

Я поднял стекло. Посмотрел в зеркало. Сказал вслух:

— Какой же я идиот. Зеркало.

Глава 3

Я подъехал к ВДНХ через девятнадцать минут, что по меркам Москвы вообще малореально, а учитывая зимние дороги и дневное время — просто немыслимо. Если бы добрый инспектор, отпустивший меня, видел, как я еду, — он бы меня проклял.

Всю дорогу я ехал в машине, закрытой «сферой невнимания» — меня не видели, но все равно пытались уступить дорогу пустому месту. К тому же я проглядывал линии вероятности — непрерывно.

Большая часть линий заканчивалась разбитой в хлам машиной, столбом дыма и многокилометровой пробкой. Хорошему настроению это не способствовало, но я все-таки выдирал из предвидений все возможное и невозможное.

Тут перестроиться, обогнать, перестроиться снова, выскочить на встречку, обойти идущую по левой полосе «бэху» и вернуться в левую полосу прямо перед носом несущегося «КамАЗа»...

Тут затормозить и две минуты плестись по пустой дороге, потому что какой-то умник полил ее не тем антиобледенительным реагентом, и дорога превратилась в каток.

А тут выжать полный газ. Через узкий переулок. Под кирпич.

Просто потому, что я знаю — никто не поедет навстречу и никто не выскочит на дорогу.

...Ну ладно, я-то так езжу в экстренной ситуации и то потому, что я Высший Иной. Но какого фига так ездят обычные люди, двадцатилетние пацаны, которым папа сдуру подарил машину?

И только у ВДНХ, когда я проезжал мимо старенькой гостиницы «Космос», у меня зазвонил телефон, который я, к счастью, уже привязал к магнитоле машины.

— Да! — ответил я.

— Антон, это Павел, — сказал оперативный дежурный, которому я звонил четверть часа назад.

— Слушаю!

— Егор Мартынов, двадцать восемь лет, неинициирован, работает иллюзионистом, лауреат...

— Короче!

— Нет его в Москве, — обиженно сказал Паша. Он любил тщательные доклады.

— Где он?

— В настоящее время живет и работает в Париже, выступает...

— Он там и находится сейчас? — требовательно спросил я.

— Да. Ты бы знал, каких усилий мне стоило...

Я развернулся над туннелем под улицей Галушкина. Для драматизма стоило бы развернуться через двойную сплошную, но вот незадача — ближе был нормальный разворот. Можно было попробовать доехать через МКАД, но там сейчас стояла глухая пробка — занесло грузовик, и он перегородил три полосы...

— Паша, всю информацию, как его найти, — мне на мейл. Билет на ближайший рейс в Париж. Когда он будет?

— Я уже посмотрел, через час двадцать. Из Шарика.

— Бери билет. Рейс не должен улететь без меня.

— Только бизнес, — сказал Паша. — Тебе Гесер подпишет расходы? А за командировочными заедешь?

Я засмеялся.

— Паша, бери мне билет. Мои паспортные данные есть в базе.

— Вот бы меня кто так командировал, — буркнул Павел. — Билет я взял. Вообще-то я его взял, прежде чем позвонить.

— Спасибо, — сказал я. — Я тебе магнитик привезу.

— Бутылку коньяка, — ответил Паша.

* * *

Париж не так уж и далек от Москвы, хоть самолету и приходится делать крюк, облетая многострадальную украинскую землю. Я искренне надеялся, что занятый своими делами в Праге Гесер узнает о моем вояже, когда я уже буду во Франции. А может быть, и по возвращении.

В отличие от забитого (Павел не соврал) салона экономического класса бизнес был полупустым. Кресло рядом со мной было пустым, да и в соседнем ряду было занято лишь крайнее, у иллюминатора, где сел толстый солидный мужчина, еще до взлета натянувший на глаза маску для сна и задремавший. Я в отличие от него выпил приветственное шампанское, я пообедал (или поужинал — это уж как кто привык). Я попросил себе бокал коньяка и подумал о том, не подремать ли часик-другой.

Мысль была соблазнительной. Остаток дня никакого покоя не ожидалось, так что...

Я повернул голову. В соседнем кресле сидел Гесер и мрачно смотрел на меня.

— Шеф, — сказал я. И осторожно ткнул в Гесера пальцем.

К моему удивлению, рука не прошла насквозь. Палец уперся в полосатый кардиган, в котором последнюю неделю щеголял Гесер. Кардиган был моднючий, из какой-то особо тонкой шерсти, с вытянутыми деревянными пуговицами, подарила его шефу Ольга — в общем, вещь достаточно узнаваемая.

— Напился, что ли? — спросил Гесер.

— Шеф, это нечестно, — возмутился я. — Гаишник такое заявлял, но вы-то...

— Да у тебя рожа такая, будто ты только что пил, — буркнул Гесер, и я твердо решил, что, если все обойдется, пойду к косметологу. Что ж у меня такое с лицом?

— Вот. — Я протянул ему бокал. — Все, что собирался употребить.

Гесер понюхал коньяк, нажал на кнопку вызова стюардессы. Та возникла рядом немедленно — и тут же растерянно заметалась взглядом по сторонам.

— Это бизнес-класс, пройдите на свое место... — жалобно попросила она.

— Вы же умная женщина с хорошей памятью, Раиса Алексеевна, — сказал Гесер. — Вы помните всех прошедших мимо пассажиров и знаете, что меня на самолете в момент взлета не было.

Стюардесса растерянно улыбнулась.

— Это ровно такой же случай, как девчонки рассказывали в училище, — продолжал Гесер спокойно. — Пассажир из ниоткуда. Не надо бояться, это действительно хорошая примета, рейс пройдет без происшествий. Меня здесь не будет через четверть часа. Принесите мне бокал коньяка и пятнадцать минут посидите в своем закутке.

Стюардесса кивнула, метнулась вперед, звякнуло стекло, потом она возникла снова — с полным бокалом коньяка.

— Все будет хорошо, — буркнул Гесер. — И у Дарьи Леонидовны доброкачественная опухоль, не волнуйтесь за нее. Все, идите.

— Гесер, к чему это позерство? — спросил я, когда стюардесса Раиса Алексеевна исчезла. — Тебе проще было внушить ей, что ты пассажир. А ты читал ее память, проверил судьбу... Кого?

— Тетка. Но она ее воспитала, почти как мать.

— Так зачем?

— А зачем глава московских ведьм работает воспиталкой в детском саду? — спросил Гесер. — Елозит шваброй по грязному полу и вытирает детям грязные попы? К чему Хена помимо Инквизиции работает волонтером?

— В организации по защите животных? — не удержался я.

— В госпитале для неизлечимо больных психически. Антон, все мы, и Светлые, и Темные, в той или иной мере нуждаемся в показухе. Мы все отрицаем свою человеческую сущность, но при этом возимся с людьми, помогаем им... Или вредим им... И красуемся перед ними.

— Даже вы, Борис Игнатьевич.

— Даже я, Антон.

Мы помолчали, глядя друг на друга. Молча свели бокалы. Выпили по глотку коньяка. Басовито гудели моторы, Гесер поморщился, повел рукой — и звук ушел куда-то, оставшись на грани слышимости.

— Я уже старенький, глуховатый, шума не люблю, — пояснил Гесер.

— Трах-тибидох... — сказал я.

— Это ты к чему? — нахмурился Гесер.

— Да так... Посмотрите как-нибудь фильм «Старик Хоттабыч».

Гесер ничего не ответил. Вопросительно смотрел на меня.

— Зачем вы сюда? — спросил я. — Наверное, трудно так, прямо в летящий самолет...

— Не то слово, — сказал Гесер. — Но он пролетал над Прагой, был в поле зрения, это сильно облегчило работу.

— Шеф, я завтра планирую вернуться.

— Понимаю. Почему ты мне не доложился?

Я пожал плечами.

— Принимающий обличья. Зеркало. — Гесер кивнул. — Да, это вариант. Мы разрабатываем его с самого утра. Наряду с оборотнями это основная рабочая версия. Но раз оборотни отпали, то мы сосредоточились на Зеркале.

— И не сказали мне? — поразился я.

— А зачем? — удивился Гесер. — Антон, ты не герой-одиночка. Ты работаешь в команде. И то, что твои жена и дочь, да и ты сам замешаны в происходящем, ничего не меняет. Ты часть команды! Понимаешь? И ты не должен срываться посреди рабочего дня и уноситься в Париж, по делу, срочно!

— Гесер, там Егор.

Гесер вздохнул.

— Я знаю, Антон.

— Это мальчишка, которого ты... Мы использовали. Подставили.

— Антон, он один из нас. Слабоуровневый Иной, потенциально — Светлый. И, потенциально, Зеркало. В той ситуации, которая, напомню, привела к твоему браку со Светланой и рождению Надежды, нам нужно было использовать кого-то.

— Взяли бы взрослого.

— Нужен был неинициированный Иной с потенциалом зеркального мага. Они нечасто встречаются.

— Гесер, это аморально!

— Аморально, когда идет война и по городам работает артиллерия и бомбардировщики! — рявкнул Гесер. — Аморально, когда люди называют людей недочеловеками и загоняют в концентрационный лагерь. Привлечь для полицейской операции несовершеннолетнего, с которым, заметь, ничего не случилось, — вполне допустимо.

— Он в итоге отказался становиться Иным.

— Пятнадцать процентов в среднем отказываются, — сказал Гесер. — Не он первый, не он последний.

— Он по-прежнему Зеркало? — спросил я.

Гесер кивнул:

— Да, Антон. Это его судьба. Тут уж ничего не поделать. Если он станет Иным — он утратит эту судьбу. Но он же отказался.

— Есть еще неинициированные Иные с неопределенной аурой? — спросил я. — Способные стать Зеркалом?

— Ищем, — ответил Гесер. — По всему миру ищут.

— То есть нет? — уточнил я.

— Я был уверен, что в каком-то Дозоре окажется такой на примете, — сказал Гесер. — В конце концов, Зеркало не обязано быть одно. Егор жил себе, поживал, а в Москву приехал Виталий Рогоза.

— Он приехал после того, как Егор отказался становиться Иным, — заметил я. — Возможно, способность «плавающая». Перескочила с Егора на Виталия, потом с Виталия обратно на Егора...

— Икота-икота, перейди на Федота, с Федота на Якова, с Якова — на всякого, — буркнул Гесер. Сделал глоток коньяка. — Мы ищем, Антон.

— Но никого не нашли, — сказал я.

— Да. И поскольку версия «Зеркало» стала у нас основной — нам нужен Егор.

Я кивнул.

— Антон, отправляйся домой, — мягко попросил Гесер. — Ты все здорово и быстро сообразил. И быстро нашел. Но теперь позволь мне поговорить с парнем.

— Вы с ним говорили шестнадцать лет назад? — спросил я.

— Антон!

— Гесер, это моя операция, — сказал я. — Отправляйтесь в Москву. Думайте над остальными пунктами. Выясняйте про Двуединого — кто он и что он. А Егор — на мне.

— Ты убедишь его прийти к нам? — спросил Гесер.

— Нет, я дам ему выбор.

— Антон, я приказываю... — начал Гесер.

— Борис Игнатьевич, вы не можете мне приказывать, — сказал я. — Во-первых, я равен вам по силе и веду собственное расследование на основе собственных данных и предположений. Отбирать у меня мое дело вы не вправе.

— Во-вторых? — спросил Гесер.

— Я могу уйти из Дозора в любой момент.

— Есть «в-третьих»? — уточнил Гесер.

— Попробуйте только меня остановить, Великий, — сказал я.

Гесер вздохнул.

— Нет, все-таки пока человек не проживет Иным лет двести, с ним очень трудно иметь дело. Хорошо. Работай. И учти — нам не нужен Светлый Егор. Нам нужен Егор — потенциальное Зеркало.

Он залпом допил коньяк, поставил бокал на подлокотник между нашими креслами.

И исчез.

Я вздохнул и закрыл глаза. Потом открыл один глаз и покосился на подлокотник. Бокал Гесера, из которого он пил, был полон.

Все-таки это была иллюзия, а не шеф во плоти. Просто очень-очень тщательная иллюзия.

Я взял бокал Гесера и выпил одним глотком. После чего закрыл глаза и уснул.

* * *

Контроль таможенный, контроль пограничный, контроль для Иных... Я вышел из Шарля де Голля, встал в хвост коротенькой очереди к такси и набрал дежурного.

На связи по-прежнему был Павел.

— Что, уже в Париже? — с нескрываемой завистью спросил он. — Тепло там у вас?

— У них. Да уж, теплее, чем у нас. Плюс пять примерно. Где Егор?

— Тебе адрес?

— Нет, мне надо знать, где он сейчас. Точнее — где будет через час.

Паша картинно вздохнул:

— Предупреждал бы заранее... Через час Егор будет ужинать поблизости от здания Биржи. Учти, это не предвидение, это перехват его разговора. Он встречается с каким-то другом, они собирались пообедать.

— Ух ты, — сказал я. — Красиво живут простые русские фокусники! Селятся в Париже, ужинают в центре...

— У него на счете меньше сотни евро, — скептически сказал Паша. — Так что — фокус не удался.

Подошла моя очередь, я сел в такси, попросил:

— Emmenez-moi a Bourse de Paris, s'il vous plait.

Не знаю, выглядел ли я похожим на человека, который примчался из Москвы в Париж, чтобы срочно что-то сделать на Бирже. К примеру — продать пару нефтяных месторождений, а купить завод по производству одеколона и виноградник.

Наверное, все-таки нет.

Пару раз темнокожий водитель пытался завязать со мной разговор. Спрашивал, первый ли раз я в Париже, откуда прилетел и нравится ли мне во Франции. Я отвечал односложно, признавшись, что не первый раз, прилетел из Москвы и во Франции мне нравится.

Последнее сразу вызвало симпатию водителя. Настолько, что он принялся напевать что-то о «прекрасной Франции», видимо, абсолютно классическое, ибо даже я эту песню слышал.

Еще лет сто назад, наверное, такой французский патриотизм темнокожего человека воспринимался бы с иронией. Сейчас — в порядке вещей.

Может, стоило и Иным раскрыться? Ну, в пятнадцатом веке — рано, нас бы жгли на кострах. И в двадцатом могло нехорошо получиться. А в двадцать первом-то чего? Гомосексуализм — можно и почти что нужно. Черный, желтый цвет кожи — прекрасно. Отсутствие конечностей, тяжкие болезни — повод максимально втянуться в общественную жизнь. Любые религии, почти любые убеждения (ну, конечно, если ты в Европе проживаешь).

Что тут особенного в Иных? Ну, умеем кое-что. Так атомная бомба все равно посильнее будет, а спецслужбы позагадочнее.

Приняли ведь люди факт, что городом или страной управляет мужик, входящий вечером в спальню с другим мужиком. Приняли бы и Иных, способных входить в Сумрак.

В конце концов, мы бы могли распустить слух, что мы все — геи, сатанисты и генетически больные! Тогда нас ни в коем случае нельзя было бы обижать.

Я тихо рассмеялся.

Водитель продолжал болтать без умолку. Хвалил Париж, гордился Францией и советовал мне обязательно пить вино, а не водку. Потому что русские пьют много водки, а надо пить много вина. Только обязательно французского. Все остальные народы не умеют делать вино. Только в Алжире еще умеют. А больше нигде. Русские делают водку, британцы — виски, американцы — бурбон. Это все плохо, хотя водка еще ничего. А французы делают вино, коньяк и кальвадос. Хотя он этого ничего не пьет, потому что мусульманин. Разве что немножко вина и немножко кальвадоса. И то не в пост. Но всегда готов рассказать пассажиру про хорошие напитки. Особенно когда видит, что пассажир любит и умеет выпить.

— Да вы что, сговорились... — тихо сказал я. Достал смартфон, включил программку «Зеркало», мысленно усмехнувшись аллюзиям. Посмотрел на свое лицо.

Мятое лицо, верно. Усталое. Круги под глазами. Глаза красные, невыспавшиеся.

Тяжело далось мне посещение школы.

Ну да, можно принять за конченого алкаша.

— Спасибо за советы, — сказал я. Мы ехали уже по центру Парижа, надо было собраться. — Я обязательно попробую все то, что вы советовали.

Закрыв глаза, я вытащил из глубин памяти образ Егора — каким он был в тот миг, когда я его впервые увидел. Лицо, рост, фигура, одежда — все это было не важно.

Аура остается с человеком навсегда. Ее формирование заканчивается годам к двум-трем (иногда чуть раньше, иногда чуть позже), и в дальнейшем ее слепок надежнее отпечатка пальцев. Да, меняются цвета — в зависимости от настроения и состояния человека, но общий рисунок все равно неизменен.

Так бывает со всеми, кроме людей с неопределенной судьбой. Уже в том возрасте, когда я впервые увидел Егора, в двенадцать лет, такие ауры практически не встречаются. После двадцати их вообще невозможно увидеть. Но Егор, насколько я помнил по случайной встрече несколько лет назад, по-прежнему был неопределенным.

Его аура была переливчатой и разноцветной. В ней менялись все цвета — и ни один не задерживался надолго. Одно мгновение он мог выглядеть как законченный негодяй, другое — как добрейший на земле человек, через минуту полыхал интеллектом словно гениальный ученый, а еще через миг — тускло мерцал какими-то олигофреническими крохами интеллекта.

Даже для человека это было чересчур. Но Егор был еще и потенциальным Иным. А это меняло все. Конечно, он мог

быть просто инициирован — и в зависимости от состояния стал бы Светлым или Темным. Но неопределенная аура делала его еще и возможным Зеркалом. Егора мог инициировать сам Сумрак. Он частично утратил бы память, обрел возможность работать на любом уровне Силы — копируя уровень и способности соперника. А потом — выполнив предназначение, прожив короткую жизнь Темного или Светлого и устранив «перекос» в силах сторон — развоплотился бы. Полностью.

Почему Сумрак в данном случае был столь жесток, что не позволял своему инструменту просто вернуться в прежнее состояние — человеческое или Иное, — я не знал. Но, судя по всем известным ранее случаям, Зеркало исчезало полностью. Есть Иной — есть проблема, нет Иного — нет проблемы...

Я расслабился. Представил мысленно огромную серую равнину. Утыкал ее сплошь силуэтами домов. Набросал бесчисленное множество разноцветных точек.

Примерно так должен выглядеть Париж в Сумраке...

А потом я представил, что сверху на меня падает ослепительный свет, тень моя обретает четкие контуры, и я проваливаюсь в нее, будто в прореху реальности...

И я оказался в Сумраке.

Грубо сколоченная корявая телега плавно катилась по проселочной дороге. В одном направлении с нами и навстречу тоже ехали повозки, тачки, телеги. Без лошадей.

Призрачный силуэт водителя, в этом мире — возницы, белозубо улыбался мне с козел. В руках у него были вожжи, концы которых повисли в воздухе.

Сумрак, конечно же, не наполнен самобеглыми телегами. Но каждый уровень Сумрака так или иначе повторяет наш мир. Первый — в наибольшей мере. Иногда он похож на наш, только лишен цвета и размыт. С опытом, с более частыми входами на первый слой Сумрака, он начинает выглядеть иначе — как некая проекция, некая «идея вещей». То есть современный автомобиль может выглядеть как современный обесцвеченный автомобиль. А может — как старинный рыдван. А может — как телега. Возможно, что и как верховой динозавр.

Гесер, когда я однажды спросил его об этом, ответил просто: «Видимое в Сумраке есть результат взаимодействия внешнего мира и человеческого сознания. Когда внешний мир меняется непредсказуемо и нереально — сознание наполняется фантазиями».

Наверное, так оно и есть.

Я по-прежнему в машине, в старреньком, но приличном «рено», которое едет по Парижу. Вот только на первом слое Сумрака картина, которую видят мои глаза, изменилась настолько, что воспринимать ее я не могу. И вижу нечто другое...

Ладно. Телега так телега. Главное, что люди в Сумраке не меняются, только становятся медлительными...

Я окинул взглядом сумеречный Париж. Зафиксировал в сознании теплый зеленый цвет. Это умиротворение, спокойствие — самые редкие чувства у людей в большом городе. Их встретишь только у наркоманов и едва-едва отвалившихся друг от друга любовников. Так... Фиксируем... Выдерживаем... Убираем зеленое...

Теперь желтый. Вначале солнечно-желтый, яркий и чистый. Невинная детская радость. Признание в любви и первый поцелуй. Прочитанная чудесная книга. Убираем.

А теперь синий. От прозрачного голубого и до глубокого индиго. Интеллектуальная работа. Прозрения, догадки, радость познания и открытия. Тоже нечастый гость в больших городах.

Белый. Самопожертвование и самоотверженность. Человек, подписывающий бумагу о донорстве почки маленькому племяннику. Полицейский, с успокаивающими словами и разведенными руками идущий на психопата с ружьем наперевес и собственным сынишкой в заложниках. Убираем.

Красный. От авроры до авантюрина. От разбеленно-розового и до багрового, если вам никогда не было интересно — как же называется все то, что мы видим. Красный — самый разнообразный и яркий. Любовь и страсть. Оргазм и боль. Праведная ярость солдата и низменная похоть насильника.

Я смывал цвета один за другим. Отсеивал, отбрасывал — все устоявшиеся, успокоившиеся ауры. Всех людей, всех Иных, до кого мог дотянуться взгляд. Остались несколько разноцветных трепещущих детских аур — я заставил себя не видеть тех, кто слишком мал и слаб.

Мир выцвел окончательно, заколебался между серым и сепийным, будто пытаясь, но уже не в силах обрести цвет.

Лишь впереди по дороге пылала одна-единственная аура. Переливчатая и разноцветная. Неопределенная судьба.

— Arretez ici, — попросил я, выходя из Сумрака. Протянул купюру в пятьдесят евро (на счетчике было сорок три). — C'est pour vous.

Биржа была чуть дальше — красивое огромное здание, уже подсвеченное на фоне потемневшего неба. Я прошел метров пять — и оказался у широкого проема в стене. Больше всего это походило на просторный гараж, открытый настежь. Вот только в «гараже» стояли столики, на которых горели лампы и свечи. Сидели люди — одетые и нарядно, и просто. Какое-то странное место, не из роскошных «мишленовских» ресторанов, но и не из забегаловок.

Я нашел взглядом Егора — он сидел ко мне спиной, в середине зала. Беседовал о чем-то с мужчиной средних лет, солидным и неспешным в движениях — тот аккуратно разминал вилочкой бифштекс по-татарски.

К сожалению, мест не было. Маленький столик за спиной Егора как раз заняла молодая парочка. Мне было очень неудобно, но я не колебался. Посмотрел на пару, потянулся через Сумрак.

Есть им сразу расхотелось. Они вскочили и слились в поцелуе. Официант (да, похоже, и хозяин ресторанчика одновременно) зааплодировал при виде такой страсти. Кто-то из посетителей его поддержал.

Парочка оторвалась друг от друга, растерянно оглядывая окружающих. Возможно, они зашли сюда, чтобы выяснить отношения перед расставанием. А может быть — просто поболтать и разойтись на время.

Но теперь все изменилось. Единственное, чего они по-настоящему хотели, — оказаться наедине и без одежды. Извиняясь, смущаясь, даже отворачиваясь от любопытных взглядов, парочка выскользнула из ресторанчика. Я понял, что до дома ни к ней, ни к нему они не доедут. Прямо сейчас, на углу, снимут до утра номер в маленькой гостинице — и скрип кровати будет одновременно и мешать спать, и восхищать соседей. Что ж. По крайней мере у них будет совершенно волшебная ночь в Париже.

Я прошел и сел за освободившийся столик. Предположительный хозяин явно не ожидал этого, но спорить не стал. Подошел с улыбкой — какой-то очень профессиональной улыбкой.

— Je voudrais une bouteille de vin rouge, — сказал я. — Je prends ce que vous recommandez.

Официант с замашками хозяина — или хозяин, работающий официантом — кивнул и исчез в маленькой двери в конце зала.

Я поискал взглядом курящих. Убедился, что вокруг никто не курит — Европа...

В этот миг заговорил Егор. По-русски:

— Это непременно станет популярным, мсье Роман. Вы же видите — тут пустого места нет.

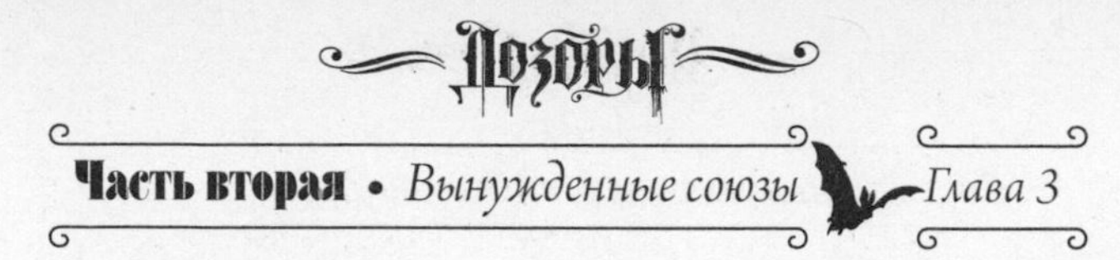

— Только что парочка убежала, — прожевывая сырой фарш и запивая его красным вином, сказал «мсье Роман». Кем надо быть, чтобы, разговаривая с соотечественником, слушать это «мсье» и не одернуть, мол, «давай по-простому». Уродом надо быть! — К тому же владелец действительно известный клоун, пусть и давно на пенсии. Место очень удобное. Аренда, несмотря на это, дешевая. И ресторанчик маленький.

— Последнее — сомнительный плюс, — сказал Егор с напряжением.

— Дорогой мой, — снисходительно сказал Роман. — Этот ресторанчик держится не за счет изысканных блюд — они весьма банальны, не за счет интерьера или даже месторасположения. Вся фишка в хозяине. В том, что он садится на колени к дамам и отпивает из твоего бокала вина. Падает, но при этом не роняет ничего с подноса. Танцует и напевает «La danse des canards», вынося тебе утиную грудку с апельсинами.

— Но в том-то и...

— Егор, ты прекрасный иллюзионист и престидижитатор, — покровительственно произнес Роман. — И я рад буду предоставить тебе антрепризу в моем ресторане. Но я сразу говорю — у тебя не получится повторить путь этого клоуна. Ты не сможешь развлекать сразу всех посетителей ресторана. Твои иллюзии — занятие индивидуальное. За пять шагов уже ничего интересного не видно. А если ты будешь обходить каждого посетителя и вытаскивать у него монеты из ушей — скоро свихнешься.

— Я не вытаскиваю монеты...

— Егор! Оставим это, — мягко сказал Роман. — Если найдешь себе маленький зальчик вроде этого и хорошую команду — я готов войти в долю. Напополам. Большой зал — не твое.

Вернулся хозяин, поставил передо мной бутылку красного вина. Загадочно глянул, щелкнул пальцем по донышку —

пробка пулей вылетела в потолок. Рядом кто-то засмеялся. Я картинно поаплодировал. Мне был налит бокал вина, после чего хозяин извлек из кармана зажженную сигарету. Затянулся, пустил дым в потолок. Протянул сигарету мне. Я сделал пару затяжек. Хозяин с улыбкой забрал сигарету — и исчез за дверью.

Что ж, физиономист из него очень хороший!

— Жаль, Роман, — сказал тем временем Егор. — Ну, как знаешь. Насчет выступлений у тебя... Может быть, сейчас и обсудим?

Роман торжественно поднял руку, посмотрел на массивный «Патек Филипп». Покачал головой:

— Увы, дела. Вынужден бежать, друг мой. Позвони... Лучше послезавтра.

Все бы ничего, но «Патек Филипп» был сделан в Китае и стоил полсотни баксов — если на рынке в Пекине, и целых сто — если на развалах в Париже.

Я разозлился.

— Послезавтра вам звонить не стоит, — сказал я, беря бокал и придвигая свой стул к их столику. — Завтра вы весь день проведете с мелким русским олигархом, пытаясь уговорить его вложиться в ваш ресторан. Истратите на это последние деньги, а зря, вино он вообще не любит, лобстеров ненавидит. Послезавтра вы будете просить у банка отсрочки по кредиту. Так что Егору не стоит звонить вам завтра, послезавтра... Да и вообще не стоит.

Роман смотрел на меня, открыв рот. К идеально белоснежному пластиковому зубу прилип комочек кровавого фарша.

— Рот закрой, — посоветовал я. — И выметайся.

В последние слова я вложил чуть-чуть Силы — слишком мало, чтобы это вообще считать воздействием, но достаточно, чтобы парижский ресторатор русского происхождения вскочил как ошпаренный.

— Городецкий, ну ты нахал! — с восхищением сказал Егор.

— Кстати, здравствуй, — сказал я.

— Привет!

К моему удивлению, он даже вскочил и облапил меня.

— Ну, Городецкий... Если ты скажешь, что мы встретились случайно...

— Конечно, нет, — сказал я. — Я тебя искал. Уж извини.

Егор махнул рукой:

— Извиняю. Ты вино будешь?

— Я со своим, — перетащив бутыль со столика, сказал я. — Мы в гости без подарков не ходим. А ты... — Я запнулся.

— Вырос? — усмехнулся Егор.

— Нет, вырос ты давно. Но как накачался! Заматерел, в общем!

Егор и впрямь выглядел атлетом. Со спины я думал, что все дело в куртке, но она оказалась ни при чем. Широкие плечи, наверное, Егору дали занятия плаванием в детстве, но, похоже, он и последние годы не валялся на диване.

— Зато ты такой же, как был, — сказал Егор. — Только...

— Спился? — обреченно спросил я. — Мне тут несколько раз сказали...

— Устал. Ты какой-то совсем помятый и печальный. Что-то стряслось?

Я кивнул.

— Я расскажу. Только давай сядем, выпьем. Съедим чего-нибудь. Я прямо с самолета. Там, правда, хорошо кормили...

— Что случилось? — спросил Егор, глядя мне в глаза. — Я, может, мысли читать и не умею, но у тебя все на лице написано.

— Кризисная ситуация, — сказал я. — Если в двух словах... Какая-то древняя хрень ожила и хочет всех прибить.

— Ктулху, — кивнул Егор.

— Какой такой Ктулху? — не понял я. — А, Лавкрафт...

— Совсем ты от жизни оторвался, — сказал Егор. — Лет на двадцать. Ты даже бородатых анекдотов не понимаешь. Ладно, неведомая хрень хочет всех убить. Кто эти все? Иные?

— Вначале Иные. Потом люди. Может быть, даже и звери. В общем — все.

— Наверное, это какой-то ботаник, — предположил Егор. — Стремится защитить растительный мир.

— Тебе надо комиксы сочинять, — сказал я. — Фантазия хорошая, а нервы еще крепче.

— У меня было трудное детство, — ухмыльнулся Егор. — Антон, зачем пришел? Рассказывай.

— Я хочу тебя инициировать, — мрачно сказал я.

— Париж, конечно, город широких взглядов, — сказал Егор. — Самое место для таких предложений.

— Егор, ты должен стать Иным, — сказал я. — Ну поверь мне!

— Я что, как-то могу помочь в сражении с вашими Ктулху? — фыркнул Егор. — Прекрасно помню, что мне уготован на всю жизнь самый низкий уровень Силы.

— Егор, это все равно здорово. Ты продлишь свою жизнь, очень значительно. Станешь непревзойденным в профессии. Сможешь помочь близким...

— Антон, я довольно молодой и уже вполне известный иллюзионист, — сказал Егор. — То, что у меня сейчас на счету пусто, — не трагедия. У меня два предложения, одно из них — из цирка «Дю Солей». Приму — сразу получу хороший аванс. Ты же можешь видеть, что я не вру? Тогда продолжу. У меня жена, которую я реально люблю. Я ей несколько раз изменял, было дело, ругался на нее порой, но я ее люблю. У меня сын, ему три годика.

— Поздравляю, — неловко произнес я. — Это...

— Спасибо. Кстати, назвали Антоном.

Я захлопнул рот.

— Ну, все-таки самые яркие впечатления детства, — с улыбкой продолжил Егор. — Не Гесером же было называть и

не Завулоном. Антон имя хорошее, во Франции тоже в ходу, его в садике Антуаном зовут.

— Это очень трогательно... — начал я.

— К тому же у жены любимого деда Антоном звали. — Егор насмешливо улыбнулся. — Спасибо за заботу, но мне по-прежнему не хочется становиться Иным.

— Вот окажешься в больнице с сердечным приступом или занесет машину на дороге — пожалеешь, — сказал я.

— Без сомнения. Но пока — не хочу.

Я допил бокал. Хорошее вино.

— Егор, ты не просто слабый Иной. Ты — потенциальное Зеркало.

— И что это значит? — Он нахмурился.

— В случае сильного дисбаланса между Тьмой и Светом ты изменишься. Превратишься в зеркального мага, чья Сила неограниченна и равна Силе противника. Светлого или Темного, по ситуации. Победить такого — крайне сложно.

— Пока не вижу причин для паники, — сказал Егор.

— Ты изменишься самопроизвольно. Без всякой инициации. Ты потеряешь часть памяти и будешь, осознанно или нет, действовать так, как угодно Сумраку.

— Вот это уже звучит неприятно, — признал Егор.

— И когда ты выполнишь свою функцию, ту, которую тебе навяжет Сумрак, ты исчезнешь.

— Умру? — крутя в пальцах бокал, спросил Егор.

— Не знаю. Просто исчезнешь. Развоплотишься.

Некоторое время Егор молчал. Потом кивнул:

— Да. Это совсем не радует.

— А это может произойти, — сказал я. — Есть данные... В общем, среди тех, кто может остановить апокалипсис, должен быть зеркальный маг. Поэтому я и предлагаю тебе инициацию. Светлый, Темный... Какая в Сумраке разница! Если ты станешь Иным, то уже не сможешь превратиться в Зеркало.

— И кто станет им вместо меня?

— Не знаю, — пробормотал я. — Кого-нибудь найдем, уверен.

— Ты изменился, Антон, — негромко сказал Егор. — Стал гибче. У вас, выходит, вообще нет другого кандидата, кроме меня? Но ты готов меня инициировать, чтобы я не погиб?

— Да. Потому что... — Я осекся.

— Потому что ты набит комплексами и сомнениями, как настоящий русский интеллигент, — бросил Егор. — В твоем сознании я до сих пор маленький мальчик, которого подставил твой любимый шеф. Шестнадцать лет назад тебя ткнули мордой лица в то, что добро — не обязательно добро, зло — не всегда зло, а ты — не в белых одеждах, а в потертых джинсах и рубашке с грязным воротником.

— Пошел ты со своим психоанализом... — Я начал заводиться и повысил голос.

— И ты хоть и смирился, хоть и привык играть с совестью в жмурки, но до конца не успокоился! — выкрикнул Егор. — То, что вы меня использовали, было первой подлостью, которую ты заметил. Так себе подлость-то, если разобраться. Фиговинка! Но у тебя, видать, зудит. Тебе хочется закрыть ту историю — насовсем. Торжественно меня спасти, к примеру. И тогда ты успокоишься. Будто если исчезнет та мелкая уступка совести — она сотрет все последующие. Так?

На миг мне захотелось врезать Егору по лицу. Со всей дури. Я даже начал привставать, и что-то, похоже, мелькнуло у меня в глазах — Егор чуть прищурился и напрягся.

— Stop de vous disputez, les filles! — весело сказал хозяин, ставя передо мной блюдо. Два маленьких медальона из телятины были украшены тремя ломтиками жареной картошки, веточкой петрушки и затейливыми вензелями ягодного соуса.

Одновременно хозяин слегка оперся мне о плечо. Сильно так оперся. И заглянул в лицо. Глаза у него были мрачные, тяжелые. Ох уж эти клоуны, никогда я им не доверял!

— А ты в него файерболом! — посоветовал с улыбкой Егор. Повернувшись к хозяину продолжил: — C'est de ma faute. — Снова глянул на меня, добавил: — Дожили, за гомиков приняли! — И снова обратился к хозяину: — Desole!

— Desole, — согласился я. На нас и впрямь неодобрительно косились. Не потому, конечно, что приняли за ссорящихся геев — просто не комильфо ссориться так громко.

Хозяин улыбнулся — улыбка была широкой и насквозь искусственной, как у всех клоунов, — и ушел.

Я начал ковыряться в медальоне.

Егор отпил вина.

— Извини, — сказал я.

— Извини, — одновременно произнес Егор.

Мы посмотрели друг на друга и захохотали. А через мгновение весь ресторанчик, повернувшись в нашу сторону, принялся аплодировать!

— Ой, мама родная, — сказал я. — Они же и впрямь...

— Городецкий, у нас, в Париже, нельзя обманывать ожидания публики, — картинно вздохнул Егор. — Теперь нам придется стать настоящими европейцами.

— Слушай, я сейчас отсюда телепортируюсь куда-нибудь... — начал я.

— Куда-куда? — заинтересовался Егор. — Бросаешь?

И это вызвало у нас обоих совершенно идиотский приступ хохота. В окружении доброжелательных французских улыбок все это было и впрямь смешно, но я мог лишь надеяться, что история никогда не станет известна в Дозоре.

Надо мной же полвека хихикать станут!

— Так что насчет инициации? — жуя медальон, спросил я. — Будешь, кстати?

Егор взял вилку, нацепил второй медальон.

— Нет, конечно. Я поеду с тобой... Где вам нужно Зеркало?

— Пока не знаю. Собираемся в Москве, наверное. Егор, ты понимаешь, на что идешь?

— Антон, ты мне объяснил, что через неделю ожидается конец света. И я — или кто-то такой же, как я — могу это предотвратить. Пусть даже ценой своей жизни. Ты думаешь, у меня действительно есть выбор? У какого-либо нормального человека может быть выбор в такой ситуации?

Я покачал головой.

— Конечно, я поеду, — сказал Егор, жуя телятину. — А готовят тут средне. Неплохо, но... У меня был куда лучше повар на примете. Хорошая была идея — ресторан «Иллюзия»!

— Если останемся живы — я пробью тебе финансирование, — сказал я. — Только сделаешь ресторан «Дружественным к Иным», у нас есть такая партнерская программа.

— Заметано, — кивнул Егор. — Но я не останусь. Я вообще думаю, что должен был на самом деле остаться там, у ВДНХ, в подворотне — белый и обескровленный. Просто ты поторопился. — Егор усмехнулся. — И дал мне шестнадцать лишних лет. Ты не думай — я это ценю. Ты же сам ничего толком не умел, у тебя на лице полнейший ужас был.

— Помнишь? — спросил я.

— Конечно. Я ни на минуту не забывал. И не сомневался, что рано или поздно все закончится так.

— Все? — глупо переспросил я.

— Все. Это получилось... ненастоящее время. Заемное. В долг. Все пошло неправильно, поэтому я и живой. Но словно понарошку.

— Прости, Егор, — сказал я.

— Да ладно тебе, дозорный. Я давно уже не злюсь.

— Мы все живем в долг, — сказал я.

— Давай лучше говорить «в кредит»? Так солиднее звучит. — Егор поискал взглядом хозяина — тот поглядывал на беспокойных клиентов, — размашисто расписался в воздухе пальцем. Хозяин кивнул и склонился над кассовым аппаратом. — Можем прямо сейчас в Москву поехать.

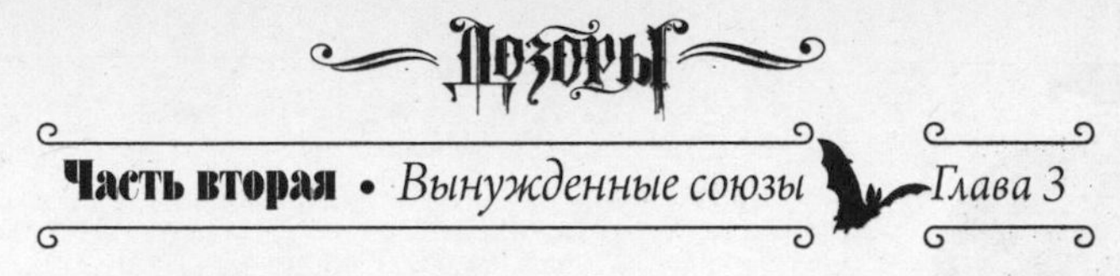

— А с женой и сыном попроща... — Я осекся. — Встретиться перед дорогой не хочешь?

— Жена и сын в Ницце. — Егор улыбнулся. — Моих звонков она не ждет.

— Ты же говорил, что любишь ее!

— И я не врал, Антон. Вот только я не говорил, любит ли она меня до сих пор...

От необходимости что-то отвечать меня избавил зазвонивший телефон.

Это был Павел.

— Антон, я уже не на смене, — позевывая, сказал он. — Но Гесер велел позвонить тебе в восемь с четвертью по Парижу и сказать, что два билета на рейс Париж — Москва, вылетающий в двадцать два тридцать, тебе заказаны. На тебя и Егора.

— Понятно, — сказал я. — Ты билеты брал?

— Да. Ругаться на Гесера будешь?

— Нет.

— Тогда спокойной ночи.

Я спрятал телефон в карман и кивнул Егору.

— Уговорил, летим прямо сейчас. У вас, в Парижах, как принято — вызывать такси или на улице ловить?

Глава 4

В кабинет Гесера я вошел в десять утра. Из Парижа мы прилетели в пять утра, после чего я довез Егора до ВДНХ, где по-прежнему жила его мать, лишь после этого поехал к себе и поспал от силы часа три.

Что-то героическое в этом было. Как и в непроницаемо-сдержанном выражении моего лица.

— Доброе утро, шеф, — сказал я. — Егор приехал в Москву, остановился у матери. Он готов при необходимости участвовать в наших операциях.

— Хорошо, — сказал Гесер, с любопытством изучая мое лицо. — Молодцы. Я рад.

— Могу я идти? — спросил я.

— Кхм... — Гесер замялся. — Это все? И никаких вопросов, споров и обвинений?

— Нет, — сказал я. — Можно идти?

— Подожди, — сказал Гесер. — Сядь.

Я послушно сел напротив.

— Антон, ты имеешь полное право возмущаться, — сказал Гесер. — Но я тебе вначале объясню — даже никакой магии в этом нет! Только психология. Понимание движущих людьми и Иными мотивов. Уговорить Егора приехать в Москву и согласиться на самоубийственную миссию мог лишь ты, да и то если бы искренне отговаривал...

— Шеф, я понимаю.

— Поэтому мне... — Гесер осекся. Нахмурился. — То есть действительно понимаешь? И не обвиняешь? И согласен, что Егор нужен?

— Мне крайне это неприятно, — сказал я. — Мы парню с детства жизнь испортили. Но ставки слишком высоки. Ни его, ни моя, ни ваша жизнь никакого значения не играет.

Гесер помолчал. Покрутил в пальцах авторучку. Зачем-то включил стоящий на столе ноутбук — и тут же захлопнул крышку.

— Так я пойду? — спросил я. — Или есть какая-то информация?

— Есть, — сказал Гесер хмуро. — Во-первых, я не стану больше играть с тобой втемную. Извини. Я не заметил, что ты действительно вырос.

— Принимается, — сказал я.

— Во-вторых, у меня нет полной уверенности в том, что нам нужно Зеркало. Аналитики дают тридцать процентов за Зеркало, двадцать за оборотней и пятьдесят — на что-то, чего мы не знаем. Не переживай за парня раньше времени, возможно, что он тут вообще не при делах.

— За это спасибо, — искренне ответил я.

— Третье — у Ольги какие-то проблемы с нашими кровососами, — сказал Гесер. — Иди к ней, она хотела все обсудить.

* * *

СМС застигла меня перед дверью в кабинет Ольги. Я достал мобильник, глянул. Номер был незнакомый.

«Бабушки всю ночь судили да рядили. Нет согласия. Завтра ночью второй сход. Юлия Тарасовна».

Да что ж это такое! Мир стремительно несется к своему концу, а эти старые ведьмы не могут выбрать себе новую Прабабушку. Хотя бы временно! Все равно есть изрядный шанс, что никто из Шестого Дозора не переживет встречи с Двуединым.

Но нет, они будут снова и снова собираться и спорить, кто из них старее, вреднее и гадостнее!

Я спрятал телефон и вошел к Ольге. Великая стояла у окна и курила в открытую форточку. Дым вытягивался на мороз мощной серой струей.

— Это вредно и запрещено правительственными указами, — сказал я.

Ольга кисло посмотрела на меня. Спросила:

— В Париже был?

— Ага.

— Завидую. Я как-то там провела замечательнейший год...

— У меня получилось пять часов, но тоже было неплохо, — согласился я. — Что там с вампирами?

— А что там с ведьмами?

— Обсуждают. Этой ночью опять соберутся.

— У вампиров... Сложно все у вампиров. Дело в том, что Мастер Мастеров погиб.

— Все-таки Лилит! — воскликнул я.

— Нет, Антон. Ты удивишься, но вовсе не она. Про эту Лилит даже среди вампиров никто ничего не знал. Уточни у Завулона, кто она вообще такая была.

— Почему я?

— Завулон к тебе хорошо относится, — сказала Ольга без тени улыбки. — Нет, Мастер Мастеров был всего лишь трехсотлетним польским евреем.

— Еврейский вампир? — поразился я. — Как-то он лихо нарушил все талмудические запреты.

— Не спорю. Так вот, был это действительно сильный вампир, с одной лишь слабостью — алкоголизмом. — Ольга щелчком пальцев отправила окурок за окно, закрыла форточку и села за стол.

Я сел напротив и сказал:

— Какая-то чушь! Крепкий алкоголь их сжигает!

— Крепкий. Он довольствовался кровью сильно выпивших людей. Отчасти это его и сгубило.

— Напился и попал под поезд? — скептически предположил я.

— Хуже. Поругался с главой варшавского Дневного Дозора. С которым всегда был в приятельских отношениях. Кончилось дуэлью.

— Ой-ой... — сказал я.

— Вампир проиграл, хотя шанс у него был. Высший против Высшего, маг обычно посильнее, но вампир был поопытнее... Но проиграл, полагаю — поскольку был пьян. Попал под «серый молебен».

— Почему я не слышал? — удивился я.

— Потому что это было в одна тысяча девятьсот восемьдесят первом году. Поссорились они, кстати, на политической почве — глава Темных был убежденным коммунистом и поклонником Ярузельского, в то время как вампир...

— Ольга, стоп! — Я поднял руки. — Меня не интересуют политические взгляды вампиров тридцать лет назад. Почему у вампиров с тех пор не было Мастера Мастеров?

— Да потому что новый Мастер Мастеров появляется, убив предыдущего. А если предыдущий погиб не от руки вампира — то за звание нового должны сразиться не менее двенадцати Мастеров — и остаться должен только один. Они, конечно, с технической точки зрения уже мертвые, Антон. Только жить все равно хотят. Один идиот, который бросает вызов Мастеру Мастеров, рано или поздно находится. А вот двенадцать придурков, которые отправятся на смертный бой, — такого пока не нашлось. И еще лет сто может не найтись. Профит с этого поста никакой, разве что самолюбию льстит. А проблем — выше головы.

— Matka Boska, jak mógł Wampir-Żyd zginąć od «Szarego Nabożeństwa» Ciemnego komunisty? Jak w ogóle u ich w głowach to godziło się? — воскликнул я.

Ольга иронически покосилась на меня.

— Ты что, Антон, вчера «Петрова» на себя наложил?

— Ну да, — смутился я. — Французский я не знаю, но для простоты общения... Как ты узнала?

— Ты сейчас по-польски возмущался, — хмыкнула Ольга. — «Петров» ведь вколачивает не один язык, а пятнадцать самых употребительных. Надо же, никогда не думала, что польский входит.

— Но как все-таки его угораздило?! — Я ударил кулаком по столу. — Мастер Мастеров — еврей! Это ведь оксюморон! Иудей не имеет права пить кровь!

— Он был нерелигиозным, — сказала Ольга с улыбкой.

— А глава Темных — коммунист? Как у него все это уживалось с научным атеизмом?

— Он объяснял способности Иных исключительно с материалистической точки зрения. Антон, хватит возмущаться. Это уже случилось, причем давно. Вампиры не особо рвались выбрать нового Мастера Мастеров. Не хотят и сейчас. Через три дня они собирают Высокую Ложу, но я бы не питала лишних надежд.

— Ольга, почему так? — спросил я. — У Дозоров нет общего руководства, только региональное. У оборотней в принципе нет главных. У вампиров и ведьм вроде как есть... А по сути, нет, сгинули главные — и вроде все только рады.

— Потому что мы одиночки, Антон, — ответила Ольга. — Мы даже не волки, те живут в стаях.

— Чушь, чушь, чушь! — Я взмахнул рукой. — Знаешь, что мне вчера сказал Егор? Я его предупреждаю, что не надо

ехать. Предлагаю инициацию, чтобы он уже никогда не стал Зеркалом. А он говорит: «Да у какого человека тут могут быть сомнения, что тут выбирать-то!»

— Ну так он человек, — сказала Ольга. — Живой. Мятущийся. С идеалами и заблуждениями. А они — Иные. Вампиры. Нежить. И к тому же ты забываешь одну вещь, Антон. Именно вампиры, как мы теперь понимаем, считают себя самыми первыми Иными. Именно вампиры заключали договор с Двуединым. Может быть, они не так уж и рвутся с ним сразиться?

— Никто не любит кровососов, — кивнул я.

— Ты отстал от жизни, — сказала Ольга. — Их пиар-кампания была очень мощной, охватила почти все страны. Молоденькие девочки, если показать им настоящего вампира, сами с визгом кинутся к нему, подставляя шейку.

— Я тут недавно общался с молоденькой девочкой — она была не в восторге от вампиров.

— Так ее тетка сосала, — ухмыльнулась Ольга. — А был бы юный красавец, способный часами таскать ее на руках, — могло бы и иначе повернуться. — Она посерьезнела. — Пока мне помощь не нужна, Антон. Вампиры сидят в своем гнезде на Манхэттене...

— В Нью-Йорке?

— А где же еще? — удивилась Ольга. — Это их святыня! Мекка! Иерусалим! Там самое большое поголовье на душу населения, там самые старые ложи, клубы, салоны. Заведения легальные и нелегальные. Все там есть. Сейчас они будут судить и рядить, решать, что им выгоднее.

— И пить кровь.

— Да, конечно. — Ольга вздохнула. — Более того, поскольку сбор Мастеров в какой-то мере инициирован нами, я почти убеждена — им выдали дополнительные лицензии.

Я молчал.

— Жизнь — грязная штука, — сказала Ольга. — А жизнь после смерти — совсем уж мерзкая. Иди домой, Антон, и ложись спать. На тебе лица нет.

— Ведьмы тоже будут решать этой ночью, — сказал я. — Но я могу пока повозиться в архиве...

— Антон, ты работаешь в команде, — сказала Ольга. — Успокойся. Не пытайся успеть везде. Ты притащил Егора — молодец! Теперь отдохни хотя бы до вечера. Все думают. Все читают документы. Все расспрашивают самых старых Иных. Ты заслужил отдых.

Я встал и кивнул:

— Хорошо. Даже спорить не стану. Но займитесь особо этой вампиршей, которая писала мне послания из инициалов укушенных. Она ведь ухитрилась прогнать Двуединого, верно?

— Ею занимаются, не сомневайся. — Ольга нахмурилась. — Во всех направлениях работают. А твое направление сейчас — к постели.

— Слушаюсь, — сказал я.

* * *

Вообще-то я мог открыть портал даже из офиса Дозора. Или со двора.

Но я сел в завулоновскую машину, отъехал, припарковался на обочине возле магазина фермерских продуктов и импортного алкоголя. Это была зона платной парковки, но я решил, что Великий Темный не обеднеет.

В магазине я приобрел бутылку вина (вино было не лучшим, но искать хороший винный не хотелось), два килограмма отменной говядины, молоко-творог-яйца-колбасу, кило яблок, свежего хлеба, понемногу разных сортов оливок и острых перчиков, фаршированных сыром.

Потом я вышел из магазина, достал телефон и спрятал в бардачке машины, отошел с тротуара в узкий пустой проулок, закрыл глаза, представил требуемое место, произнес требуемые слова и подался вперед, в открывшийся передо мной портал.

— Папочка! — радостно взвизгнула Надя. — Ура! Папа пришел!

— И подарки принес, — сказал я, открывая глаза. На мне немедленно повисла Надя. — Ну, я же мокрый и холодный! Погоди секунду!

— Я соскучилась, — ответила дочь. — И не хочу ничего ждать.

Портал в убежище провешивала Надя. По ее уверениям, отследить его не было никакой возможности. Но я все-таки не собирался этим злоупотреблять. Я обнял дочь. Через мгновение подошла Светлана, укоризненно сказала:

— Я уж думала, ты не решишься нас навестить.

— Меня Ольга отослала домой, велела отсыпаться. Я решил, что дом там, где вы.

— Правильно решил, — подтвердила жена, обнимая нас обоих.

— Пакеты уроните! — воскликнул я.

— Пакеты на кухню! — скомандовала Светлана. Надя, обиженно надув губы, подхватила пакеты и понесла их «на кухню», то есть в нишу за занавеской.

— Хлеб, молоко, мясо, — гордо сказал я.

— Овощи принес? — деловито спросила Светлана.

— Овощи? — растерялся я.

— Ну да. В земле такие штуки растут, я их в суп кладу. Морковка, лук, картошка...

— Про овощи не подумал, — признался я. — Но я взял два кило хорошего мяса. Могу пожарить стейки! И кило яблок.

— Хотя бы помидоры? — спросила Светлана.

Я виновато развел руками. Попытался оправдаться:

— Но зато я взял колбасу, масло, яйца...

— В общем — все, где имеется холестерин, ты не забыл, — улыбнулась Светлана. — Ну хоть бы помидоров взял! Салата!

— Кому он нужен, этот салат! — возмутился я. — Да что вы все о еде? Новости вас интересуют?

— Ты есть хочешь? — спросила Светлана.

— Хочу, — признался я. — Хотя меня вчера в самолете хорошо кормили, да еще я в Париже немного перекусил.

Во взгляде Светланы появилось то ли восхищение, то ли возмущение.

— Я вижу, ты ведешь активную жизнь! Дорогой, почему ты не летаешь в Париж, когда я дома и могу что-то попросить?

— Вот, — сказал я, расстегивая куртку и доставая из кармана коробочку. — Что еще может привезти из Парижа бедный командированный? Два пузырька настоящих французских духов...

— Этот мой, этот мой, это самый модный запах сезона! — воскликнула Надя, хватая коробочку.

— С чего это вдруг? — возмутилась Светлана. — Я тоже хотела этот запах!

— Спокойно, второй точно такой же! — торжественно сказал я, доставая вторую коробочку.

Жена и дочь синхронно повернулись ко мне. Потом посмотрели друг на друга.

— Мужчины! — вздохнула жена.

— А ведь это папа. Он еще из лучших! — поддержала Надя.

— Да что же это такое! — возмутился я. — Вы обе хотели эти духи! Я привез каждой из вас по флакону! Что неправильно?

Они переглянулись снова. Надя покачала головой. Светлана сказала:

— Пошли, буду тебя кормить.

* * *

Обед вышел вкусным. Светлана приготовила то, что итальянец назвал бы «спагетти болоньез», но в них было слишком много мяса, так что скорее это были «макароны по-флотски». Пока я ел, Светлана смотрела на меня, потом сказала:

— Ольга права, тебе надо отдохнуть. Ты похож на...

— Алкоголика? — спросил я настороженно.

— Нет. На лирического героя Гребенщикова. Из песни «Мама, я не могу больше пить».

— Блин, — сказал я. — Что-то все мой вид ругают. Буду пить молоко. — Я поймал взгляд дочери. — Хочешь что-то спросить?

— Папа, а ты не знаешь, сольный диск Гарри Стайлза вышел? Сегодня должны были объявить.

— Это кто? — не понял я.

— Ну, папа! Это парень из «Уан Дирекшн». Самый клевый из них.

— Свет, Тьма и Сумрак! — воскликнул я. — Да откуда же я знаю? Я даже про новый альбом «Пикника» узнал через месяц после выхода!

— Ну спросил бы Кешку, — надулась дочь. — Ты его видел, нет?

Я хмыкнул.

— Да, видел. Надюша, если ты хотела узнать, как поживает твой друг, надо было просто спросить. А не интересоваться всякими Биберами и Тимотями.

Надя стремительно покраснела.

— С ним все в порядке, — сказал я, выдержав воспитательную паузу. В конце концов, Кеша очень славный парень, а я его, можно сказать, с детства знаю. Далеко не худший приятель для юной девушки, Иной, Светлый, из хорошей семьи... При чем тут семья? Хороший парень, и все тут. — Давайте я все расскажу по порядку. Масса информации.

И я принялся за рассказ.

Про встречу с Кешей. Про визит Евы-Лилит. Про появление Тигра. Про разговоры с Киллоран. Про то, что мне подчистили память. Про визит в Париж и Егора, приехавшего в Москву.

— Бедный мальчик... — ахнула Светлана. — Антон! Ты серьезно? Ты... ты привлек его к операции Дозоров? Зная, что он может стать Зеркалом и исчезнуть?

— Весь мир может исчезнуть, — пожал я плечами. — Я отговаривал. И он давно уже не мальчик. Лучше посоветуйте, что еще стоит сделать? Все Дозоры, не говоря уже про Инквизицию, копают сейчас во всех направлениях. Но может быть, что-то мы упускаем?

— Гляди, папа. — Надя, давно оправившаяся от смущения, взяла листок. — Я тут записала, пока ты рассказывал. Все данные, которые мы имеем. Пророчества, информация от Киллоран, информация от Лилит... Папа, я правильно поняла — это как раз та вампирша, которая писала тебе послание инициалами жертв, притворялась Киллоран?

— Да, — кивнул я. — Почти наверняка.

— И ты полагаешь, это та вампирша, которую когда-то поймал и которую развоплотили?

— Я уже и не знаю, дочь. Вначале мы исходили из того, что, раз послание укусами гласит: «Пришла я», то это вампирша. Но если Антон Го — это действительно было начало «Антон Городецкий», то «Пришла я», по-моему, скорее «Пришлая». «Пришлая сила ждет». Но с полом мы угадали... ведь Киллоран...

Я задумался. Махнул рукой:

— Не знаю, Надюша. Раз это была маскировка — то откуда мы знаем, кто за ней был? Ничего нельзя сказать. Но я чувствую тут какое-то сильное личное отношение.

Надя очень серьезно сказала:

— Предчувствиям даже люди должны доверять, а мы — особенно. Папа, ты видишь, что все сводится к вампирам?

Я кивнул:

— Как тут не увидеть. Двуединый — это их бог. Проявился через Светлого и Темного, как я понимаю — воплотился в них, «надел» на себя. Примерно так же Сумрак использует Зеркало. Информацию мне пыталась донести вампирша — причем до появления Двуединого. И она же смогла нас защитить от него, что очень странно, конечно. Потом еще дала кучу данных в образе Киллоран. И еще много всего нам сообщила Лилит. А она, похоже, была самой старой вампиршей на планете.

— Все крутится вокруг вампиров, — согласилась Светлана. — У нас умная дочь, Антон... Будешь вино?

— Нет, — твердо сказал я. — Молока.

Светлана встала, отправилась к «кухне». Надька продолжала сидеть, забравшись с ногами на стул и едва ли не грызя ноготь. Размышляла. Блин, какая у меня уже большая и умная дочь! И какой же она при этом маленький глупый ребенок!

— Я думаю, папа, самое полезное сейчас — попытаться понять всякие дополнительные детали пророчества, — сказала Надя. — Я думаю, это самое главное.

— Почему? — заинтересовался я.

— Потому что дьявол всегда в деталях, — очень серьезно ответила она. — Пап! А дьявол вправду есть?

— Ты еще спроси, есть ли Бог, — попытался отшутиться я. Но Надя требовательно смотрела на меня, и я неохотно ответил: — Не знаю. Но старые Иные не любят его поминать. Как и Господа, впрочем. Это важно сейчас?

— Я отвлеклась, — признала Надя. — Папа, я что хочу сказать... Если нам надо собрать какой-то Шестой Дозор — нам ничуть не помогут главы всех Дозоров, вампиров и всех прочих.

— Почему? — спросил я.

— Потому что не соблюдены детали. Ты забыл, пап? Ну, поймут сейчас, кто там главный у вампиров и ведьм, всех вычислят, назначат. И что с того? Ведь надо, чтобы все были связаны кровью!

— Это можно толковать расширенно, — сказал я. — Света, ты мне молока нальешь?

— Так ты серьезно? — удивилась жена. — Сейчас.

— Наверное, можно и расширенно толковать, — согласилась Надя. — Только кровь должна быть. Теперь смотри... Главный от Света — это я.

— С какой стати? — возмутился я.

— А кто же еще? Кто имеет больше прав выступать от имени Света, чем Абсолютная Светлая? — спросила Надя.

— Ты нос не задирай, — посоветовал я. — Даже если будешь выступать, то попросим тебя представителя назначить.

Надя фыркнула.

— Темный... Ну, не знаю. Вампир, понятно. И ведьма.

— Вот последний пункт никто не понял, — пожаловался я. — Что это за сторона такая? «Основа, фундамент»...

— Пророк, — сказала Надя.

Я оцепенел, глядя на нее.

— Помнишь, ты еще книжку читал? «Основание». Фантастика про пророков.

— Про психологов, — поправил я машинально. — Ну или предсказателей, если хочешь...

— Короче, пророк, — кивнула Надя. — Их и так не много, а сильных — совсем мало. Они основа всего, они же будущее не предсказывают, а лепят. Но еще важно про кровь, верно? Разве Гесер как-то связан кровью с Глыбой? Никак. Значит, они не годятся.

— Ты тоже никак с Глыбой не связана, — напряженно сказал я.

— С ним нет, конечно. А с Кешкой — теперь связана.

Мне показалось, что повисла ледяная тишина, когда Надя закончила:

— Кровью.

За моей спиной звякнуло. Я повернулся, посмотрел на Свету. Та опустила стакан, полный молока, на столик и напряженно, вполоборота, смотрела на Надю.

— Как... когда? — спросил я.

— Давно уже. Два месяца назад.

— Это... — Я удержался от нелепой фразы «Этого не может быть» и закончил: — Это слишком рано, Надя.

— Так получилось. — Она с полнейшим спокойствием пожала плечами. — Мы как-то спонтанно решили.

— Надя, ты не в том возрасте, чтобы спонтанно... Или не спонтанно! — едва сдерживаясь от крика, сказал я.

— Почему не в том? — удивилась Надя. — По-моему, даже Том Сойер с Геком Финном, хотя они младше меня...

Мне показалось, что я схожу с ума. И, похоже, не мне одному.

— Том Сойер? С Геком Финном? — воскликнула Светлана. — Это какое-то очень прогрессивное прочтение!

— Во-первых, Том Сойер и Гекльберри Финн — вымышленные персонажи, — сказал я, пытаясь сохранить хладнокровие. — Во-вторых, ничего подобного нет и быть не может!

— Вы о чем? — спросила Надя, глядя то на мать, то на меня.

— А ты о чем? — уточнил я.

— Я — о кровном братстве, — сказала Надя. — Мы с Иннокентием поклялись на крови и расписались кровью...

— Детский сад... — сказал я и расхохотался. — Надька, какой же ты ребенок!

За спиной забулькало — я снова повернулся и увидел, как Света наливает в стакан коньяка.

— И мне! — попросил я.

— Ты же хотел молока, — уточнила Света.

— Молоко — детям!

— Пап, мам, вы что — решили, будто я про секс? — холодно спросила Надя. — Что мы с Иннокентием сексом занимались?

— Ничего мы не решили, — сказала Светлана, подавая мне стакан. — Мы просто не поняли, о чем ты говоришь.

— Сексом мы решили пока не заниматься, — успокаивающе сказала Надя. — Кеша считает, что это помешает раскрыться нашему магическому потенциалу.

Я залпом выпил коньяк.

— Хотя я думаю, это он зря, — задумчиво продолжила Надя. — Мне кажется, что он просто немного трусит!

Я взял из рук Светланы стакан молока и выпил вслед за коньяком. Сказал:

— Вы молодцы. Я очень рад, что вы такие разумные молодые люди.

На этом можно было и остановиться, но в глазах у Нади было слишком много ехидства, которое ей не удалось скрыть.

— Но все-таки вы совсем молоды, — продолжил я. — Поэтому мама сегодня поговорит с тобой о том, что должна знать юная девушка.

— Обязательно, — сладким голосом сказала Света. — Мы начнем, наверное, с тычинок и пестиков, но потом обговорим все серьезно.

— Мама! — воскликнула Надя.

— А я поговорю с Кешей, — добавил я. — Если, как ты говоришь, парень немного трусит... На эту тему с ним должен был бы поговорить отец, но поскольку он с семьей не живет — побеседую я. Бедняжке наверняка хочется выговориться, узнать, что происходит с его организмом, а не с кем...

— Папа! — завопила Надя. — Замолчи-замолчи-замолчи!

— Будешь еще троллить стариков-родителей? — спросил я.

Надя надулась.

— Наверное, я даже куплю ему энциклопедию для мальчиков... — произнес я.

— Не буду! — сказала Надя. — Я не буду больше! Но вы сами виноваты, что вы сразу об одном думаете? И еще про детский сад говорите!

— А о чем могут думать родители девочки твоего возраста? — спросил я. — Твоя ровесница к приятелю на всю ночь шла, когда на нее вампир напал.

— Ну и дура, — хмуро сказала Надя. — Тем более Кеша на самом деле считает, что это мешает магическому развитию...

— Про кровь — правда? — спросил я, уходя от скользкой темы.

— Да. Мы с Кешкой на самом деле... Ну, такую клятву дали... — Надя опустила глаза.

— А говорила — порезалась, когда салат делала, — вспомнил я Надю с пластырем на пальце. — Дурдом «Солнышко».

— Может, и дурдом, — отозвалась Светлана. — Но наша дочь права, Антон. Требование о кровной связи — важно. Возможно, эта связь может быть любого рода, но она обязана быть.

— Пусть команда после сбора поклянется на крови, — предложил я. — Как Надя с Кешей.

— Я не думаю, что это сработает, — сказала Светлана. — Ты же сам знаешь, Антон, такие требования — это некая условность. Игра. Но с четкими правилами. «Кровное братство», сотворенное так просто и грубо, не сработает.

Я не стал спорить. Светлана чувствует такие тонкие вещи лучше меня. Именно чувствует, не знает.

— Тогда я совсем ничего не знаю, — устало сказал я. — Кровная связь. Приехали. Пусть господин Глыба меня усыновит, и мы пойдем на дело...

— Ложись спать, — сказала Светлана, положив руку мне на плечо. — Тебе надо отдохнуть.

— А вы что же, будете подстраиваться под меня? — воспротивился я. — Сейчас день еще.

— Ты нам не помешаешь. Ложись поспи, мы с Надей телевизор посмотрим.

И я не стал спорить.

* * *

Сон мой был крепок и спокоен. Без сновидений — лживых друзей пытающегося постигнуть будущее и без кошмаров — честных врагов того, кто знать не желает о грядущем. Просто сон.

Лишь перед пробуждением он обернулся порцией сновидений, не тянущих ни на кошмар, ни на предвидение.

Вначале я стоял в своей московской квартире, а через окно в нее пытался залезть Гесер. Нет, он не левитировал, не обзавелся крыльями. Его привезла пожарная машина на выдвинутой лестнице. Гесер взгромоздился на карниз и с ухмылкой махал мне рукой.

Во сне мне показалось совершенно естественным и то, каким путем он прибыл, и его цель — выпить со мной.

Но пока я шел к окну, чтобы впустить Гесера, тот каким-то образом с карниза слез — и теперь висел под окном, цепляясь за карниз кончиками пальцев. Я открыл окно, попытался его вытащить — но шеф был слишком тяжел. О магии я даже не подумал, словно ее и в помине не было. Тогда я пошел за веревкой, чтобы обвязать Гесера и втащить в квартиру, но когда вернулся — увидел выпученные перепуганные глаза шефа и соскальзывающие с карниза пальцы. Через миг, повинуясь законам сна, я сам вместо Гесера падал вниз — несся вдоль стены высотного дома.

Однако и сейчас никакого ужаса я не испытал. Зато с любопытством смотрел в окна.

Женщина подводит губы перед зеркалом. Женщина красивая, совершенно обнаженная, но в ярко-красных сапогах и галстуке-бабочке красного цвета.

Двое немолодых мужчин играют в карты. Карты какие-то странные, с мелкими многоцветными картинками и текстом. Перед мужчинами на столе помимо карт — крошечные существа. Люди в странных одеждах и с холодным оружием, монстры — все не выше десятка сантиметров, прыгают и машут руками, сражаются, падают...

Пожилой, интеллигентного вида человек в профессорских очках кормит сидящего на кухонном столе стрижа кузнечиками.

Две маленькие девочки, сидя на полу, раскачиваются и меланхолично колотят друг друга куклами. Куклы растрепаны, девочки тоже, пожалуй, им уже должно быть больно и пора плакать — но детские лица сосредоточенны и невозмутимы.

Толстый лысый мужчина курит трубку, стоя перед огромным шкафом-витриной, внутри которого — Карлсоны. Самые разные фигурки, всех цветов, размеров, материалов.

Мальчишка-подросток стоит и разговаривает с матерью. В какой-то миг поворачивается ко мне — я вижу, что это Егор, такой, каким я его первый раз встретил.

Открыв глаза, я некоторое время лежал без движения. Спал я, пожалуй, часа два-три. Если бы чуть больше или меньше — чувствовал бы себя сейчас невыспавшимся. А вот два-три часа — самое правильное время сна, чтобы освежить тело и сознание. Ненадолго, к сожалению, — на полдня.

В комнате было темно, только плясали те слабые разноцветные отсветы, что дает включенный телевизор. Едва-едва слышно бормотали голоса — Света и Надя что-то смотрели.

Вот же странная вещь эти сны! Ну к чему мне снился падающий Гесер? Да еще и лезущий в окно, чтобы со мной выпить! А эти странные люди и события в пролетающих мимо этажах? Маленький Егор?

Нет, если постараться — то всему можно найти объяснение. Гесер пытается наладить со мной человеческие отношения, но это все время срывается из-за моей слабости и нежелания протянуть ему руку навстречу.

Голая баба в красных сапогах и галстуке — тут все банально, по Фрейду. Секса хочу. С развратной незнакомкой.

Мужики с картами и монстрами-человечками... Это Двуединый. Играет нами, как марионетками.

Профессор, кормящий стрижа кузнечиками? Это... это... ну, допустим, тщетность бытия. Рожденный прыгать — летать не может. Разве что в чьем-то желудке.

Девочки колотят друг друга — это Дозоры бьются.

Маленький Егор — мой комплекс вины перед ним.

Вот только лысый мужик с трубкой и Карлсонами остался неистолкованным. Ну, спишем на шутки подсознания.

К примеру — это моя глубоко затаенная мечта. Быть толстым, лысым, курить трубку и собирать коллекцию Карлсонов...

Бормотание телевизора сменилось той бодренькой музыкой, что идет на титрах. Потом я услышал негромкий голос жены:

— Хорошее кино. Любимый фильм моего детства.

— Только очень уж древнее, — скептически ответила Надя. — Без «три-дэ».

— Тогда «три-дэ» не было, — сказала Светлана.

— А цвет уже был? Или это потом раскрасили?

— Цвет был, — спокойно сказала Света. — Еще в ту пору дети были лучше воспитаны и не старались блеснуть в разговоре с родителями дешевым остроумием.

— Ну, мама... я честно спросила! Вот то кино, что мы вчера смотрели, про детский лагерь, оно же черно-белое...

— Наденька, не считай себя хитрее родителей. Я тоже была девочкой и прекрасно помню все мысли, что сейчас роятся в твоей голове. Поверь, умных там — не много.

— Мам...

— Ты зачем нас с отцом пугала?

Наступила короткая пауза.

— Я... я ради шутки.

— Вот не шути так больше. Ладно?

— У меня переходный возраст. Мне положено так шутить.

— Положено только прыщами покрываться. Все остальное по желанию. Неужели ты не понимаешь, что отец...

Я шумно вздохнул, потянулся. Сел на кровати.

Жена с дочкой и впрямь сидели у телевизора.

— Долго я спал? — спросил я с напускной тревогой.

— Разве ты куда-то торопился? — удивилась Светлана.

— Нет. Но я здесь от всего изолирован. Как и вы. А если Гесер меня ищет?

Светлана скептически покачала головой.

— Вот уж поверь, Гесер нашел бы способ до тебя достучаться, несмотря ни на какую изоляцию. Приснился бы тебе, в конце концов.

— Приснился бы, — согласился я. — Ага.

Я встал, отправился в ванную комнату. Вышел через минуту, вытирая лицо полотенцем.

Светлана понимающе смотрела на меня.

— Что, и впрямь?

— Приснился, приснился, — подтвердил я. — Вот сейчас проверю. Когда вас навестить?

— Сейчас почти восемь вечера, — сказала Светлана. — Ты к нам придешь...

Она на миг замолчала. Мы с Надей переглянулись. У Светланы не так уж часто случались предвидения, но уж если они касались семейных дел — то выполнялись безупречно.

— Придешь к нам в час после полудня, — сказала Светлана с короткой заминкой. Ее лицо стремительно побледнело. — Да. В час... в час дня. Завтра.

Мы с ней все поняли.

Я приду к семье завтра в час. Обязательно приду. Конечно, если буду жив. А это, похоже, вовсе не обязательно.

— Ну, до завтра, — сказал я.

Света кивнула. Прошептала одними губами: «До завтра».

— Пока, пап! — откликнулась от телевизора Надя. — И я не согласна тут сидеть весь остаток детства!

— Хорошо, учту, — откликнулся я, не сводя глаз со Светланы. — Кеше передать привет?

— Ну, пап! — возмутилась дочь. — Проехали уже!

— Я серьезно.

— Тогда передай, конечно, — настороженно ответила Надя.

Я кивнул Светлане.

— Пока. Я захвачу завтра картошку.

Света улыбнулась. Через силу, но улыбнулась. Сказала:

— И лук.

— И даже морковку, — пообещал я. — Все будет хорошо. Я себя замечательно чувствую. Бодр и готов на подвиги.

— Это мы с мамой тебя накачали Силой, — похвасталась Надя. — Я собирала, мама вливала.

— Как же я удачно устроился! — воскликнул я, открывая проход. — Сам себе завидую!

Телефон, казалось, зазвенел еще в тот миг, когда я шагал через портал.

Глава 5

Ночью офисный центр бодрствовал, как и днем. Такие же девушки сидели за стойкой в вестибюле, такие же охранники попадались на пути, такие же неприметные восточного вида женщины в униформе мыли полы и терли панели стен.

— Какая бодрящая бизнес-атмосфера! — сказал я. — А?

— Ты и впрямь бодр, как я вижу, — буркнула Ольга.

— Слушай, ты же сама велела мне идти отдыхать!

— Велела, — мрачно признала Ольга. — И получила от Гесера взбучку по полной программе. Особенно когда он понял, что не может тебя найти.

— Лучше всех спрятанный, — сказал я. — Горжусь собой.

— Гордиться не стоит, Гесер почти дотянулся. Он сказал, что слышит твой сон. И будь у него несколько дней — он бы тебя достал.

Мы вошли в лифт, я покачал головой:

— Плохо. Очень плохо. Значит, и этот... как его... Двудольный...

Ольга фыркнула.

— А! — Я хлопнул себя по голове. — Двуединый!

— Да уж, он не слабее Гесера, — вздохнула Ольга. — Но он хуже знает тебя, Свету, Надю. Ему будет труднее их обнаружить.

— Ты так говоришь, словно уверена — это не наш друг и не наш враг. Это уже нечто совсем другое.

— Так и есть, Антон. Сумрак их выпотрошил и наполнил заново. Одна видимость.

— Почему тогда не мы? Почему мы со Светланой не стали инструментом Сумрака? Надя даже сопротивляться бы не стала, не поняла бы, что случилось.

Я сказал это — и сам похолодел. Представил, как что-то безжалостное, непреклонное, непреодолимое стирает меня, мою личность. Или — хуже того — оставляет ее где-то на дне души биться и орать в бессильном ужасе...

И «я» — этот выпотрошенный и переделанный «я» — иду и вместе с такой же фальшивой Светой убиваю Надежду...

— У всего есть правила, — сказала Ольга. Лицо ее было как всегда жестким, непреклонным. — Видимо, этого он сделать не может.

— Почему?

— Может быть, он не в силах воплотиться в тех, кого ему требуется убить. Может быть, в том, кто станет воплощением Сумрака, изначально должна быть какая-то черта.

Я кивнул. Наверное, она была права.

Лифт остановился, мы вышли в холл. Прямо к мрачным охранникам Дневного Дозора — два боевых мага и оборотень.

Видимо, в целях экономии времени на трансформацию оборотень уже был в образе здоровенного волка.

— А если кто чужой заглянет? — укоризненно спросил я, кивая на волка.

— У нас на него документ есть, — приветливо ответил один из магов. — Ирландский волкодав. Прошел курс обучения охранной службе.

— Хотя на самом деле не смог, понимания не хватило, — вздохнул второй маг.

Оборотень зарычал. Маги засмеялись. Что ж, Темные — они такие. Темные.

Нас ждали и даже не стали утруждаться проверкой документов, отпечатков пальцев и прочих аур. Точнее, наверное, все проверили — но незаметно для нас. Может быть, еще в лифте — как-то долго он поднимался.

Девушка-маг с восточной внешностью (японка? кореянка? китаянка?) провела нас от приемной до кабинета Завулона, открыла дверь, впустила и осталась снаружи. Выглядела девушка милой и невинной, но я чувствовал, что она — боевой маг второго уровня, причем маг старый, опытный и навоевавшийся вдоволь. Раньше я про нее не слышал, Завулон вытащил ее откуда-то издалека.

— Антон! — Великий Темный дружелюбно улыбнулся, вставая из-за стола. — Как я рад тебя видеть! Ольга! Прекрасно выглядишь!

Я с любопытством огляделся. Если своих сотрудников Завулон посадил в стеклянный аквариум, если для переговорного зала выбрал интерьер поспокойнее, то уж свой рабочий кабинет он сохранил в стиле английского классицизма.

Деревянные панели стен (и заклинаний в это дерево закачано столько, что они едва не трещат от рвущейся наружу Силы). Потолок — тоже панели темного дерева и старинные тканевые обои. Мебель древняя, наверняка какого-то известного мастера, вот только я из всех мастеров знаю лишь Чиппендейла, да и то из-за мультика.

Окна в кабинете прикрывали пышные шторы из красного бархата с кистями — наверное, последнее, что ожидаешь встретить в современном бизнес-центре из стекла и металла.

У Завулона уже был гость — очаровательная рыжая девушка в строгих круглых очках. Девушка была в сером брючном костюме, делающем ее похожей на бизнесвумен, но — очень привлекательную и сексуальную бизнесвумен.

Плохо было только то, что женщине было двести с лишним лет, из которых два века она была мертва.

— Екатерина, — коротко сказал я, кивая Мастеру вампиров Москвы.

— Антон. — Она улыбнулась уголками губ. Потом нахмурилась. Демонстративно принюхалась. Встала, плавным движением переместилась (это слово куда вернее описывает процесс, чем «подошла») ко мне.

— Аккуратнее, милая, — сказала Ольга холодным как лед голосом.

— Не держи меня за дуру, Великая, — ответила Екатерина, даже не глядя на Ольгу. Она наклонила голову к моей шее, несколько секунд внимательно смотрела на кожу.

— Все увидела? — спросил я.

Екатерина сдвинулась от меня к столу. Присела на обтянутую выцветшей зеленовато-бронзовой кожей столешницу. Во взгляде у нее было совершеннейшее непонимание.

— Кто? — спросила она. Мне показалось, что в голосе Мастера вампиров — зависть и восхищение. — Кто, Высший?

— Не важно, — ответил я. — Уже совершенно не важно.

— Поняла. — Екатерина кивнула, не отводя взгляда от моей шеи. — Но все-таки как... необычно.

Я покосился на Завулона. Что сталось с его протеже, я раньше Темному не сообщал. Но лицо Великого оставалось бесстрастным. То ли знал, что древняя вампирша мертва. То ли ему было все равно. То ли он привык скрывать любые эмоции.

— Не любишь ты нас, — сказала Екатерина с ноткой грусти в голосе. — Не уважаешь.

— Ну почему же, среди моих друзей даже были вампиры, — ответил я.

— Наслышана, — кивнула Екатерина. — Вот только заканчивали они все одинаково.

— Мы все заканчиваем одинаково, — уточнил я.

— Брейк! — Завулон хлопнул в ладоши. — Я бы с удовольствием послушал вашу пикировку, но у нас не так много времени... сколько, кстати?

Екатерина изящным движением приподняла руку, глянула на что-то из розового золота и бриллиантов, опоясывающее ее руку и по недоразумению называемое часами.

— Сбор начнется через десять часов. Это же Нью-Йорк, а у нас все важные события традиционно привязываются к полуночи. Если я лечу самолетом, то мне пора в аэропорт, Завулон.

— Я открою вам портал, — сказал Темный.

— Насчет «нам» мы еще не договорились, — глянув на меня, сказала Екатерина. — Это не было насмешкой или пикировкой. Все вампиры, которые связывались с этим юношей, плохо кончали.

— Это ваш гребаный вампирский бог пытался убить мою семью, — сказал я. — У меня есть право быть раздраженным.

Екатерина фыркнула.

— Я не сторонница давних преданий, диких божков и древних заветов. Как по мне — так пусть Двуединый провалился бы в ад. Меня устраивает моя... — она на миг запнулась, — ...моя послежизнь. Красивые парни, сладкая кровь, современное искусство. Я еще не досмотрела «Касла», знаете ли!

Ольга за моей спиной тихо засмеялась.

— Вот для того, чтобы мир не провалился в тартарары, нам и надо выбрать Мастера Мастеров, — сказал я.

— Хозяина Хозяев, — поморщилась Екатерина. — Зачем использовать английское слово? Оно прекрасно переводится. Мы засоряем свой язык англицизмами не в меру.

Держите меня трое, двое не удержат! Я не многое знал про Екатерину, и сейчас она открылась мне с новой стороны. Хозяйка московских вампиров была русской патриоткой! Ну по крайней мере лингвистической патриоткой!

— Хозяина Хозяев, — согласился я. — Мы хотим в этом помочь.

— Как? — спросила вампирша. — Нас там соберется полсотни Хозяев. Я, сразу скажу, на главную роль не претендую. Не потяну. Но ты же знаешь, как у нас выбирается Хозяин Хозяев?

— Знаю, — сказал я.

— Тогда вы понимаете, что никто из наших не горит желанием умирать... окончательно.

— Но ведь тогда умрут все, — сказал я. — Люди, звери...

— Мышки, птички. — Екатерина фыркнула.

— Вы что, не верите?

— Верю, Антон. — Вампирша чуть подалась вперед, глядя мне в глаза. — Это... наши... сказки. Наши... темные... сказки. Мы... помним... бога... Света и Тьмы...

— Но если все равно умирать!

— Даже тогда хочется прожить на несколько дней больше. — Екатерина улыбнулась. — К тому же на миру и смерть красна. Поверь, куда легче умереть, зная, что вместе с тобой умирает весь мир.

— Серьезно? — спросил я.

Вампирша смотрела мне в глаза. Потом отвела взгляд. Ворчливо сказала, сразу утратив иллюзию молодости:

— Ничего не выйдет. Никто не согласится. Я могу вас взять с собой. Обстоятельства чрезвычайные, я найду объяснение своим действиям. Но это ничего не даст!

— Попробуем! — с неожиданной теплотой в голосе сказала Ольга. — Ну, Катюша... нам ли вешать нос?

— Да пошла ты, хитрая... — Вампирша махнула рукой и не договорила. — Все брыкаются, но без толку. Светлая, мне нужно три лицензии.

— Хорошо, — сказала Ольга спокойно.

— Мужчина лет двадцати пяти, спортивный, накачанный, — продолжала Екатерина. — Только чтобы не употреблял стероиды, я здоровье берегу.

Завулон с любопытством смотрел на меня. Я зевнул, посмотрел на Екатерину.

— Второй... пусть будет кавказец. Горячий, молодой. Лет восемнадцати-двадцати. Ну и мальчишечка, лет пятнадцати-шестнадцати. Блондин. Обязательно девственник.

Ольга тем же спокойным голосом ответила:

— Еще какие-то пожелания?

— Ну, ты же знаешь мои вкусы. — Екатерина пожала плечами. — Разве что... пусть все будут в пределах Центрального округа, у нас времени мало.

— Я знаю твои вкусы, — согласилась Ольга.

Она запустила руку в сумочку, вынула стопку бланков. По-моему, там их было семь или восемь. Ольга отделила три и протянула вампирше.

— Эх, поскромничала я! — вздохнула Екатерина, провожая оставшиеся листки разочарованным взглядом.

— Как ты верно заметила, у нас мало времени, — напомнила Ольга.

— И то верно, — кивнула Екатерина. — Что ж... пока...

Вампирша двинулась к выходу.

— Через восемь часов на этом месте, — сказал Завулон негромко. — И учти, если опоздаешь — я тебя приволоку в Нью-Йорк сам, к сроку, но другой дорогой. Она тебе крайне не понравится.

— Не опоздаю, — сказала вампирша не оборачиваясь.

Дверь за ней закрылась. Я огляделся, выискивая кресло поудобнее. И сел в то, что занимала вампирша.

— А ты изменился, — сказал Завулон, глядя на меня. — Действительно изменился.

Я пожал плечами.

— Прежний Городецкий мне нравился больше, — добавил Завулон. — Такой искренний в своей бескомпромиссности.

— Да ладно тебе, — сказала Ольга, садясь и вынимая сигареты. — Нравился... Прям сейчас расплачемся от умиления, Завулон симпатизирует Городецкому...

— И все-таки, Антон, неужели тебя не возмутило поведение вампирши? — продолжал допытываться Завулон. — Она сейчас прикончит двух молодых парней. А потом еще и мальчика!

— Мне очень жалко экологически чистого качка, горячего кавказского парня и невинного мальчика-блондина, — сказал я. — Но через несколько дней могут умереть все качки, экологи, кавказцы и блондины мира. Мальчики и девочки, старички и молодые. Поэтому если гибель трех невинных спасет мир — так тому и быть.

— Значит, так теперь ты решаешь проблему слезинки ребенка? — развеселился Завулон, откидываясь в кресле. — Так теперь ты смотришь на проблему Омеласа?

— Темный, хватит балаболить, — устало сказала Ольга. — Ты что, и впрямь какой-то гадости нанюхался? Ты болтлив и суетлив, Темный!

Завулон кивнул:

— Да, Ольга. Я суетлив и болтлив. Я чую впереди смерть, и мне страшно. Я не хочу умирать, Ольга. Потому я веселюсь как могу. И не сплю вот уже вторую ночь. Я закрываю глаза и вижу пустоту. Она меня ждет, Ольга.

— Нас ждет то же самое, — ответила Ольга. — Хватит истерить. Давай обдумаем все еще раз. У нас одна-единственная попытка.

— А что ж наш мудрый Гесер не пришел? — прищурился Завулон. — Его идея, а реализовывать нам?

— Он на шабаше, — ответила Ольга. — Будет уговаривать Бабушек выбрать Прабабушку.

— О! Ты рискнула отпустить своего мужчину в такое злачное место, полное развратных стару... — начал было Завулон. Замолчал, откашлялся. — Хорошо, замолкаю.

— Я сейчас за Гесера. Все, что он придумал, — он мне рассказал, — сказала Ольга, дождавшись, когда Завулон замолчит. — У нас восемь часов, верно? Предлагаю поработать четыре-пять часов, потом немного поспать. У тебя здесь найдутся кровати и душ?

— У меня тут даже русская баня и березовые веники найдутся, — ворчливо ответил Завулон.

Он встал, повернулся к стене — и деревянные панели вдруг разъехались, открывая огромный плазменный экран и флипборд, офисную доску, уже исчерканную маркером.

— Итак, в Нью-Йорке соберется сорок девять Мастеров... — начал Завулон. Покосился на нас. — Вы не против англицизма? Мне нравится слово «Мастер».

— Валяй, — сказал я.

* * *

Мы действительно плодотворно поработали четыре часа подряд. Никогда бы не подумал, что могу такое сказать, но работать с Завулоном было комфортно. Даже в чем-то легче, чем с Гесером.

Нам приносили кофе и чай, один раз — сандвичи и йогурт для Ольги. Несколько раз, когда требовалось что-то уточнить, появлялись референты и консультанты. Что удивительно — большей частью люди.

Конечно, у нас тоже существовал определенный круг доверенных людей. Мой давний приятель-полицейский был далеко не одинок. Целый ряд ученых, некоторые работали даже в офисе Ночного Дозора. Некоторые люди в правительстве и силовых структурах. Большинство не могло проговориться, их сковывала магия, но изрядная часть работала на доверии и сотрудничала с нами по идеологическим мотивам. Иногда я думаю, что если бы волки и овцы были разумны, то нашелся бы изрядный процент овец, сознательно помогающих волкам...

Но в Дневном Дозоре людей-вольнонаемных было еще больше. Причем, если я правильно считывал их мотивы, у кого-то они тоже были идеологические, но у большинства — абсолютно прагматичные. Кто-то получал от Темных деньги, кто-то — лечение, кто-то — долгожительство. Невзрачный мужичок, филолог, который консультировал нас в конце первого часа, вызвал неожиданно живой интерес и симпатию Ольги. Я пригляделся — на филологе висело ажурное, мастерски выполненное заклинание, привлекающее к нему женщин. Создавал его настоящий мастер: действовало оно только на совершеннолетних, а если филолог не проявлял к женщине интереса в течение нескольких минут, эффект полностью исчезал. А иначе за несчастным ловеласом волочился бы по улицам многокилометровый хвост из всех горожанок.

Магия сложна в первую очередь второстепенными деталями. Классический пример — царь Мидас, превращающий все, до чего дотрагивался, в золото. Детский пример — ученик чародея Микки-Маус, попытавшийся провести уборку магическими методами. Народный пример — анекдот про джинна, выполняющего три желания, и семью из папы, мамы и маленького сыночка, мечтавшего о хомячке...

Самые простые заклинания — это те, которые используются давным-давно. Они формализованы, описаны, непрерывно повторяются. Если верить в то, что это Сумрак выполняет наши желания, откликаясь на сформулированный словами, жестами или волей приказ (а я не вижу никаких альтернатив), то обычные заклинания — рутинная работа для Сумрака. Все равно что человек нажимает кнопки на калькуляторе и получает ответ. Конечно, в недрах микросхемы бурлит невидимая миру работа. Носятся микротоки, открываются и закрываются p-n-переходы, калькулятор трудолюбиво перелопачивает море информации, чтобы сообщить наконец: «2×2=4». И все довольны.

Но совсем другое дело, если человеку нужно то, чему калькулятор, да пусть даже суперкомпьютер, в принципе не обучен. «Берем число X и умножаем на число Z. Если результат превышает Y, то прибавляем к результату 5 и печатаем результат. Если результат меньше Y, то рисуем треугольник на экране».

Сложно?

Да ничуть в общем-то. Если знать хоть какой-нибудь древний «Бэйсик». Пишем программу, запускаем...

Не работает!

Провода проверили, питание проверили. Затылок почесали.

Выпили кофе.

Поняли!

Дописали еще одну строчку: «Если результат равен Y, то проигрываем марш Империи из фильма «Звездные войны».

Ну вот, теперь можно слушать тревожную бравурную музыку...

Заклинания – это одновременно и проще (никаких языков программирования знать не надо, мы «программируем» на обычных человеческих языках), и сложнее – потому что вариантов, которые надо предусмотреть, гораздо больше! Да и последствия могут быть куда печальнее. Возьмем простейший огненный шар, файербол, не при Хозяйке Екатерине будет сказано. Если не задать точно и однозначно его размер, точку возникновения, скорость и направление движения, время стабильного существования и факторы устойчивости – есть риск взорваться самому.

Про шаровые молнии слыхали? Это они, родимые. Файерболы, созданные начинающими Иными, как правило – дикими, никем не обученными, полными энтузиазма и уверенности в своей исключительности. Огненный шар и раньше был популярным заклинанием, а уж в наш век фэнтези и компьютерных игр – тем более. Вот и создают начинающие Иные файерболы, забыв уточнить, где именно те должны возникнуть...

А про самопроизвольные возгорания слыхали? Вдруг вспыхнул обычный человек – и сгорел дотла! Обычно это тоже файербол. Только на этот раз точку возникновения начинающий Иной представил — рядом с собой. Забыл задать вектор движения и время существования огненного шара...

— Городецкий?

Я посмотрел на Завулона.

— Осчастливь нас своим мнением, — насмешливо сказал Темный. — Ты погрузился в столь глубокие и серьезные раздумья, интересно, о чем?

— Об устройстве мироздания, — ответил я. — Завулон, мне кажется, хватит повторять. Мы все спланировали. Если получится — то получится. Давай поспим несколько часов.

— Ты накачан Силой под завязку, — небрежно заметил Завулон. — Мог бы и не спать.

— Мог бы. Но лучше посплю.

— Жена? — поинтересовался Завулон.

— Дочь. Жена направляла.

— Береги ее, — сказал Завулон неожиданно серьезно. — Твоя дочь уникальна, она — единственное, что мы можем противопоставить Сумраку. Ну и к тому же она на удивление умная и ответственная девочка для своего возраста.

Я откашлялся, пытаясь скрыть растерянность. Завулон выглядел совершенно искренним, и никакого заднего смысла в его словах я не видел.

— Даже не знаю, что тебе и сказать, Темный, — пробормотал я. — Но будь уверен, я ее берегу.

* * *

Говорят, что для создания любого портала, хоть на сто метров, хоть на десять тысяч километров, требуется одинаковая Сила. Я лично порталы еще не создавал, мне для этого не хватает способностей, но Наде я верю.

Сложность в создании порталов на большие расстояния — это обеспечить их точность. Никому не хочется выйти в грунт глубоко под мостовой или выпасть из воздуха метрах в десяти-двадцати над землей.

Выпасть метрах в ста, кстати, гораздо безопаснее. Тут уже можно успеть затормозить, использовав заклинание. Не слишком опытные маги порой специально выводят свои порталы высоко вверх.

Портал, созданный Завулоном, был настолько аккуратно притерт к поверхности, что я даже не почувствовал перепада высот, шагнув в него. Только уши заложило из-за разности давлений, и кожа мгновенно покрылась потом, реагируя на изменение температуры, влажности и всех прочих показателей, которые только есть в природе.

Все-таки мгновенно перенестись из Москвы в Нью-Йорк — не самое привычное дело для человеческого организма.

— Всегда ценила Завулона за стиль, — сказала Екатерина. — Высадил у входа в Эмпайр! Прямо на Пятой авеню!

Я кивнул, озираясь по сторонам. Портал Завулона и впрямь был хорош. Мало того что идеально «пригнанный» к тротуару, так еще и снабженный заклинаниями невидимости и отпугивания.

Никто из людей нас не видел, но маленький пятачок, где возник портал, все суетливо обходили. А людей, несмотря на близящуюся полночь, было полным-полно. Нью-Йорк, Манхэттен, Пятая авеню. Можно как угодно относиться к США вообще и к этому городу в частности, но то, что он никогда не спит, — это факт.

Люди шли, люди стояли и смотрели на здание, люди разговаривали по мобильным, люди ловили такси, люди курили, люди разговаривали на всех языках — мое измученное «Петровым» ухо ловило английскую, французскую, немецкую, китайскую, японскую речь. Было прохладно, конечно, но никак не сравнить с нашей зимой. Так, около нуля...

— Давно я тут не была, — сказала задумчиво Ольга. — Помню, когда только построили, стояло здание полупустым, никому не по карману было в нем офисы арендовать. Его тогда называли Эмпти-Стейт-билдинг... Эй, Катерина, нам куда?

Вампирша оглянулась. Была она бодрая, возбужденная, порозовевшая. Налитая.

— В главный вход. Там очень красиво, кстати.

— Здание тоже красивое, — согласился я. — Мне как-то казалось, что нью-йоркские небоскребы более уродливы.

Ольга тихо засмеялась:

— Так ты первый раз в Нью-Йорке? Не беспокойся, ты совершенно прав, в большинстве своем небоскребы уродливы. Эмпайр — редкое исключение с тех времен, когда люди ставили красоту выше выгоды.

— А оно всегда такое, кровавое? — спросил я, глядя на уходящий в небо небоскреб.

Эмпайр-Стейт-билдинг был подсвечен бордовым, темно-красным. Подсвечен густо и ярко — даже на тротуары, перекрывая разноцветие реклам, ложился кровавый отсвет.

— Нет, подсветка меняется, — сказала Ольга. — В зависимости от событий... Твои постарались, Катерина?

— Конечно, — с удовольствием сказала вампирша. — Когда мы собираемся на сход, Эмпайр красят в цвет крови. Раньше ложа собиралась в Оксфорде, но в тридцатые годы мы переехали сюда. Где сила и деньги, где ночь живет, там и мы.

— Не удивлен, — буркнул я.

Портал уже растаял, стало развеиваться и действие заклинаний. В основном прохожие нас огибали, но уже несколько человек едва не врезались в меня, а один уткнулся в Ольгу — и, растерянно извиняясь, двинулся дальше.

— А ты не хочешь узнать, как я погуляла? — спросила вдруг Екатерина, пристально глядя на меня. — Как думаешь, досуха я их выпила? Или позабавилась и отпустила?

— Мне все равно, — сказал я.

— Я выпила одного, — продолжала вампирша.

Вздохнув, я протянул руку и положил Екатерине на плечо. Та с восторгом уставилась на меня, даже чуть подалась вперед. Может, она подраться хочет? Серьезно, что ли?

— Катенька, — сказал я проникновенно. — Да мне все равно, совершенно все равно, чего, у кого и в каком количестве ты отсасывала. Выпила мальчишку? Выпила спортсмена? Выпила кавказца? Жалко, но твое право, лицензии ты получила. А теперь выполняй свою часть обязательств.

Екатерина мрачно смотрела на меня. Красные отсветы блестели на ее очках.

Зачем очки Иному? Тем более вампиру. Исключительно для форсу.

— Я считала, что у тебя серьезный психологический комплекс, связанный с нами, — сказала Хозяйка вампиров.

— Был. Вышел, — коротко ответил я. — Будешь еще тарахтеть попусту — я отловлю пару-тройку твоих выкормышей и развею в прах. Ты меня знаешь, я найду повод. А не найду — так придумаю.

Несколько мгновений мы мерились взглядами. Мне даже показалось, что она готова пойти на поединок воли — и это было бы плохо, очень плохо, мне пришлось бы ее ломать, и остальные Хозяева это бы почувствовали... Но она отвела глаза.

— Я перестаю тебя провоцировать, — сказала Екатерина. — Идите за мной. Молчите. Постарайтесь, чтобы вас принимали за людей.

Ауры мы с Ольгой скрыли заранее, а пробиться сквозь нашу маскировку могли лишь такие же, как мы, Высшие.

Разумеется, среди Хозяев таких будет немало. Но им еще потребуется целенаправленно нас проверять, чтобы обнаружить подлинную природу.

— В качестве кого мы идем? — спросила Ольга, когда мы двинулись к ближайшему входу в Эмпайр.

— Ты — в качестве моей любовницы, — сообщила Екатерина. — Антон — в качестве пищи.

— Я полагала, что наоборот, — хладнокровно сказала Ольга.

— У Антона свежий укус на шее, — пояснила Екатерина. — Любой Хозяин его почует. Для любовника это тоже годится, но у тебя нет укусов, и это странно. Если только...

— Нет уж, — сказала Ольга. — Любовница так любовница...

Кажется, Екатерина даже успела чуть-чуть насмешливо улыбнуться, прежде чем Ольга взяла ее за локоть, резким движением развернула к себе и прошипела в лицо:

— Только ты учти, малолетка, я таких, как ты, на кол сажала в ту пору, когда твоя прабабушка еще не родилась. Если будешь хамить, то из твоей любимой человеческой женщины я мгновенно стану твоим самым ужасным кошмаром. Хуже, чем злой Антон. Поняла?

Екатерина быстро кивнула.

— Я знаю, как у вампиров принято обращаться с человеческими партнерами по сексу, — пояснила Ольга, глянув на меня. — Хуже чем с пищей. Так что во избежание ненужных проблем и обид...

— Все поняла, — сказала Екатерина.

Вампира каждый норовит обидеть...

* * *

У вампирской ложи было целое море человеческой охраны. Мы прошли через холл (роскошный), поднялись в лифте куда-то на восьмидесятые этажи, потом нас повели по коридорам. Несколько раз мы спускались по лестницам, несколько раз поднимались.

И все время нас передавали с рук на руки крепкие мужчины и женщины в одежде свободного кроя, под которой нашлось место и пистолетам, и пистолет-пулеметам. Магии на них я не заметил, видимо, люди были либо наемниками, либо работали за обещание вечной жизни. Поверьте, это очень сильный стимул — ведь только вампиры и оборотни могут передать свои способности любым желающим. Насколько я знал, умные вампиры своих обещаний не нарушали, и иногда, нечасто, за особые заслуги, кто-то из их человеческих слуг удостоивался сомнительного счастья стать живым мертвецом. Их товарищи должны были знать, что Хозяин не врет, и драться за это «счастье» до конца.

Наконец после очередной лестницы и коридора мы вышли в небольшой холл, где с одной стороны в широкие окна открывался вид на Манхэттен, а с другой имелись две высокие двустворчатые деревянные двери. У одной стояла охрана, два чернокожих автоматчика, даже не считавших нужным скрывать оружие.

— Ждите здесь, я должна договориться, — прошептала Екатерина и быстрым шагом двинулась к охраняемой двери. Ее пропустили без вопросов, но зато от нас взглядов не отрывали.

— Эй, бразе! — жизнерадостно позвал я охранников. — Привет-привет!

Нуль реакции.

Слегка обиженный, я прошел ко второй двери, приоткрытой. Осторожно заглянул внутрь. Это был просторный зал с многочисленными диванами, креслами, столиками. На столиках стояли бутылки, тарелки, мармиты с греющимися на них судками. По залу бродили, разговаривали, сидели на диванах, ели и пили у столиков люди.

Их было довольно много. Человек пятьдесят. Самого разного возраста — я заметил среди них и нескольких благообразных стариков, и нескольких мальчишек и девчонок подросткового возраста. Старики смотрели по висящему на стене телевизору CNN, подростки играли на каких-то игровых приставках. Но основной массе было около двадцати – двадцати пяти.

А еще они все были красивы. Все по-разному, но красивы. Чернокожий юноша, стройный и высокий, молодая девушка в белом платье, с распущенными светлыми волосами, статная женщина с удивительно классическим, правильным типом лица.

– Что там? – спросила Ольга, когда я вернулся к ней.

– Обеденный зал.

Несколько мгновений Ольга смотрела на меня, потом кивнула:

– Понятно.

Мы не стали ничего дальше обсуждать. Понятное дело, что никакой вампир не нуждается в ежедневном питании. И уж тем более – в кормлении на живом человеке, в большинстве случаев им достаточно консервированной крови.

Вообще в большинстве случаев вампиры считают процесс своего питания интимным и по возможности не выносят его на публику. Максимум – внутри клана.

Но сегодня здесь был большой сбор. Всемирная вампирская ложа в лице своих основных Хозяев (на данный момент таких имелось сорок девять) просто не могла не обставить все с подобающим, по их мнению, шиком.

В том числе и в пищевом плане. Скорее всего все собравшиеся в соседнем зале люди были здесь добровольно. Скорее всего им, как и охране, было обещано превращение в вампиров – прекрасных, блистательных, воспетых лживыми книжками и бессовестным кинематографом вампиров.

И почти наверняка данное им обещание никто выполнять не будет. На них выписаны лицензии. Они – пища. Могут покормиться и отпустить, а могут и выпить насухо.

— Как там у Гесера, интересно, — вздохнула Ольга. — Ты как считаешь? Уболтает он Бабушек?

— Бабушек бы уболтал, — сказал я. — Но там ведьмы. Им самим палец в рот не клади.

Екатерина вернулась в холл. Не одна — с белокурой женщиной средних лет. Если точнее — то с вампиршей неизвестного возраста, разумеется.

— Это не принято, — мельком глянув на нас, бросила женщина.

— Грета, но Винченцо сидит в зале со своими...

— Ему было дано это право. Без малого два века назад, и ты знаешь почему, — отрезала женщина. — Катя, ты требуешь неразумного.

— Все имеет цену, — ответила Хозяйка московских вампиров. — Какова твоя? Ты распорядитель этой встречи, ты можешь все.

Женщина помедлила. Поглядела на нас с Ольгой. Я вдруг подумал, что вся наша маскировка аур может ни к чему не привести — если Грета знает меня в лицо. А она может знать. Вампиры обо мне наслышаны.

— Пояс еще у тебя? — внезапно понизив голос, спросила распорядитель.

— Да, — ледяным тоном ответила Екатерина.

— Это моя цена.

Екатерина глянула на нас. Потом покачала головой:

— Нет. Ты с ума сошла. Это даже не разговор.

— На десять лет, — сказала Грета.

— Нет.

— На год.

О чем они? В очередной раз я пожалел, что ухитряюсь и сталкиваться постоянно с вампирами, и так мало о них знать. Конечно, они очень скрытные, но есть же кое-какая информация...

— На месяц, — сказала Екатерина.

— На три, — ответила Грета.

— Идет.

Женщины улыбнулись друг другу — и обнялись.

— Заходите минуты через две-три, — любезно сказала Грета. — Сразу направо, садитесь на верхнем ярусе, чтобы не отсвечивать. И пусть твои люди сидят тихо.

Грета ушла плавной вампирской походкой. Негры-охранники у двери с каменными лицами смотрели перед собой. Что же они все-таки думают, охраняя сборище вампиров и видя в соседнем зале людей, предназначенных на заклание? Радуются, что их не тронут? Мечтают стать бессмертными кровопийцами? Или вообще ни о чем не думают, как и бывает чаще всего?

— Что за пояс? — негромко спросил я, подходя к Екатерине.

— Не твое дело, — ответила она, не глядя на меня.

— А все-таки?

— Артефакт. Старая магическая вещь. Кусок потертой свиной кожи с бронзовыми застежками, — неохотно ответила Хозяйка.

— И что он дает?

Екатерина глянула на меня, усмехнулась.

— Вкус. Один раз в день он дает вкус, и можно есть обычную пищу. Есть и чувствовать вкус, как человек. Это только иллюзия, и кровь все равно необходима. Но можно есть — и во рту будет не вкус мокрой ваты, а клубника со взбитыми сливками, хамон с ломтиком дыни, паста с пармезаном, гречневая каша с молоком.

— Стейк с кровью, — добавила Ольга.

Екатерина ответила совершенно серьезно:

— Поверь, вот по стейку с кровью мы не скучаем. А вот за тарелку манной каши с вишневым вареньем легко можем горло разорвать.

— Рассказывали бы это своим... слугам... — Я кивнул на чернокожих мордоворотов. — Чтобы не выслуживались.

— Их предупреждают, они не верят, — сухо ответила Екатерина. — Все, идемте.

Вслед за ней мы прошли мимо охранников.

* * *

Зал, где собирались вампиры, походил на университетскую аудиторию — полукруглый, с трибуной внизу и поднимающимся вверх амфитеатром. Пожалуй, здесь могли с комфортом поместиться и сто, и больше человек.

Ну или Иных.

Мы вошли через верхний вход, у самого высокого яруса. Быстро сдвинулись вслед за Екатериной, уселись. В зале царил полумрак, лишь сцена была ярко освещена. Рядом с пустующей сейчас трибуной был установлен столик, за ним сидели Грета, моложавый красавчик и сухонький хлипкий старичок. Все вампиры, разумеется.

— Минутку внимания, — объявила Грета.

Голос ее был тих, но аудитория и строилась по уму, и вампиры умеют говорить так, что их не хочешь, а услышишь.

— Хозяйка Екатерина из Москвы, — продолжила Грета. — По причине, достойной уважения, с сопровождением.

На нас оглянулись. Но не все и мельком. Я продвигался вдоль длинной скамьи, опустив голову и надеясь, что никому не придет в голову всматриваться в жалкого человечка сквозь Сумрак. Ну кому я интересен? Мы же не заглядываем в пакет с бутербродами к соседу по электричке...

В меня не всматривались. Да и кроме нас, в аудитории были другие люди. Мы дошли до середины скамьи и сели. Я тихонько огляделся.

Прелестные девушки, жмущиеся к импозантным мужчинам. Молодые красавцы, не отрывающие влюбленных глаз от своих мертвых повелительниц. Подростки обоего пола — я слышал, что тут дело было даже не в извращениях, а в каких-то странных стараниях совсем уж древних вампиров создать себе иллюзию семьи. Вампиры не могли иметь детей, да и секс у них, насколько я знал, имел свои особенности. Но некоторые создавали суррогатные семьи, усыновляли и растили детей — в общем, вели какое-то подобие человеческой жизни.

Я вспомнил таинственный «пояс», один месяц проката которого позволил Екатерине провести нас на заседание ложи. Как же им плохо-то на самом деле. Как же им холодно и беспросветно! Хотя бы без манной каши с вишневым вареньем.

Вампиры все никак не начинали. Видимо, ждали кого-то еще. Я достал наушники, откинулся на скамье. Включил плеер. Выпал «Пикник».

Настрадался Нострадамус от людей
И извлек видения на свет.
Кабы знал тогда, что в двух шагах
Спрятан мир, где будущего нет.

Мир — что призрачный зал.
Научись исчезать...

Здесь, вдыхая холода покой,
Спит как будто времени змея.
Здесь неторопливою рукой
Злые буквы не сложить в слова.

Мир — что призрачный зал.
Научись исчезать...

Дверь снова открылась. Вошла тоненькая девочка лет двенадцати. В клетчатой рубашке на размер больше, чем нужно, потертых джинсах на размер меньше, чем следовало, и босая.

— Рады тебя видеть, Эли, но уже в третий раз все ждут только тебя, — раздраженно сказала Грета.

— Простите, пожалуйста, — тем притворно-вежливым тинейджерским голоском, что приводит взрослых в бешенство, ответила Эли. Села в конце нашей скамьи. Помахала рукой Екатерине. Та холодно кивнула. Эли не расстроилась, достала из кармана жвачку, бросила в рот, принялась жевать. Чистая показуха, вкуса она не чувствует...

Похоже, малолетнюю вампиршу здесь не особо любили — и она к этому привыкла. Я прикрыл глаза, вспоминая...

Ага. Хозяйка Стокгольма. Да уж, древняя и неприятная особа в детском теле.

— По праву сегодняшней распорядительницы я начинаю встречу, — сказала Грета. — Тьма, Свет и Сумрак слышат нас.

— Тьма, Свет и Сумрак слышат нас... — слитным хором повторили все Хозяева, сидящие в зале. Даже наглая «девочка» Эли, успевшая закинуть ноги на столешницу и выдуть из жвачки пузырь, — повторила.

— Древним заветом, главным законом... — продолжала Грета.

— Древним заветом... — повторил зал.

— Кровью, жизнью и смертью... — сказала Грета.

— Кровью, жизнью и смертью! — закончил зал.

Наступила тишина.

— Повестка всем известна, — сказала Грета. — Первое слово, по месту и уважению, — Хозяину Джеку.

С первого ряда встал и неторопливо вышел к трибуне чернокожий мужчина. Он был настолько похож на охранников у дверей, что я удивленно глянул на Ольгу. Та пожала плечами, видимо, догадалась о моих мыслях.

Блин, ну они же не размножаются! Как же тогда...

Впрочем, это могут быть никакие не дети. Это могут быть праправнуки. Потомки от детей, зачатых еще в человеческой жизни. Вполне возможный вариант.

— Братья, сестры... — Хозяин Джек распростер руки. Был он в белоснежном костюме, импозантный, ухоженный. Его так и хотелось представить в обычной человеческой церкви, поющим псалмы или цитирующим Библию. — Радостно мне видеть вас! Я сейчас вспомнил историю, которая приключилась в середине прошлого века с моим другом в Техасе. Ему, так уж получилось, выбили в одной забегаловке все зубы! Да еще основательно выбили — за день не вырастишь! А тут приехал к нему приятель, говорит: «Пойдем на танцы, девчонок закадрим, потанцуем, насосемся...»

Совершенно обалдев, едва не уронив челюсть, я слушал, как древний американский вампир, в лучших традициях книги «Как читать лекции и завоевывать внимание зала — для чайников», рассказывает старый, будто дерьмо смилодона, анекдот про вампиров.

Зал внимал это древнему, несмешному, пошлому анекдоту, от которого и старшекласснику-то смеяться неловко. Зал дружно похохотал и немножко поаплодировал. Хозяин Джек раскланялся.

В растерянности я отвел глаза в сторону. И увидел, как маленькая вампирша выдувает изо рта землянично-розовый пузырь жвачки. Я понял, что мой мир никогда больше не будет прежним.

— Братья и сестры! — продолжил он. — Все мы знаем, почему собрались. И все мы не хотим об этом говорить. Но давайте будем откровенны. Двуединый вернулся!

В зале наступила гробовая тишина, да простится мне этот банальный каламбур. Вампиры вообще перестали дышать, а люди, похоже, задержали дыхание. Во всяком случае, я — задержал.

— Мы же этого ждали? — Джек вышел из-за трибуны и принялся расхаживать из стороны в сторону. Внимание зала было получено, и он заговорил всерьез. — Мы понимали, что равновесие нарушено, что мы забыли древние правила и заветы...

— Хоть бы одна собака кровососущая рассказала про их правила и заветы... — шепнула на ухо Ольга. Я мрачно посмотрел на нее — у вампиров очень хороший слух. Но все были поглощены выступлением Джека.

— И все мы знаем, что только одно может остановить Двуединого — Шестой Дозор. Как встарь. Как у начала нашей истории, когда Сумрак протянул нам две руки — и мы приняли обе, и выбрали наши дороги...

Я мысленно проклял Лилит, Екатерину, вампиршу, притворявшуюся Киллоран, всю их породу.

Ну знают же они, знают что-то! Не все — но гораздо больше, чем говорят!

Конец света близится, а эти раздутые от самомнения кровососы скрывают свои секреты. Но кто бы знал, что вампиры, презираемые и Светлыми, и Темными низшие Иные, на самом деле хранят древние знания? Что они вообще были первыми из Иных?

Хотя чему тут удивляться. Самые простые, самые «низшие» и должны были быть первыми. Чтобы возникли все сложные и тонкие специализации среди Иных, должно было пройти время. Сумрак должен был осознать себя и приноровиться к людям. Люди должны были научиться взаимодействовать с Сумраком. Стать в полной мере Иными. Начать работать с Силой на тонком уровне.

А вначале — все было просто и понятно.

Льющаяся из разорванного горла кровь. Уходящая с ней жизнь. Нарастающий перепад «магических температур». Падение этой температуры в умирающем человеке. Падение... до нуля. Как у Нади. Или почти до нуля...

И поглощение этой Силы, которая потоком вливается в умирающего человека — и тут же его покидает.

Вливается Сила. Выливается кровь — наполненная Силой.

И кто-то пьющий эту кровь — с голоду ли, или в ярости победившего дикаря — сумел ее ощутить. Воспользоваться. Управлять.

Тогда Двуединый вышел к кострам, где творили кровавую тризну дикари. Двуединый заключил с ними завет от имени Тьмы, Света и Сумрака.

О чем? И зачем?

— Вы хотите спросить меня, готов ли я вступить в поединок за право стать Хозяином Хозяев? — вещал Джек. — Я отвечу! Нет, не готов. Я силен, вы знаете, правда-правда! Но есть те, кто сильнее меня!

Он вдруг повернулся к старичку на сцене, низко поклонился. Старичок благосклонно кивнул.

— Если бы можно было отдать власть! — воскликнул Джек и простер руки вверх. — Если бы можно было! Я отдал бы ее Хозяину Петру!

Легкий одобрительный шум пронесся по аудитории. Кажется, возражений не было ни у кого. Все взгляды обратились к старичку за столом. Наступила выжидающая тишина — и в ней оглушительно громко лопнул пузырь жвачки на губах маленькой вампирши.

Все обернулись на звук.

— Ой, — сказала Эли. — А что я? Я — за! Мастер Петр, я за вас!

Она помахала старичку рукой, жизнерадостно (как ни чудовищно звучало это слово применительно к ребенку-вампиру) улыбаясь. Старичок добродушно помахал ей в ответ. Негромко сказал:

— Дорогие мои... Спасибо на добром слове, оно всякому приятно. И тебе, Хозяин Джек, спасибо. И тебе, моя дорогая Грета. И тебе, малышка Эли, лапочка моя, — спасибо.

Говорил Петр негромко. Улыбался. При этом от него веяло таким могильным холодом, таким мертвящим разложением, такой смертельной опасностью — что у меня перехватило дыхание.

Это чувствовал не только я. Сидящий между Петром и Гретой юный красавчик заерзал. Если раньше ему и нравилось быть на сцене, то теперь он был сильно этим огорчен.

— И тебе, Екатерина, спасибо, — внезапно сказал Петр, глядя на нее. — Что-то сегодня падает мой взгляд на тебя все чаще и чаще.

Если бы в жилах Екатерины не пульсировала сейчас чужая кровь — она бы, наверное, побелела. А так — ответила очень достойно:

— Благодарю вас, Хозяин Петр. Это честь для меня.

Старичок нахмурился, но отвел от Екатерины взгляд. На нас он пока не глядел. Не достойны мы были его взгляда.

— Нельзя так власть передавать, Хозяин Джек, — сказал наконец Петр. — Не по правилам. И не будет в такой власти настоящей власти. А чтобы власть получить, стать Хозяином, надо мне дюжину из вас с лавок-то вытащить, по башкам настучать да горло перегрызть.

— С нашего согласия, — негромко сказала Эли.

— Да, девочка, с вашего согласия, — закивал Петр. — А его, я чую, не будет. Можно, конечно, так или иначе похитрить.

Старый вампир вдруг захихикал, часто кивая головой.

— О чем ты, Хозяин Петр? — нервно спросила Грета.

— Тебя не касается, глупышка, — успокоил ее Петр. — Мог бы я, мог бы... бились бы вы со мной. И порвал бы я вас. И стал бы Хозяином Хозяев.

В зале будто потемнело от его слов. Я почувствовал, как напрягаются вокруг вампиры. Как волной проносятся запахи мускуса и аммиака, сладкий аромат феромонов, проступающих на вампирской коже, и кислая вонь нейротоксина, сочащегося из клыков.

— Только не надо мне это, — сказал Петр. — И никому из нас не нужен Шестой Дозор. И не станем мы биться с Двуединым, с тем, кто дал нам Силу. Если он решит разрушить мир — так он разрушит мир, и мы уйдем навсегда...

Его голос стих, будто прикрутили громкость на проигрывателе. Петр даже голову опустил, уставился в стол. Потом резко поднял и хитро улыбнулся.

— Только я так думаю, братья-сестры. Не нас, верными оставшихся, пришел карать Двуединый. Ох, не нас! Тех, кто ушел от правды, от крови — их смертный час пришел! Конец Иным! Темным и Светлым. Магам и волшебницам. Всем им конец, конец, конец! А мы...

Он помолчал. Вампиры внимали. Вампиры ждали.

— А мы останемся, — очень уверенно сказал Петр. — Стадо останется, и мы останемся за стадом следить. Если скотину не резать, то и порядка-то не будет!

Он мелко захихикал. И в ответ на его смех по аудитории волной заплескали смешки других вампиров.

— Как в старые добрые времена! — воскликнул Петр. — Без унижений, без бумажек! Выбрал деревеньку, городок. Пришел. Попировал. Скоро, уже скоро!

«Ему шестьсот лет, — подумал я. — Это много, очень много. Древняя тварь Ева-Лилит могла смеяться над шестью веками жизни вампира. А я не стану. Это много. Достаточно, чтобы стать сильным и страшным. Достаточно, чтобы сравняться в силе с Высшим Иным и превзойти его. Достаточно, чтобы сойти с ума, даже если он когда-то был».

— Он очень-очень сильный, — тихо прошептали мне в левое ухо. Пахнуло клубникой. Я скосил глаза — девочка-вампир выразительно сморщила губки. — И умный.

Она скользнула по скамье, возвращаясь на свое место.

Так. По меньшей мере на одном вампире мой маскарад не сработал.

Я начал подниматься. Поймал испуганный взгляд Екатерины — да, вот сейчас Хозяйка ночных тварей Москвы была по-настоящему напугана.

— Хотел бы обратиться к вам, Хозяин Петр, Хозяйка Грета, уважаемые Хозяева... — сказал я, протискиваясь мимо Эли. Почему-то я был уверен, что девочка-вампир не запрыгнет на меня и не вцепится в затылок. Не потому, что она хорошая, совсем нет. Просто она похитрее и поумнее большинства сидящих в зале.

— Так обращайся, раз хочется, Светлый Антон Городецкий, Высший Иной, — с улыбкой сказал Петр. — Ты к нам незваным пришел, непрошеным, ну так мы не в обиде. Верно?

Сорок девять пар вампирских глаз смотрели на меня. И два десятка приближенных людей: пищи, сексуальных партнеров, суррогатных детей — тоже.

То ли маскировка у нас хреновая вышла, то ли разведка и контрразведка у вампиров поставлены лучше, чем мы полагали.

— Спасибо, Хозяин Петр, — сказал я.

— Не за что, Антон, не за что, — хихикнул старичок. — Как он сюда прошел-то, Грета? Как что?

— Заявлен Хозяйкой Екатериной как еда, — ответила Грета.

— Не оспаривал? — поинтересовался Петр.

— Нет.

— Это хорошо, — кивнул Петр. И уставился на меня взглядом белесых немигающих глаз. — Пусть поговорит. Я люблю разговаривать с едой.

Я молча спустился к самой кафедре. Хозяин Джек так и не стал из-за нее выходить. Стоял, мялся на месте. Кажется, этот весельчак-вампир был по-настоящему растерян и перепуган. Да и неудивительно. У них был Хозяин. Настоящий Хозяин — не формальный, утвержденный в схватке, а настоящий — порожденный страхом. Мастер Петр, десятилетиями, как считалось, отлеживавшийся в своей львовской гробнице, был вполне бодр и активен. Он просто не высовывался на свет, к вниманию Дозоров.

И он был совсем не прочь выпить мою кровь. В нормальной ситуации, наверное, не рискнул бы. А сейчас, на краю Армагеддона, — запросто. Старый принцип «война все спишет».

— Мы — Иные, — сказал я, глядя на нависающий надо мной амфитеатр. На вампиров — дряхлых и юных. Они действительно такими были. Древними, как забытая юность человечества. Юными, как бесконечный ход времен. — Мы — Иные. Мы служим разным силам. Но в Сумраке нет разницы между отсутствием Тьмы и отсутствием Света. Наша борьба способна уничтожить мир...

Петр засмеялся тихим кашляющим смехом.

— Оставь, оставь это, Антон... Великий Договор не для нас. Мы появились до него, и мы останемся после. Ты хочешь призвать нас к сознательности? Ты хочешь напомнить, что и мы — часть мира? Мы — другой мир, дозорный. Вечный мир, а не живая плесень...

— Мертвый мир, — сказал я, поворачиваясь к Петру. Все летело к чертям собачьим. Вся моя придуманная Гесером и доведенная до блеска Завулоном речь. Все консультации шпионов и аналитиков, все фразы, что должны были зацепить известных нам Хозяев — и заставить их ввязаться в схватку за пост Хозяина Хозяев. Все летело в тартарары.

— Мертвый, — согласился Петр. — А только мертвое — вечно. Живое обречено становиться мертвым, живое — только корм для вечности. Мы — вечны.

— Нет, — сказал я. — Ничто мертвое не вечно. Горы рассыпаются в песок, пустыни заливает вода, моря высыхают. Мертвое не вечно.

— Песок остается песком, вода — водой. — Петр пожал сухонькими плечиками. — Где люди, что жили на склонах гор и берегах моря? Даже костей не осталось. Где языки, которыми они говорили? Ветер унес без следа.

— Тебе шестьсот лет, — сказал я. — Неужто это много? Что ты можешь помнить о стершихся горах и ушедших народах? Лилит называла тебя вампирским сосунком.

К моему удивлению, Петр засмеялся.

— Лилит? Ты знаком с глупой, самодовольной, наивной Лилит? Ах... ну конечно же... — Он запрокинул голову, втянул воздух. — Я вижу, она на тебе кормилась. — Глаза вампира блеснули. — И как она нашла тебя?

— Не знаю, — ответил я. — У пепла не спросишь.

— Ай, как нехорошо, — огорчился Петр. — Она была смешной девочкой... когда-то очень давно... Да-да, она самая старая Иная, простите — была самой старой Иной... Из числа людей, разумеется.

Черты его лица медленно заострялись. Кожа натягивалась, сквозь нее проступали кости. Лоб сгладился, уползая назад. Выперли надбровные дуги. Нос стал шире и крупнее, выступили скулы. Подбородок почти исчез, зато челюсти выдвинулись вперед, укрупнились. Седые реденькие волосы порыжели, лысину они толком так и не закрыли, только посреди макушки вырос неровный пук волос. Кожа стала мучнисто-бледной.

Менялось и тело. Рост не изменился, Петр остался невысоким, но его будто поддули, он стал кряжистым и мускулистым.

— Вот дерьмо, — сказал я, отступая на шаг. Краем глаза увидел, что и Хозяин Джек в полной растерянности пятится от сцены, и Хозяйка Грета сидит в несвойственном вампирам оцепенении. — Срань закарпатская, да ты же неандерталец!

— Что с того? — хладнокровно спросил Петр. — Наша кровь и у вас всех есть. Нет на Земле человека, чтоб от нас не вел своего рода. И сколько б Земля ни стояла — не будет ему переводу.

— Да мне плевать на твою кровь, — сказал я. — Ты древнее мумий, Хозяин Петр!

— Я древнее человеческих времен. — То, что еще недавно казалось старичком, оскалило пасть, демонстрируя нечеловеческих размеров зубы. Если он весь так несуразно развит, то бедные женщины-кроманьонки, что на заре времен спаривались с неандертальцами... — Да, меня не было среди тех, кто вышел навстречу Двуединому и заключил кровавый завет... я и тогда был достаточно стар и мудр, чтобы следить за ними со стороны...

— Кто входит в Шестой Дозор? — спросил я. — Как прогнать Двуединого? Какие договоры нарушили Иные?

Несколько секунд Петр смотрел на меня. Потом начал смеяться. Негромко, с удовольствием. Замолчал, спросил:

— Дозорный, а ты знаешь, что смех — ваше изобретение? Мы не умели смеяться.

— Откуда мне знать, — пробормотал я.

— Мне не нравится многое, что принесли безволосые, — сказал Петр. — Но смех — это хорошо. Смех сближает и объединяет. Смех одного — всегда унижение другого.

— С какой стати? — Я покосился на зал. Но все сидели тихо. Все смотрели на меня и Петра. М-да. Как говорится в детском стишке — и воцарилась тишина, согретая дыханьем зала... Жаль, что дыхание вампира никого не согреет.

— А ты вспомни, над чем смеешься, — ответил Петр с непоколебимой уверенностью. — Смех — если это не физиология — всегда унижение. Юмор — всего лишь унижение человека человеком. Человек смеется над другим человеком, когда тот нелеп и несуразен, не соответствует месту и времени. Нелеп Чарли Чаплин с тросточкой и флагом во главе демонстрации. Нелеп Бенни Хилл в роли героя-любовника. Нелеп Джим Керри, чистящий зубы унитазным ершиком.

Нелеп любовник, прячущийся без штанов за окном, нелеп муж, открывший шкаф, обнаруживший любовника и поверивший, что тот ждет автобуса. Мне нравится человеческий смех — это то, что отличает человека от иного скота. Делает его хуже скота. Христианские проповедники чуяли, что в смехе кроется зло, — не зря комедиантов не хоронили на кладбищах.

— Ты меня озадачил, — признал я через мгновение. — Но ты не прав. Это только частности. Я найду пример другого смеха и другого юмора.

— Жаль, но у тебя не будет на это времени, — сказал Петр. — Считай, что это юмор ситуации, и унижен в ней ты.

— Рискнешь напасть на Светлого? На сотрудника Ночного Дозора? — Я мельком глянул на других вампиров. Не идиоты же они, зачем им война...

Но если Хозяева и хотели возразить, то им на это не хватило смелости.

— Ты назвался пищей, входя сюда, — ответил Петр с непоколебимой уверенностью. — Инквизиция примет нашу сторону. Впрочем, через два дня все это будет уже не важно...

Далеко позади, у самой двери, хлопнул пузырь лопнувшей жвачки. Петр поднял на юную вампиршу тяжелый взгляд.

— Ой, простите, я больше не буду! — затараторила Эли. — Это жвачка плохая, на клык попала, дядя Петр!

Я шевельнул пальцами, проверяя подвешенные заклинания. У меня было много чего в арсенале, и уж какой-то из ударов должен был достать древнего монстра. Вот только успею ли я...

Петр посмотрел на меня тяжелым ироничным взглядом, и я понял, что не успею.

— Учти, я упокоил Лилит, — напомнил я Петру.

Мгновение тот размышлял, потом ответил:

— Я полагаю, ты врешь. Я полагаю, тебе помогли. А значит...

Снова хлопнуло от дверей. Петр возмущенно вскинул голову. Все вампиры дружно повернулись и уставились на Эли.

— А я-то что? — обиженно воскликнула она. — Я ничего! Я вообще молчу и не жую!

Петр шумно втянул воздух. Нахмурился. И наконец-то встал из-за стола — отшвырнув его в сторону. Грета и красавчик вскочили — в скорости реакции вампирам не отказать, — отступили в сторону.

Петр стоял и смотрел на входную дверь.

Дверь открылась. В нее медленно, на заплетающихся ногах, вошел негр-охранник. В одной руке у него был «узи», ладонь другой он прижимал к горлу. Найдя глазами Хозяина Джека, охранник попытался было что-то сказать.

Но в этот миг его ноги подкосились, и он загремел вниз по лестнице, кувыркаясь, стукаясь головой, но упрямо не отпуская автомата.

Охранник упал прямо к моим ногам, голова его была свернута набок и почти отделена от тела — шею рассекала такая рана, что удивительно было, как он вообще мог стоять и двигаться.

Кто-то из сидящих в зале девушек конвульсивно всхлипнул. Хозяин-вампир одним движением свернул ей шею — будто муху прогнал взмахом руки.

Все смотрели на дверь. В проеме показался тонкий девичий силуэт. Та, кого я знал под именем Элен Киллоран, вошла в аудиторию, посасывая окровавленный палец. Левой рукой она постучала в дверной косяк, вынула палец изо рта и сказала:

— Тук-тук.

Она была вампиром. Теперь, когда мой мозг не был затуманен, я это видел совершенно отчетливо. Как и то, что она ничем не похожа на ирландку, некогда наводившую порядок в нашем архиве. Иллюзии лежали на ней слоями, а под ил-

люзиями была еще и нечеловеческая плоть. Увы — я не мог разглядеть, чья плоть.

— Кто ты? — спросил Петр.

Вот теперь было окончательно понятно, что он здесь главный.

— Я посланник, — ответила вампирша.

Петр пожевал губами. Я чувствовал, что он хочет спросить «чей». Но он задал другой вопрос.

— Что тебе нужно, посланник?

— Хозяина Хозяев, — ответила вампирша. — И мне кажется, что это — ты.

Я напрягся.

— Нет, — ответил Петр. — У меня нет времени на споры и свары, хоть я в меру сил даю другим советы и опекаю молодежь. Но я не Хозяин Хозяев и не собираюсь им становиться.

Он боялся! Эта тварь, древнее самих времен, боялась! Может быть, он видел что-то, чего не видел я?

— Очень неудобно и отнимет лишнее время, — ответила вампирша, неторопливо спускаясь вниз.

— Что поделать, — ответил Петр хладнокровно. — У нас демократия. Никаких верховных владык.

— Жалко, — сказала вампирша. — Очень жалко, что ты не стал Хозяином Хозяев. Было бы проще. И чище. Но может быть, я все равно возьму твою кровь.

— Если сумеешь, — сказал Петр.

— Если сумею, — подтвердила вампирша.

— Это не сделает тебя Хозяйкой Хозяев! — вдруг выкрикнула с заднего ряда Эли.

— Знаю, девочка, — кивнула вампирша не оборачиваясь. — Но у меня есть план. У меня всегда есть запасной план. Только один раз его не было.

Она вдруг посмотрела на меня. С печалью.

— Извини, Городецкий. Тебе будет неприятно. Но так надо.

Что-то было в этих словах. Что-то знакомое...

— А ведь и впрямь, он тут совсем не к месту... — задумчиво сказал Петр.

В следующий миг я влетел головой вперед в скамью на третьем ряду. Вампиры, сидевшие там, едва успели уклониться. Я бы на их месте не успел. Как и удар Петра, бросивший меня на десяток метров и разнесший моей головой крепкие доски, не смог отследить.

Спасли меня сработавшие защитные заклинания — а именно «хрустальный щит», которым так часто пренебрегают молодые Иные. Ну, до первой серьезной оплеухи пренебрегают...

Слегка оглушенный я выбрался из груды обломков. И скамья, и столешница в этом месте превратились в доски. Испортил, зараза первобытная, антикварную вещь — эту аудиторию наверняка из Оксфорда привезли...

Я встал, машинально выдернул из руки щепку. И растерянно уставился на лежащего среди обломков, в растекающейся луже крови, мальчика-подростка. Тело парнишки сотрясли мелкие судороги, он умирал. Горло было разорвано.

Это что же... я его задел? Да не может быть!

Вампир, с которым пришел на встречу подросток, сидел на корточках рядом с телом и смотрел на него с явной и искренней печалью. Потом глубоко вздохнул, опустил голову и начал лакать кровь из раны.

Меня замутило. Возможно, для вампира это был вполне естественный и разумный способ попрощаться со значимым для него человеком. Но я-то вампиром не был.

Я огляделся, пытаясь прийти в себя. В ушах звенело, все было каким-то слегка неясным, не в фокусе. Сотрясение заработал. Впрочем, по сравнению с творящимся вокруг это было мелочью.

Все люди, находившиеся в зале, были мертвы. Я видел изуродованные тела — еще недавно молодые, красивые, полные жизни. За считаные секунды их убили — разорвали горло, вырвали сердца, оторвали конечности. Все вокруг было залито кровью. Вампиры, будто обезумевшие, лакали кровь или сбивались в кучки, явно готовые драться против всех и каждого. Наверху, к моему удивлению, одну такую кучку организовали Екатерина, Эли и Ольга.

Вампир рядом со мной закончил лакать кровь юноши. Погладил его по голове, бросил на меня равнодушный взгляд... И одним прыжком унесся вниз, на сцену.

А там шла драка. Там бушевал вихрь из вампиров, сплетенный клубок тел, сверкали клыки, мелькали руки и ноги.

Петр в схватке не участвовал, стоял чуть в стороне, напряженно вглядываясь в кучу-малу. Грета и юный красавчик со сцены давно свалили. Ой, не совсем... Красавчик вдруг поднялся посреди амфитеатра, держа на руках тело молодой девушки. Секунду смотрел на нее, потом бережно опустил — и стрелой вонзился в побоище.

Я все понял. Наш таинственный союзник среди вампиров — если ее можно назвать союзником — добывала себе пост Хозяйки Хозяев. Единственным возможным способом.

Она убила всех людей в зале. И вряд ли среди них была пища. Это были любовники и любовницы вампиров. Их суррогатные дети — и настоящие потомки, праправнуки и праправнучки. Те, кто был действительно дорог кровососам. Как это ни странно — по-настоящему дорог.

Она убила людей — и вампиры бросились за них мстить. И сейчас, в этой кровавой безжалостной схватке, она зарабатывала право войти в Шестой Дозор.

Я запрыгнул на столешницу. Пробежал по ней до ведущего вниз прохода, спрыгнул, пошел к дерущимся вампирам. Остановился, поймав взгляд Петра. Мы смотрели друг на друга поверх комка дерущихся вампиров.

В зале тоже начали вспыхивать стычки — но короткие, не смертельные. Видимо, пользуясь случаем, те, кто не претендовал на трон, пытались свести счеты между собой. Но если кто-то и погиб, то это были считаные единицы — драки как мгновенно вспыхивали, так и затихали...

А потом куча-мала на сцене стала уменьшаться. От нее во все стороны полетел мелкий серый пепел. По мере того как один за другим вампиры обращались в прах, интенсивность боя только нарастала. Может быть, потому, что первыми погибали самые слабые?

Глубоко посаженные неандертальские глазки Петра злобно буравили меня. Я нагнулся, не отводя взгляда, вынул пистолет-пулемет из руки убитого охранника. Никто не любит свинцовый град, даже вампиры. А в этом оружии пули легко могли быть заговоренными.

Петр злобно оскалился.

Из совсем уж уменьшившейся кучи вылетел еще один вампир — тот самый, что лакал кровь рядом со мной. Обеими руками вампир крепко сжимал голову, будто от сильной боли. Все в зале как-то притихли, глядя на него, а драка — там теперь сражались всего двое — продолжалась совершенно бесшумно.

Вампир посмотрел на меня безумным взглядом — и я увидел, что глаза у него косят в разные стороны. Потом разжал руки.

Голова вампира развалилась надвое, будто рассеченная мечом. Мгновение вампир стоял, пока чудовищная природа его организма пыталась залечить и такую рану. Потом расколотая голова начала куриться серым пеплом, и вампир рухнул.

В следующий миг взорвался и обратился в прах последний вампир, дравшийся с незваной гостьей.

Лже-Киллоран стояла на сцене и оглядывала Хозяев. Кроме разорванной одежды, на ней не было никаких повреж-

дений, что, впрочем, для вампира неудивительно. Все, что не убивает их сразу, заживает очень быстро.

Вампирша вытянула руку, разжала ладонь. Из нее потекла вниз струйка пепла. Сердце она, что ли, вампиру вырвала? И основное, и дополнительное?

— Я беру власть над вами по праву Крови и Силы, — сказала вампирша. — Есть ли те, кто оспорит мое слово?

Я смотрел на Петра. Ну, давай. Давай, дорогой. Давай, древний. Оспорь! Ну, оспорь же! Я почему-то уже не сомневаюсь — тебя порвут на клочки! Увы, не сомневался в этом и Петр.

— Хозяин Хозяев пришел, — сказал он, склоняя голову. — Слово, Сила и Кровь...

— Хозяин Хозяев... — повторили уцелевшие вампиры. Я поискал взглядом — среди них были и Джек, и Грета, и Екатерина с Эли.

Ольга, конечно, тоже там была. Напряженно смотрела на «Киллоран».

— Эти люди, — пришедшая кивнула на меня, — мои гости. Ответить на все вопросы, оказать всю помощь, не причинять вреда. Сила и Кровь.

— Сила и Кровь, — повторили вампиры. Я специально следил за Петром — он тоже повторил. Старая дрянь умела выживать!

— Постой! — крикнул я Хозяйке Хозяев. — Ответь ты мне...

— Я приду, когда наступит час, Антон, — ответила вампирша. — Когда соберутся остальные. А пока... пока думай. Решай, что ответишь.

— Вопрос-то задай! — крикнул я.

«Киллоран» насмешливо подняла бровь:

— Где ты будешь стоять, когда наступит час? Среди шести — или перед шестью? Вот он, вопрос.

И она исчезла.

Я уже не скрывался. Я смотрел сквозь Сумрак, я пытался прощупать его всеми способами, которые знал. Ничего не было. Никого не было. Вампирша исчезла бесследно, но и следов от портала я не видел.

— Не понимаю, — сказала Ольга, подходя. — Не знаю таких способов уходить, а мне казалось, что я знаю все.

В зал тем временем сбегались и сходились остатки вампирского войска — охранники, люди-прислужники, слабые вампиры.

— Кто будет отвечать на мои вопросы? — спросил я.

— Я могу! — с видом прилежной отличницы отозвалась Эли. — Но чтобы знать больше ответов — так это Петр.

Я кивнул Петру, собравшемуся было затеряться среди вампиров.

— Эй, мохнатый. Двигай сюда!

— Как будет угодно гостю Хозяина Хозяев, — расплываясь в широкой улыбке, ответил Петр. — С превеликой радостью и радушием!

— Никогда не думала, что такое скажу, я вообще-то за сохранение исчезающих видов, — сказала Ольга с отвращением. — Но это, пожалуй, хорошо, что они вымерли.

Вынужденные меры

Глава 1

Выглядел Гесер усталым и невыспавшимся. Как и я. Вероятно, участие в шабаше с ведьмами было не менее напряженным, чем посещение сбора вампиров.

— Я спросил у Хены, какие они были, неандертальцы, — буркнул Гесер, прохаживаясь по кабинету. — Из всех наших только он, пожалуй, их застал...

— И что ответил? — заинтересовался я. Инквизитор-оборотень был не из говорливых, но уж если говорил, то в его словах не стоило сомневаться. Он как-то сказал, что жил в те времена, когда ложь еще не изобрели.

— Хена сказал, что они в общем-то почти как люди, — сообщил Гесер. — Только кости очень крепкие и много шерсти. Потом неделю комки отрыгиваются.

— Какие комки? — не понял я.

— Сразу видно, что ты не кошатник, Антон, — вздохнула Ольга. — Это очень познавательно, Гесер, но что по поводу Петра? Хена знал про него? И часто ли вообще неандертальцы становились Иными?

— Про Петра он не знал. Неандертальцы иногда становились вампирами и оборотнями, магами — ни разу на его памяти. Хена считает, что у них было очень конкретное мышление. Они понимали, как передается Сила через кровь или мясо. А управлять тонкими материями — не умели.

Я кивнул. Это было похоже на истину.

— Но потом они потихоньку вымерли, — продолжал Гесер. — Большей частью их съели. Они, конечно, тоже были не против пожевать человечины, как и все в те времена. Но у них не было магов — это раз. И они были менее воинственны — это два.

— Тогда Петр нетипичный представитель своего вида, — сказал я мрачно. — Мне он показался воинственным и кровожадным. Хотя... когда твою эволюционную ветвь подчистую уничтожили, слопали в буквальном смысле слова... тут как-то милосердием не проникнешься.

— Хена неохотно говорил на эти темы, — сказал Гесер. — Мне кажется, ему не очень удобно. Он активно прорежал поголовье неандертальцев в свое время. Несмотря на безоары. А еще, как мне показалось, неандертальцы были у него в родне. То ли мать, то ли бабушка.

— Мексиканская «мыльная опера», — сказал я. — Может, они родственники с Петром? Может, наш закарпатский друг — его папа? Стоит их познакомить!

— Обычное дело, — фыркнула Ольга. — Лучшие антикоммунисты вышли из бывших партийных лидеров. Самые ярые антисемиты — евреи, особенно полукровки... Нет, давайте не будем сводить Хену с Петром. Петр — говнюк редкостный, но теперь мы хотя бы про него знаем. А так — съест его Хена, и с концами.

— Может, это и к лучшему будет? — предположил Гесер. Подошел к окну, мрачно посмотрел на двор. — Что рассказал Петр? Что вообще знают вампиры о Двуедином?

— К сожалению, примерно то же, что мы и так знали. Все эти легенды, которые у нас считали вампирским фольклором, для них — абсолютнейшая истина, в которой не принято сомневаться, как в восходе солнца поутру. Вампиры верят... — Я подумал и поправился: — Вампиры знают, что были первыми Иными. Они научились получать Силу, выпивая кровь врагов. Научились менять себя, свое тело, обрели особые качества. И к ним пришел Двуединый — детали облика спорны. То ли два человека, идущие рядом, то ли сиамский близнец. Вампирам было сообщено, что они отныне — хранители человечества.

— О как! — Гесер посмотрел на меня, приподняв бровь. Потом снова уставился во двор.

— Именно так. Что они лучшая и особая часть людей. Что они получают право резать людей для пропитания, ибо это дает Силу, но должны соблюдать правила... — Я откашлялся. — В общем-то те же, что и сейчас мы от них требуем. Не убивать детей, беременных женщин, не убивать без необходимости... Вампиры приняли эти условия. Как я понял, были те, кто не принял, и Двуединый поступил с ними очень нехорошо и очень наглядно. Да, помимо права кормиться на людях вампиры получили и обязанности. Защищать стада. От хищников. От катаклизмов. От эпидемий. От врагов, не заключивших завета с Двуединым.

— В общем, вампиры не хищники, — сказала Ольга. — Пастухи. Пастух ест барашков, но он их любит, защищает от волков, растит стадо и помогает размножаться.

Гесер молчал. И я знал почему Великий молчит — это все слишком походило на правду, чтобы спорить или что-то уточнять.

— И многие годы, десятилетия, века на Земле царил Золотой век, — сказал я с иронией. — Люди жили в гармонии с природой и самими собой. Вампиры занимали главные места в пищевой цепочке... и в человеческой иерархии. Да, все знали, что вождь и, допустим, шаман племени пьют человеческую кровь. Ну так и что с того? Обычно ведь не до смерти пили. Зато и в бою — первые, и помочь могут нечеловеческими умениями. А чтобы уж совсем досуха человека выпить — это надо вождя разозлить или врагам попасться... Оборотни, полагаю, выделились из вампиров примерно в это же время, но это никак кардинально ситуацию не изменило. Подумаешь, не кровь пьют, а съедают целиком. То же самое, только вид сбоку... Длилась эта идиллия довольно долго, пока какая-то парочка вампиров не нарушила статус-кво.

— Назовем их условно Адам и Ева, — сказала Ольга.

— Уж не знаю, каких яблок они нажрались, — продолжил я, — но кровушку пить перестали. Может, первыми научились работать с Силой на более тонком уровне? То есть они по-прежнему вампирили, конечно. Но не кровь сосали, а Силу. Постоянно, в фоновом режиме, так сказать. Возможностей это у них не убавляло. Быть может, вначале они или, скорее, их племя было изгнано теми вампирами, кого оскорбило нарушение традиций. Но потом новые возможности дали им перевес. Стали они плодиться и размножаться. Да и людям, вероятно, новый порядок понравился больше. Кровь никто не сосет, а что Силу откачивают — так обычный человек все равно ею пользоваться не умеет...

— И вот тут, — сказала Ольга, — у нас есть ощущение, что произошел второй визит Двуединого.

— Мы хорошо поработали, — похвастался я.

— Все эти устные предания перемешаны так, что сам черт ногу сломит, — пожаловалась Ольга. — Все появления Двуединого слились вместе. Но нам кажется, что их было как минимум два. С интервалом в сотни или даже тысячи лет.

— И вот вторая — это была уже серьезная встреча на высшем уровне, — сказал я. — Присутствовали, очевидно, представители всех организовавшихся к тому моменту подвидов Иных. Темные маги. Светлые маги. Ведьмы — очень быстро в отдельный подвид выделилась женская магия, завязанная на артефакты и накопление энергии... Вампиры, конечно же, но они уже не главные были в тот момент. Насчет оборотней не знаю, скорее — они шли в одной обойме с вампирами.

— В общем, тут никакой новой информации нет, увы, — признала Ольга. — Вампиры точно знают про себя, Светлых, Темных и ведьм.

— Как мы понимаем, на этой встрече высокие договаривающиеся стороны имели серьезные терки, — усмехнулся я. — Двуединому не понравилась столь вольная трактовка первоначального соглашения. Но сделать он ничего не смог.

— Нам кажется, что на той встрече был кто-то Абсолютный, — сказала Ольга. — И Двуединый просто не рискнул на конфронтацию. Как мы можем довольно уверенно сказать, Двуединый — это еще одна форма воплощения Сумрака. Другой тип эффектора, скажем так. Тигр работает по пророкам, поскольку те формируют новую реальность и максимально опасны. Двуединый, вероятно, общается по глобальным вопросам... Итак, он согласился на новый статус-кво; появление Высших Иных, не рвущих людей на части и не пьющих кровь, стало свершившимся фактом.

— Но все прошло не так просто, — добавил я. — Было, очевидно, какое-то условие, при котором Двуединый обещал вернуться. И устроить Иным кровавую баню, скажем так. Похоже, что эти условия реализовались.

— Плохо, — сказал Гесер с отвращением. — Все плохо! Информация, которая должна была храниться как зеница ока, — потеряна! В Инквизиции, с ее раздутым штатом и тысячами тонн хранящихся манускриптов и артефактов, никто знать не знает про Двуединого! Бездари!

— Так и вы не знали, шеф, — заметил я. — Что ж вы других ругаете, если сами...

— Конечно, не знал, — неожиданно легко согласился Гесер. — А знаешь ли ты, мой юный друг, про Бабушку-в-пыли? Или про Человечка-Свечку? Или про Домик из кизяка?

— Из чего?

— Из кизяка. Высохшего навоза. Если коровий кизяк, то его еще называют джепа, а если овечий — кумалак.

— Не слыхал. Это же восточное, да? — пробормотал я.

— А зря не слыхал, — заметил Гесер. — Если бы Бабушку не напоили, то мир бы погиб. Если бы Человечка не потушили — мир бы погиб. Если бы в Домик не вошел нужный человек...

— Мир бы погиб, — вздохнул я.

— Нет. Но вонял бы омерзительно!

— Понял, — признал я. — У вас своей работы хватало.

— Вот именно. Территориальную структуру Дозоров можно сколь угодно ругать, но она достаточно гибкая и рабочая. Будь у нас некий серьезный общий центр — там каждый день ревела бы сирена.

— Я понял, понял и еще раз понял, — кивнул я. — Где азиатский аналог Инквизиции? Бейджин? Тайпей? Токио?

Гесер презрительно покачал головой:

— Тхимпху, невежда. Но, увы, у них тоже нет нужных нам данных. Или же они не смогли откопать их в своих хранилищах.

— А в Африке, Америке?

— В Африке, обеих Америках, Антарктиде и Арктике нет центров Инквизиции, — сказал Гесер. — Хотя североамериканцы свой продавят в ближайшие годы. Там, конечно, с наполнением будут проблемы, но они уж очень хотят.

Ольга досадливо махнула рукой:

— Пусть хоть три центра Инквизиции себе откроют. В Северной, Центральной и Южной Америке! Все эти колонисты, с их маленькой историей и большим самомнением, мечтают об одном — превзойти старушку Европу. Что у тебя вышло с ведьмами, Гесер?

— Бабушки полностью прониклись происходящим, — сказал Гесер. — С информацией у них еще хуже, чем у вампиров, — вообще никаких данных нет. Но они поверили в нашу информацию, не собираются ловить рыбку в мутной воде и готовы на все: оказать любое магическое содействие, войти в Шестой Дозор, погибнуть в бою с Двуединым.

— Хоть что-то хорошее, — кивнула Ольга.

— Не совсем. Они сказали, что готовы помочь, но не могут.

— Почему? — сухо, по-деловому поинтересовалась Ольга.

— Они готовы обсуждать это на встрече сегодня вечером. Но — только с одним из сотрудников Ночного Дозора, — сообщил Гесер.

— Ну почему! — воскликнул я, вскакивая. — За что? За что мне эта честь?

— Больно фотогеничный, — насмешливо сказал Гесер. — Ведьмы мечтают полюбоваться на ясна молодца... Что, неужели не понимаешь, за что?

К моему большому сожалению, я знал.

* * *

В столовой было пусто. Я прошел к раздаче, задумчиво уставился на тарелки с образцами салатов. Было тихо, меня никто не торопил, только на кухне позвякивала посуда. Кажется, пользуясь безлюдьем, повара устроили уборку.

На самом деле нынче мы работаем и днем, и ночью. Это когда-то, в старые времена, когда темные делишки предпочитали творить при свете звезд, а не солнца, Ночной Дозор действительно выходил работать по ночам.

Сейчас осталось название, остались какие-то обычаи и фразы (встретив ночью сотрудника Дневного Дозора, сказать ему: «Что ты вообще тут делаешь, это не ваше время» — любимое развлечение начинающего дозорного).

Но работаем мы, конечно, круглосуточно. Посменно. По восемь часов в день, сверхурочные оплачиваются отдельно. С двумя выходными днями, выход на работу в субботу или воскресенье оплачивается отдельно. С двумя отпусками в год — месяц летом и две недели зимой, причем перелет к месту отдыха оплачивается. С прикреплением к хорошей поликлинике (чтобы нашим целителям не приходилось лечить всякую мелочь вроде кариеса и простуды), корпоративным празднованием Нового года и майских праздников, поздравлениями и подарками от коллектива в день рождения и в прочие знаменательные даты.

Если бы у нас был профсоюз, то это был бы очень хороший профсоюз. Но у нас никакого профсоюза нет, конечно. Просто мы все время мимикрируем под людей. Несознательно, но так получается. Когда люди сидели ночами в домишках, заперев двери и ставни, и только стражники опасливо патрулировали улицы — мы тоже ходили ночами в дозоры, жили в деревянных домах и скакали на лошадях по брусчатым мостовым. Когда люди построили дома в пять этажей, выкопали первое метро, соорудили чудо-машину с бензиновым мотором — мы стали носить сюртуки и галстуки, фланировать по бульварам в свете новомодных газовых фонарей и выискивать вампиров в клоаках больших городов. Когда над землей полетели аэропланы, в моду вошли кожаные тужурки и радиоприемники — мы обзавелись радио, стали передвигаться между городами на самолетах и обсуждать возможность классовой борьбы у оборотней. Когда бумажные книжки превратились в электронные, а в анкетах помимо мужского и женского пола ввели графу «иное» — мы стали звонить по мобильным и выслеживать вурдалаков в Интернете, торговать акциями и исследовать геном ведьм.

Мы ведем себя как люди. И не только потому, что маскируемся под них. Мы, Иные, не создали ничего иного. Возможно, мы ничего и не умеем создавать — кроме заклинаний. Да и заклинания-то наши работают лишь по воле Сумрака. Мы не более чем квалифицированные программисты, умеющие давать задания немыслимой сложности суперкомпьютеру. У кого канал связи с Сумраком лучше, кто запрос четче и быстрее формулирует — тот и побеждает. А так — все вокруг нас человеческое. Офисы. Одежда. Мобильники. Еда. Кино. Дороги. Музыка.

И менее вещественные составляющие тоже — стиль отношений, структура организаций, моральные принципы и методы поощрения на работе.

Появилась у людей стража — возникли и Дозоры. Завели люди Инквизицию — и мы тоже под свои нужды ее адаптировали. Социальный пакет работникам? Ну так и у нас все будет, включая столовую для персонала...

— Что-то вы загрустили, Антон...

Я встряхнулся, сообразив, что уже несколько минут стою перед стойкой с салатами, и раздатчица, молодая девушка Аня, с улыбкой смотрит на меня. Ане было двадцать с небольшим, она училась в кулинарном техникуме, когда кто-то из наших увидел, что девушка — латентная Иная.

И дальше случилось странное. Аня, которой обычным порядком рассказали, как на самом деле устроен мир и кто она такая, не стала инициироваться. Но и отказываться, как часто бывает с людьми глубоко верующими («Колдун все равно проклят, пусть даже добро творит») или иногда с представителями творческих профессий («А что, если я свой актерский дар потеряю?»), не стала.

Аня заявила, что хотела бы посмотреть на жизнь Иных. Разобраться, чем мы занимаемся и хочет ли она такой жизни. И вообще, кто ей ближе — Светлые или Темные.

Заметьте — девушка при этом она была очень положительная! Примерная дочь, один-единственный молодой человек, с которым встречалась едва ли не со школы, участие в волонтерских программах по помощи сиротам, защите природы и борьбе с эпидемией Эбола в Африке! Ну, по всему выходит — наш человек! И вдруг такая позиция! «Не знаю, Светлая я или Темная...»

Аней занимался сам Гесер. Говорил, убеждал. Потом отвез к Завулону, но и тот не соблазнил девушку прелестями Темной стороны. В итоге она год уже как работала у нас в столовой, а в дальнейшем собиралась поработать у Темных. И потом уж решить — станет ли она Иной, а если станет — то какой.

Мне кажется, что от этого рассудочного подхода слегка обалдели и Гесер, и Завулон. Это было что-то новое в людях.

— Дел много, Аня, — сказал я с улыбкой. — Ну, ты как, не надумала еще?

— Пока нет, дядя Антон, — вздохнула девушка.

— Ну какой я тебе «дядя»? — возмутился я. — Еще бы «деда» сказала. Ты, конечно, мне в дочери годишься. Но у нас, Иных, такая смешная разница в возрасте, как четверть века, ни во что не считается.

— Так это нигде уже не считается, дядя Антон, — застенчиво улыбнувшись, ответила Аня. — Что в дочери, что во внучки, что в любовницы — был бы человек хороший. А возраст, цвет кожи, пол — это все частности.

— Тьфу, — сказал я. — Ну что за победа толерантности над здравым смыслом? И где — в России! Огорчаешь, Аня... Ты скорей решай, а я тебя сам инициирую. Лично.

— Ох, дядя Антон, это такая большая ответственность, — вздохнула Аня. — Вы! Лично! Я девушка скромная, не верю своему счастью!

— Да ну тебя... — махнул я рукой. — Какой салат посоветуешь?

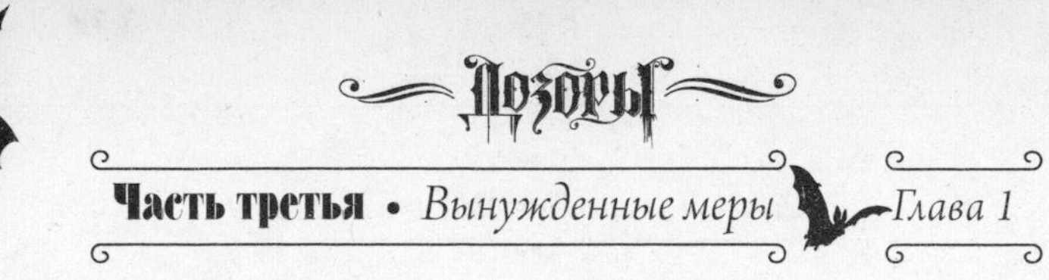

— Возьмите «Цезарь», — предложила Аня. — Я для него заправку делала правильную и крутоны лично обжаривала. Не то что в ресторанах — бухнут майонеза, сухарей из пакета сыпанут, курицу настругают — и уже «Цезарь»!

— Соблазнила старика, — сказал я. — Дай-ка мне двойную порцию салатика и тарелку супа. Любого, на твой вкус.

— Борщ сегодня удался, — посоветовала Аня, накладывая мне салат. — И гороховый суп замечательный, но если остался... Сейчас я, деда Антон!

— Ну, это уже совсем свинство, — буркнул я вслед Ане. Я знал, что девушка вышучивает всех, включая Гесера, и каждого поддевает чем-то своим. Беззлобно, даже как-то приятно, что к тебе относятся как к личности, индивидуально. Но с другой стороны — становится понятно, почему девушка Аня никак не решит, со Светлыми она или с Темными. Надо посоветовать Ласу к ней приглядеться. Они могут хорошо подойти друг другу...

Я еще смотрел вслед Ане, когда в кармане зазвенел телефон. Я достал трубку, глянул — номер не определился.

— Да.

И услышал встревоженный голос жены:

— Антон, это я, Светлана, приходи быстрее!

Я не раздумывал ни секунды, я просто открыл портал — снеся при этом часть сервировочного стола. Я даже не выпустил из рук подноса — прямо с ним шагнул вперед.

И остановился, услышав хохот Нади.

Жена с дочкой сидели в обнимку и что-то обсуждали. Телевизор был выключен, неярко горело бра, на столике перед ними стояли полупустые чашки чая и тарелка с бутербродами. Все было совершеннейшим образом мирно и невинно. Ах нет! Перед Светой еще стояла крошечная рюмочка, судя по цвету — с коньяком.

— Я дебил, — сказал я, когда жена и дочь обернулись.

— Ух ты! Папа притащил салат! — Надя, еще смеясь, забрала поднос у меня из рук. Подцепила немного вилкой. — Вкусненький!

Светлана тревожно смотрела на меня. Потом спросила:

— Что? Что случилось?

— Меня вызвал твой звонок, — сказал я. — Ты только что позвонила и очень испуганным голосом попросила немедленно прийти.

— Мама не звонила! — сообщила очевидный факт Надя. Она еще продолжала улыбаться. По инерции.

— В том-то и дело, дочь, — сказал я. — В том-то и дело!

— Спокойно, — сказала Светлана. — На хвосте ты никого не прицепил. Откуда открывал портал?

— Из нашей столовой. — Я кивнул на поднос. — Из офиса.

— Место безопасное, — будто себя уверяя, сказала Светлана. — Может, Гесер чудит, пытается узнать, где мы?

— Если это он, то не чудит, а... а мудрит! — раздраженно сказал я. — Надя, ты ничего не ощущаешь?

Но дочь уже и сама стояла, раскинув руки и всматриваясь в Сумрак. Каждый Иной невольно придумывает какие-то свои приемчики, запускающие то или иное заклинание. Вот я, когда всматриваюсь в Сумрак, чуть подаюсь вперед, локти прижимаю к бокам, опускаю подбородок, смотрю как бы исподлобья. А Надя наоборот — разводит руки, запрокидывает голову, веки закрывает.

— Ничего, папа, — сказала Надя, встряхнувшись и открывая глаза. — Все... все закрыто. Все обычно. На всех слоях.

Наше убежище и впрямь изолировано на всех слоях Сумрака. Только портал, который может открыть кто-то из нас, способен сюда перенести. Из него, конечно, тоже ничего не видно, единственное, что могла сделать Надя, — проверить целостность защиты.

— Что можно было понять, наблюдая за моей телепортацией? — вслух спросил я. Взял со столика рюмку коньяка и выпил. Светлана, уже чуть успокоившись, погрозила мне пальцем. — Кто-то же меня разыграл. Зачем? Просто шутки ради?

— Максимум — можно было вектор перемещения понять, — сказала вдруг Надя. — Я вот подумала, что если контролировать все слои Сумрака, причем одновременно, то направление можно определить. Ну, как линию такую, тень, по поверхности земли.

Мы со Светланой смотрели на Надю.

— Я бы так не сумела смотреть, — призналась дочь. — Ну и даже если понять направление, то ведь непонятно, где дальше искать, на каком расстоянии.

— Ну как на каком? — спросила Светлана. — Там, где линия упирается в невидимый и непроницаемый в Сумраке барьер. Вот идешь ты, идешь и упираешься лбом в стенку. Бац! Стенка невидимая, но ты уперся.

— Но барьер же непроницаемый, — сказала Надя. Вздохнула. — Глупо, да?

— Уходим, — кивнула Светлана, вставая с дивана. — Надя, открывай портал. В офис Дозора.

— Какого? — деловито спросила дочь.

— Да все равно. Куда проще. Дневной, Ночной — сейчас не важно!

Надя кивнула. Поморщилась. Нахмурилась. Виновато улыбнулась.

— Не получается. Плывет все... навестись не могу...

Я вдруг понял, что до сих пор держу в руках поднос.

— Это поднос из столовой Дозора, — сказал я. — Ты можешь взять след?

Светлана посмотрела на меня с возмущением. Покрутила пальцем у виска и спросила:

— Ты с дочерью говоришь или с собачкой?

Но Надя такими тонкостями не заморачивалась. Взяла поднос, уставилась на него.

Вещи хранят память. И о том, где и когда их сделали, и о тех, кому принадлежали. Конкретно в этом подносе — и память о заводе какого-нибудь поливинилхлорбензилфторида, и расположение столовой в здании Дозора.

— Да, так легче, — обрадованно сказала Надя. — Сейчас...

Она провела ладонью по подносу. Задела каплю упавшего с салата соуса, посмотрела на ладонь, поморщилась, достала бумажный платочек и вытерла руку. Снова положила руку на поднос...

Я смотрел на дочь и думал о том, что каким-то вещам надо научиться. И не играют роли никакая наследственность, предрасположенность, уникальность.

Тебе может все в жизни даваться легко. У тебя будут пальцы как у Паганини, внешность как у Марлона Брандо, абсолютный слух и скрипка Страдивари в придачу. Но ты опоздаешь на свой первый персональный концерт в Сантори-Холле Токио или Золотом зале Вены, и разочарованные критики смешают тебя с грязью. Не потому, что ты идиот. А потому, к примеру, что ты не заложил в свои планы время на токийские пробки или не перевел часы на венское время. Ошибка будет мелкой, глупой и непоправимой.

Когда ты на войне, когда враг рядом — платочками в кармане не заморачиваются. В крайнем случае, уж если так мешает грязь на пальцах, оботрут об одежду. Секунды могут решить если не все, то очень многое. Этому учит только жизнь.

Я чувствовал, как истекают последние мгновения, которые были нам отпущены, чтобы убежать. Но не мог даже крикнуть, поторопить Надю — сейчас ей надо было сохранить сосредоточенность. Уж если она не может открыть портал, то все очень и очень плохо...

— Сейчас... — прошептала Надя. — Папа, я сейчас...

Воздух потемнел, формируя проем портала. Я успел поймать радостный взгляд Светланы и обрадоваться сам.

Потом дом сотряс тяжелый удар.

Телевизор накренился и упал со столика, в шкафу зазвенела посуда, по стенам побежали трещины. Надя покачнулась и выронила поднос. Почти возникший портал исчез.

Дочь вскрикнула, будто от боли, обмякла — я подхватил ее под плечи, замер, озираясь. То, что происходило, никак не походило на магическую атаку. Но и на землетрясение тоже — впрочем, откуда землетрясение в Питере?

— Надя, что с тобой? — Светлана уже была рядом. Дочь шевельнулась, неловко выпрямилась:

— Оборвали портал, резко, не ожидала.

Она казалась скорее растерянной, чем пострадавшей. Я попробовал представить, как это — прерванное заклинание. И не смог. Такого опыта не было.

— Пошли, — сказал я.

Мы двинулись к двери — и в этот момент ударили второй раз. Посильнее.

Стена, в которой было замурованное окно, треснула и прогнулась волдырем. В воздухе повисло облако известковой и кирпичной пыли. Часть кирпичей высунулась внутрь комнаты.

— Быстрей! — крикнул я.

Дверь была хорошая, крепкая. Стальная дверь, к которой снаружи аккуратно прикрепили старую деревянную. Еще два мощных замка — если CISA в России распространен, то Bankham ставит любого взломщика в тупик. Еще три засова — не просто задвижки, а мощные засовы, полностью перекрывающие дверь.

Я отпер оба замка и вытащил один засов, когда в стену ударило в третий раз. И старые кирпичи не выдержали, полетели внутрь.

Вслед за ними в комнату ворвалась чугунная «баба» — огромная металлическая чушка на тросе. Ворвалась — и на миг зависла внутри комнаты. Время будто остановилось, я видел замершие в воздухе разбитые кирпичи (раствор схватился так крепко, что кирпичи ломались пополам, а не в месте стыка), мятый металлический шар, когда-то выкрашенный в веселенькие желто-голубые тона, но ныне безнадежно облупившийся, грязно-серый, залитый неожиданно ярким солнечным светом внутренний дворик-колодец — и в нем едва поместившийся и невесть как сюда попавший автокран с чугунной «бабой» на тросе... В кабине автокрана угадывались два человека.

Я не раздумывал. Взмахнул рукой — и рассек трос, на котором была подвешена чугунная чушка. Удачно рассек — та как раз пошла назад, но, лишившись подвеса, ухнула вниз, на пол, наполовину пробила — и закупорила дыру в стене. Чтобы добавить атакующим веселья, я набросил на нее «кольцо Шааба», заклинание из арсенала Высших Темных. Теперь пройти в пролом будет очень, очень сложно.

Если бы мы не имели дела с Двуединым — то я бы сказал, что невозможно. Но сам факт того, что вампирский бог не стал биться о магическую защиту, а принялся вскрывать квартиру человеческими методами, меня порадовал. Все-таки его силы были не бесконечны.

— Антон!

Дверь уже была открыта — впервые за много лет. Я выскочил вслед за женой и дочерью в подъезд, захлопнул за собой дверь — и в ту же секунду за спиной полыхнуло, яркий проблеск ударил в щель закрывающейся двери, ее с силой захлопнуло.

Не мудрствуя лукаво Двуединый швырнул в дыру файербол. Если бы квартира не представляла собой защищенную магией, абсолютно изолированную «коробочку» — сейчас бы полыхал весь подъезд.

— Я сумочку там забыла! — возмутилась Светлана, не оборачиваясь и сбегая вниз по крутой лестнице. Надю она держала за руку. Я кинулся следом, но передо мной распахнулась дверь соседней квартиры. Так резко, что я не удивился бы, увидев ухмыляющиеся физиономии Двуединого.

Но это была старая-престарая бабка — с крючковатым носом, бельмастыми глазами и седыми патлатыми волосами. На ведьминском шабаше или конгрессе любителей фантастики ее бы долго критиковали за слишком нарочитое следование образу ведьмы.

Правда, одежда бабки никак не годилась для косплея. Ведьму не «отыгрывают» в ярко-желтых бермудах по колено и футболке с машущей лапкой кошечкой. Ощущение было таким, что бабка не то ограбила правнучку, не то впала в маразм и вообразила себя шестнадцатилетней девочкой.

При всем этом — и жутковатой старческой внешности, и неуместной одежде — в бабке сквозил какой-то немыслимый аристократизм. Респектабельность даже, не побоюсь этого слова. Пожалуй, такое можно увидеть только в Питере, в старых домах в центре, где доживают свое самые упрямые хозяева, устоявшие и перед бандитами девяностых годов, и перед нуворишами двухтысячных...

— Молодой человек! — неожиданно громко воскликнула бабка. — У нас не принято хлопать дверью!

— Я больше не буду! — пообещал я, пробегая мимо.

— Вы не внучатый племянник Веры Саввовны?

— Нет! — ответил я уже с этажа ниже.

— Вы три года не посещаете собрание членов будущего жилищного товарищества... — укоризненно кричала вслед старуха.

Но мы уже были на первом этаже. Несколько секунд смотрели друг на друга, собираясь. Потом Светлана кивнула. Я распахнул дверь и вышел из подъезда. То есть из парадного, как здесь принято говорить.

Светлана, как обычно, держала Щиты, я готовился к атаке, хотя прошлая попытка энтузиазма не внушала. Впрочем, сейчас с нами Надя — неисчерпаемый источник Силы...

А врагов не было. Была обычная питерская улица — заснеженная, тонущая в легком морозном тумане, но для разнообразия еще и залитая солнечным светом. Удивительно красиво — высокое чистое небо, ослепительное солнце, кружащаяся в воздухе снежная пыль. По путям, позвякивая, проехал трамвай. Осторожно, явно опасаясь гололеда, проследовал за ним солидный седан. Улица здесь была узкой, в две полосы, даже трамвайный путь был в одну сторону.

— Что-то не так, — сказал я, ежась от холода. Плохо, что мы не одеты, на улице минус пять, не меньше, да еще и с питерской влажностью...

— Людей нет, — сказала Светлана. — Кажется, тут поднята «сфера невнимания». Или что-то похожее... над всем районом.

— Плохо, — сказал я. — Идем!

Я сошел с тротуара на проезжую часть, поднял руку, тормозя ползущую по снегу машину. Что-то французское, симпатичное, семейное с трудом форсировало заснеженную улицу. Тоже мне — культурная столица, а снег до полудня не убран!

Женщина за рулем машины с явным подозрением уставилась на меня, крутанула руль, удаляясь подальше, и прибавила скорости.

— Останови ее! — воскликнула Светлана.

— У нее двое детей на заднем сиденье... — возразил я.

Но было уже поздно, жена сделала резкий жест рукой, будто дергая за что невидимое. Машина с визгом тормозов встала.

— У меня тут тоже ребенок, — заявила Светлана и побежала к машине.

Видимо, интуитивно женщина за рулем связала нас и внезапно заглохший двигатель. Хватаясь за мобильный телефон, она закричала что-то вроде «Уходите прочь, я вызываю полицию!».

Впрочем, Светлана не собиралась с ней дискутировать. Она распахнула дверь, будто та и не была заблокирована, а через мгновение уже вытащила женщину из-за руля. Сказать, что та выглядела обалдевшей, — значит ничего не сказать. Симпатичная длинноногая молодая женщина, очень ухоженная, судя по всему, небедная, хорошо одетая — она явно не привыкла к таким ситуациям.

Но, надо отдать ей должное, сориентировалась быстро.

— Детей отдайте! — завопила она. — Отдайте детей, сволочи!

Светлана уже сидела за рулем, Надя, обежав машину, шлепнулась с ней рядом. В другой ситуации я бы возмутился, но сейчас было не до того. Я распахнул заднюю дверь — в детских креслах сидели мальчик и девочка лет пяти, перепуганные, но хотя бы не орущие. Двойняшки, что ли?

— Все выходим, — бодро сказал я. — Мама велела вам выходить...

И в этот момент на машину пролился огненный дождь. Понятное дело, что все сравнения хромают. Но это действительно походило на дождь из огня. Капли зарождались где-то в небе, падали вниз, почти невидимые в солнечном свете, и с шипением вонзались в снег. Будто распылили над нами цистерну бензина — и подожгли.

Щит Мага закрывал меня и сверху, но его диаметр был всего два метра, а пылала уже вся улица...

— В машину! — закричал я женщине, а сам в немыслимом изгибе протиснулся мимо детского кресла и плюхнулся в центр заднего сиденья. Над головой огненные капли барабанили по Щиту.

Женщина обогнула машину спереди, держась руками за капот, словно удерживая на месте, и села рядом с Надей. Та не стала спорить, сдвинулась. Хорошо, что и моя дочь, и хозяйка машины были одинаково худенькими.

— Гони! — крикнул я, но Светлана уже ударила по газу. Машина с визгом рванула с места — кажется, еще до того, как завелся мотор.

— Прикрывай! — бросила Светлана через плечо. — Надя, страхуй отца!

Защита всегда была ее работой. Впрочем, раз уж в прошлый раз она не справилась — почему бы и не поменять роли?

Я вызвал «ясный взгляд», и автомобиль вокруг меня выцвел, смазался — контуры слегка плыли, ускользали от взгляда. Женщина и дети застыли, похожие на манекены. Дома вокруг высились мертвые, заброшенные. Небо светилось тусклым мрачным светом, по нему призрачной полосой протянулось кольцо пыли и астероидов, что заменяет Луну на первом слое. Глазам стало холодно — не тем зимним холодом, что был на улице, а ледяной стылостью Сумрака.

Светланы изменения коснулись в меньшей мере, лишь кожа чуть поблекла и волосы приобрели пепельный оттенок. Надя вообще не изменилась, даже движения не замедлились, как у всех, на кого смотришь из Сумрака. Она повернулась, кивнула мне.

Я всмотрелся глубже — автомобиль изменил форму, превратившись во что-то с высокой крышей, вроде английского кеба, но полупрозрачное, будто из стекла. Ощущение холода стало еще сильнее, добавилось давление на глаза — даже при простом взгляде на него второй слой Сумрака был не самым комфортным местом. Мир тоже изменился. Здания стремительно трансформировались в скалы. Краски вокруг погасли полностью, все затянуло серым плотным туманом.

Зато в небе вспыхнули сразу три Луны — маленькая белая, большая желтая и совсем крошечная, пылающая, с едва заметными выплесками лавы — алая.

Хозяйка машины исчезла совсем, на месте детей дрожало призрачное свечение аур... ого, а девочка-то, похоже, с потенциалом Иной... да и у мальчика что-то проблескивает...

Надя помахала мне рукой. Она была столь же живой и быстрой, как и в реальном мире.

Я стал смотреть глубже. Скалы превратились в серые холмы, холмы растеклись потоками бесцветной грязи. Все вокруг стало окончательно плоским и бесцветным, лишь временами слабые отсветы красок обозначали голубизну неба, желтизну солнца, черноту земли. Потом краски стали вновь проступать, потом проявились в полную силу. Даже смотреть на шестой слой Сумрака было трудно. Но сейчас я чувствовал непрерывный ручеек Силы, текущий ко мне от дочери.

— Нет, — сказал я. — Я не вижу никого!

— А дождь? — раздался голос Светланы с того места, где она должна была сидеть.

Огненного дождя тоже не было. Мне потребовалось мгновение, чтобы осознать, что это значит.

Двуединый атаковал нас не магией в чистом виде. То ли не был уверен, что магия сработает. То ли по какой-то другой причине. Падающий на нас огненный дождь был самым настоящим огненным дождем — распыленным в воздухе бензином или какой-то другой горючей смесью, которую подожгли над нашими головами.

И убежище, кстати, он разрушил столь же затейливым образом — перенеся в крошечный двор-колодец стенобитную машину.

Что же это значит?

В школе он сражался с нами магией и побеждал. Можно даже сказать — победил. Вампирша обратила его в бегство обычной физической атакой.

Может, он потому и сменил тактику? Или считает, что магическое столкновение теперь, когда мы втроем, будет не в его пользу?

Но самое главное — где же Двуединый? Его нет ни на одном слое Сумрака...

Ну да, разумеется. Ни на одном, кроме седьмого. Кроме нашего мира.

Я убрал сумеречное зрение и вновь оказался в машине. Справа от меня в кресле сидел маленький испуганный мальчик. Слева — маленькая девочка с испуганными глазенками.

— Остановите, я с детьми выйду, — быстро сказала их мать. — Берите машину, все берите. Дайте мне...

— Вы видите, что происходит? — спросил я.

Как ни странно, она замолчала и огляделась. «Рено» — я наконец-то разглядел марку — ехал сквозь огненный дождь. Сверху нас прикрывал Щит, но на стекло, в движении, огонь заносило. Светлана даже включила дворники, и те смахивали со стекла капли горящего бензина. В сочетании с блистающей в солнечных лучах снежной пылью выглядело это феерически.

Мы обогнали громыхающий по рельсам трамвай, Светлана гуднула, привлекая внимание водителя, и, обогнав трамвай, резко повернула перед ним.

— Ты что творишь! — крикнул я, когда мы промчались под носом железной махины.

— Отрываюсь от погони! — ответила Светлана.

— А ты ее видишь?

— Нет!

Мальчик рядом со мной вдруг весело засмеялся. Не поймешь этих детей — то ревут не к месту, то хохочут.

— Мне придется немного тюнинговать вашу машину, — сказал я женщине. — Вы брали модель без люка нарочно?

— Она дешевле, — пробормотала женщина. Глаза у нее стали совсем уж безумными.

— Сейчас исправим, — сказал я.

Я поднял руку, представил себе невидимый клинок, вырастающий из пальцев. Чуть-чуть чистой Силы... И обвел над головой круг.

Женщина завопила, когда я одним толчком выбил часть крыши. Пацан рядом воскликнул:

— Ура!

Я встал, высунулся в дыру, поднимая Щит над головой. Ветер лупил изо всех сил, но на втором слое Сумрака бывало и похуже.

Мы ехали уже по другой улице, но людей по-прежнему практически не было. Несмотря на хорошую для Питера погоду. Несмотря на почти что центр города. Мне даже показалось, что в переулке, мимо которого мы проезжали, я увидел поспешно удаляющихся прохожих. Редкие машины проносились мимо, набирая скорость и сворачивая при первой же возможности.

— Они где-то рядом, — сказал я. — Они держат над нами эту бензиновую дрянь... и отпугивают людей.

— Вот за это им спасибо, — отозвалась Светлана. — Женщина, вы извините ради всего святого, но нас пытаются убить, и мы прячемся. Остановиться сейчас и высадить вас мы никак не можем. Вы же видите, что происходит?

— Вижу, — сказала женщина неожиданно спокойно. — Мистика какая-то... Нет-нет, я не знаю ничего и знать не хочу! У меня дети! Высадите меня, и все!

— По возможности, — сказала Светлана.

— По возможности, — покорно согласилась женщина.

Слушая этот сюрреалистический диалог, я озирался по сторонам. Двуединого нигде не было. Он не гнался за машиной, он не бежал рядом по тротуарам.

— Папа, проверь крыши, — вдруг сказала дочь.

Это был не самый красивый и туристический район Санкт-Петербурга. Но все-таки и не новостройки. Дома вокруг были старые, как минимум начала двадцатого века. Разноэтажные, с самыми причудливыми крышами — и более плоскими, и крутыми, с мансардами, башенками, узорчатыми фронтонами.

— Нет... — сказал я. — За нами не гонятся.

— Этого не может быть! — воскликнула Светлана. Снова резко свернула в совсем уж узкий переулок. — Они тут, тут!

С этим я был совершенно согласен — Двуединый где-то рядом. Но он за нами не гнался. Двигался впереди, заманивая нас куда-то? Влияя на Светлану, заставляя ее следовать в нужном направлении? Тоже возможно. Все возможно, но если отбросить невероятное, то ответ очевиден.

Я нырнул обратно в машину. Потер пальцем кожаное сиденье под детским креслом. Улыбнулся мальчику, внимательно следившему за моими действиями. А потом развел руки — двери распахнулись, и мои маленькие соседи вылетели из машины вместе с креслицами.

Переулок, по которому мы ехали, был очень, очень узким. Оба креслица врезались в стены домов.

— Папа! — закричала Надя в ужасе.

Светлана резко затормозила. Непонимающе уставилась на меня. Я смотрел на женщину. Та хмурилась, терла двумя пальцами лоб. Это никак не походило на поведение матери, у которой только что вышвырнули из машины двух детей.

— Машина не новая, детские кресла тоже, — сказал я. — Но на сиденьях нет следов от кресел, их только что поставили. Гони!

Светлана покачала головой, в ужасе глядя то на меня, то назад. Я тоже обернулся — кресла лежали на снегу, у одного расплывалось красное пятно.

— Антон... Антон, мне кажется, ты ошибся... — тихо сказала Светлана.

— Я не ошибся, — упрямо сказал я. — Женщина, это ваши дети?

Женщина клюнула подбородком — и завалилась на «торпеду».

— Она сознание потеряла! — воскликнула Светлана.

— У нее шок от оборванного контроля! — ответил я. — Она марионетка! Ею управляли!

— Кто? — закричала Светлана.

— Эти... дети! — Я мотнул головой. — Это они — Двуединый!

Светлана заглушила мотор.

— Я так не могу! Я должна проверить!

— Огненный дождь прекратился, — задумчиво сказала Надя.

— Мог просто бензин закончиться. — Светлана вылезла из-за руля. — Я проверю...

— Стой! — Я выскочил следом. Поймал ее за руку.

Мы стояли возле машины, закупорившей собой весь переулок. За нами лежали два детских кресла, из одного торчала неподвижная ручка.

— Ты убил детей, — тихо сказала Светлана. — Ты...

Я поднял руку — и вал Силы покатился по переулку. Грубая, ненацеленная энергия. Простейшее заклинание — Пресс. И что особенно важно — остановить его можно только таким же простым методом. Выбросом чистой Силы.

Светлана смотрела на меня, закусив губу. Я чувствовал, что она мне не верит. Что ей сейчас безумно хочется остановить Пресс и кинуться к креслам, посмотреть, что там с детьми, попытаться им помочь...

Она мне не верила. Но ждала.

Пресс полз по переулку мутной дымчатой волной — это неторопливое и не слишком эффектное заклинание. За ним оставался ровный сверкающий снег, выглаженный до зеркальной глади. Кое-где попадались сплющенные, похожие на рисунок пивные банки. В одном месте — стеклянная аппликация бутылки. Еще в одном, после легкого хруста, образовалась проекция мусорной урны на плоскость, совершенно лишенная объема, спрессованная и вдавленная в асфальт.

Я как-то отстраненно подумал, что если действительно ошибся, то сейчас переулок станет похож на фильм ужасов. И что у меня последний шанс остановить Пресс. А еще я понял, что останавливать его не стану.

И в ту же секунду, когда Пресс готов был перемолоть и креслица, и детские тела, за мутной волной что-то взметнулось, дернулось, изменяя форму и размеры. Встречный толчок Силы — и мое заклинание исчезло.

Как и кресла с детьми. Вместо них стояли Светлый маг Денис и Темный маг Алексей.

Или правильнее будет сказать — их оболочки?

— Как понял? — спросил Денис. Голос у него был тот же, что и раньше. Ровно тем же тоном он говорил мне в офисе: «Здравствуйте, Антон». Парень он был вежливый, но ко всем предпочитал обращаться по имени.

— По комплексу причин! — выкрикнул я.

У меня изо рта шел пар. У Дениса — нет.

— Денис, если ты меня слышишь, — сказал я. — Если ты где-то там еще жив... пытайся сопротивляться! Это Сумрак. Это еще одно его проявление. Ты можешь бороться...

Денис засмеялся.

— Городецкий, ты так себя ведешь, будто меня злой маг воли лишил. Все совсем иначе, Городецкий! Я впустил его в себя!

Он протянул руку Алексею, тот шагнул с тротуара на проезжую часть. Маги взялись за руки.

— А теперь мы одно целое! — добавил Алексей.

Ну, все понятно. Обычный словесный понос одержимого. «Я сам впустил *это* в себя!», «Теперь я стал сильнее, мудрее

и не потею!», «Когда я позволил Темному думать за меня — мир стал прост и понятен!».

— Как же я рада, Антон, — сказала Светлана и взяла меня за руку. — Как же я рада, что ты был прав!

Получилась какая-то смешная параллель между обеими составляющими Двуединого — и нами. И маги, и мы с женой стояли держась за руки.

Вот только за нами еще была дочь. И она не преминула спросить:

— Папа, а как ты на самом деле понял?

Не отрывая взгляда от Дениса и Алексея, я ответил:

— Доча, на самом деле все очень просто. Они ни разу не посмотрели на маму. Настоящий волшебник — это, конечно, очень интересно для ребенка. Но мама — важнее.

Надя рассмеялась.

Мы стояли, глядя друг на друга. Ожидая, кто сделает первый шаг. Это далеко не всегда выигрышная стратегия — делать первый шаг.

— У нас нет почвы для компромисса? — неожиданно спросила Светлана. — Каких-то возможностей для переговоров? В конце концов, когда-то ты общался с Иными, Двуединый, а не бросался в бой очертя голову.

И Денис, и Алексей синхронно покачали головами.

— Компромисс бывает с сильными, — ответил Денис.

— Вы к ним не относитесь, — поддержал его Алексей.

— Но вы медлите, — сказал я. — Похоже, мы не так уж и слабы? Возможно, мы и проиграем, но что, если при этом прикончим одного из вас? Тебе понравится быть Одноединым?

Алексей открыл рот, будто собираясь что-то сказать... Но промолчал. Они с Денисом развернулись — странно, нечеловечески, сцепленные руки будто прокрутились в плечах, — и бывшие Светлый и Темный двинулись прочь по переулку.

— Кажется, я заставил их призадуматься, — сказал я. — Или его? Как правильнее? Блин, не думал, что я так красноречив!

— Пап... — позвала сзади дочь. — Папа... Это не ты красноречив.

Я обернулся.

Тигр стоял рядом с Надей. В руках у него был картонный стаканчик с кофе, который он попивал через трубочку.

— Здравствуйте, Антон, — сказал Тигр. — Здравствуйте, Светлана. Да, наверное, это я их смутил. Извините, если помешал, сегодня действительно прекрасный день, чтобы умереть.

Глава 2

Кофейня была маленькой, жаркой, заставленной какими-то крошечными столиками с лампами в душно-красных плюшевых абажурах. Кроме кофе, там подавали коньяк и виски, канапе и крошечные пирожные. В общем, место сурово специализированное, недолго посидеть с хорошим кофе и съесть что-нибудь символическое.

Но кофе тут был хороший, не меньше дюжины сортов по происхождению — никарагуанский, бразильский, кенийский, кубинский, коста-риканский...

— Любишь это место? — спросил я Тигра.

Он кивнул, затянулся сигаретой.

— Да...

— Чувствую себя виноватым, — сказал я. — Уж не от меня ли эта вредная привычка?

— От тебя, — согласился Тигр. — И кофе тоже.

Я нахмурился, вспоминая.

— Кофе я тогда не пил...

— Тогда — нет. Но ты думал о том, что сейчас бы еще чашку кофе...

— Трудно с вами, богами, — принужденно рассмеялся я. Посмотрел на дочь — она выглядела самой спокойной из нас. Она вообще органично смотрелась в этой кофейне, полной в основном молодежи от пятнадцати и до тридцати. Я обратил внимание, что здесь практически никто не пил алкоголь, только кофе. Странно, меняются поколения, уходят старые модели поведения, уходят мифы... Мало кто за пределами России понимает, что нынешняя Россия уже не хлещет водку по поводу и без. Да и не курит — Тигр был единственным исключением.

— Хочешь? — спросил Тигр.

— У нас нельзя курить в помещении, — мрачно ответил я. — Мы же культурные люди, на дворе двадцать первый век.

— Держи. — Тигр протянул мне пачку. — Никто не заметит, что ты куришь. И дым никому не навредит. Даже тебе. И это будут самые вкусные сигареты в твоей жизни.

— Тебе бы в табачном бизнесе работать, — пробормотал я, беря пачку. Такой я никогда не видел — сигареты назывались «Сумеречные», содержание никотина было указано нулевым, содержание смол «–0,6».

— При курении очищают легкие, — сказал Тигр. — Хорошая бизнес-идея?

— Мне кажется, ты опасно очеловечился, — заметил я, снимая с пачки целлофановую оболочку. — Это я не о кофе и сигаретах, а о твоем чувстве юмора.

— И это твоя вина, — сообщил Тигр.

— С какой еще стати? Я совсем не смешной, разве что когда падаю лицом в салат.

— Да, ты серьезный, как надгробие, — признал Тигр. — Дело в другом. Ты довел ситуацию до пата. Я не смог убить мальчика-пророка. Но оставался риск, что пророчество будет озвучено. Поэтому я был вынужден остаться среди людей. На

неопределенное время, до смерти Иннокентия Толкова, а желательно — также твоей, твоей жены и твоей дочери.

— Ну спасибо за откровенность, — вздохнула Светлана.

— Я же отказался от идеи ускорить процесс, — обиделся Тигр. — Я должен был ожидать естественного хода событий. Но это привело к тому, что я остался среди людей. На неопределенное время.

— И стал жить человеческой жизнью, — сказал я. Достал сигарету, понюхал. Пахло табаком. Приятно пахло, с точки зрения курильщика. Нет, не стану я нарушать закон и курить в кофейне! С искренним сожалением я втиснул сигарету обратно в пачку. — Дай догадаюсь... у тебя есть квартира?

— Не одна и не в одном городе, — ответил Тигр. — Ты бы знал, какое у меня бунгало в Доминикане!

— Наверное, девушка тоже есть? — предположил я. — Может, тоже не одна?

Тигр скромно улыбнулся.

— С ума сойти, — сказал я. — А потом будут рождаться дети со сверхспособностями.

— Нет-нет, — торопливо ответил Тигр. — Это слишком серьезный шаг, я к нему пока не готов.

— Так ты что — воплотился в человека? — спросил я, почему-то понижая голос.

— Не понял, — нахмурился Тигр.

— Это он к Сумраку обращается, — сказала Надя. — Точно, пап?

Я кивнул.

— Я не Сумрак, — досадливо вздохнул Тигр. — Сумрак не имеет... — Он задумался. — Личности? Разума в человеческом понимании? Воплощения? В общем — я некая часть. Рабочий организм. Или механизм. Я сам по себе.

— Ты таким стал, — заметил я. — Тебя совратила человеческая жизнь. Со всеми ее маленькими радостями.

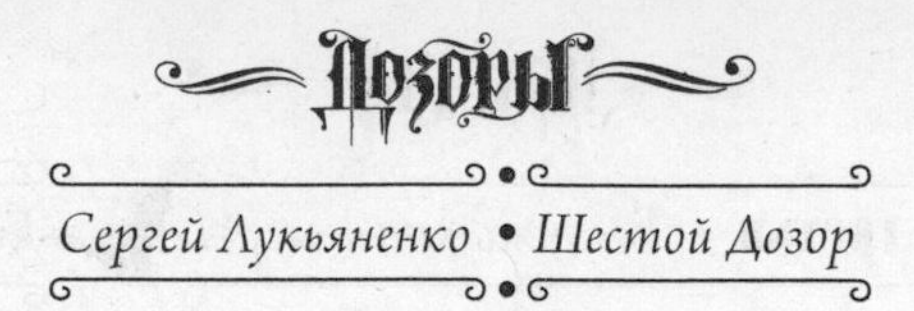

Тигр кивнул.

— Хорошо, — сказал я. — Вообще-то я совсем не против. Ты не убиваешь бедных пророков почем зря — это же прекрасно! Тогда скажи, кто такой Двуединый?

— У меня не больше информации, чем у тебя. — Тигр даже несколько обиделся. — Часть Сумрака.

— То есть часть тебя? — уточнила Света.

— Сумрака! — с напором повторил Тигр. — Знает ли твоя левая рука, что творит правая?

— Голова знает, — сообщила Светлана.

— К сожалению, я не голова. — Тигр отпил кофе. — У меня была миссия. Ради нее я приходил в этот мир...

— А между приходами? — заинтересовалась Надя.

— У меня не было «между», — усмехнулся Тигр. — А тут я остался. Задумался. И понял, что мне не нравится Двуединый.

— Почему?

— Во-первых, если он вас убьет, то мне придется возвращаться, — сказал Тигр раздраженно. — А я, между прочим, жду выхода следующих «Звездных войн».

— Вот бы Лукас это услышал... — с восторгом сказала Надя.

— Во-вторых, то немногое, что я знаю о Двуедином, мне не нравится, — продолжал Тигр. — Если он считает, что завет Сумрака нарушен, то у него нет другого выхода, кроме уничтожения всех Иных. А исчезновение всех Иных приведет к гибели всего живого на Земле.

— Почему? — спросил я.

Тигр пожал плечами.

— Я знаю только результат. И он мне не нравится. Может быть, Двуединому и все равно, останется ли он на безжизненной планете. Может быть, Сумраку это все равно... или он не осознает происходящего. Но я — против.

— Как же нам повезло, что ты очеловечился, — усмехнулся я. — Скажи, ты можешь его остановить?

— Древнего бога Света и Тьмы? Вампирского бога? Явившегося в мир, чтобы провести апокалипсис? — Тигр покачал головой. — Даже не надейся.

— Но сегодня он ушел!

— Может быть, от неожиданности, — предположил Тигр. — А может быть, потому, что пророчество гласит «три жертвы на четвертый раз». Сколько раз до того он порывался вас убить?

— Один, — мрачно ответил я.

— Теперь два. Я почти уверен, что он нападет в третий раз — и отступит. Может, он будет для себя объяснять отступление вескими логичными доводами, но дело не в них. Осознанно или нет, но Двуединый следует пророчеству. Первый и второй раз отступил, когда появился другой соперник. Найдет повод отступить еще раз...

— А на четвертый раз он нас убьет.

— Если вы не убьете его, — кивнул Тигр. — Надежда Антоновна — Абсолютная волшебница. Ее Сила безгранична. Но, как вы прекрасно знаете, важно еще и умение пользоваться Силой. Так что в поединке я поставил бы на Двуединого.

— Как же Шестой Дозор?

Тигр задумался.

— Он будет сильнее Двуединого?

— Шестой Дозор будет правильным соперником, — сказал Тигр наконец-то. — Тысячи лет назад шестеро Иных заключили какой-то договор с Сумраком в лице Двуединого. Сейчас договор нарушен — и Двуединый воплотился, чтобы покарать всех Иных как отступников. Но, вероятно, если Шестой Дозор воссоздать, то будет возможен диалог. Будет возможность перезаключить Договор, исправить ошибки и так далее.

— Но ты не знаешь, что за Договор, что за ошибки, что за Шестой Дозор...

— Говорю же — нет! — с легким раздражением отозвался Тигр. — Я на вашей стороне. Я за Иных и за людей, потому что мне нравится быть Иным человеком. И помогать я готов, но ответов на любые вопросы не ждите. Их нет.

— А предположить ты можешь? — спросила Светлана. — Все-таки ты наиболее близок Сумраку.

Тигр усмехнулся.

— Предположить — могу... Какое-то время о Шестом Дозоре помнили, верно? Вы узнали о случае, когда он обсуждал сотрудничество с Инквизицией. Почему?

— Почему отказал?

— Да нет же! Почему он вообще обсуждал этот вопрос? Почему он существовал, если Двуединый не появлялся уже сотни или тысячи лет?

— Шестой Дозор был древнее всех наших Ночных-Дневных, — мрачно сказал я. — На заре времен Двуединый явился к кроманьонцам и неандертальцам. Они там что-то решили. Допустим, без всякой структуры, так, на уровне шаманов перетерли... Собралась какая-то компания, что-то они решили. Потом Двуединый явился — сильно позже, когда у него возникли какие-то претензии. Уже была цивилизация, древние города...

— Ур, Шан, Египет, Атлантида, — сказал Тигр без усмешки.

— Тогда еще не было наших Дозоров, — рассуждал я вслух. — Но для встречи с ним выбрали какой-то Шестой Дозор. Это были те же Иные, что встречались на заре времен? Или их последователи? И почему Шестой?

— Скорее он назывался «Дозор Шести», — предположил Тигр. — Или «Шестеро дозорных». Как-то так.

— То, что в современном русском блатном языке назвали бы «шестеро смотрящих», — насмешливо сказала Света.

— Да пусть бы и так, — согласился я. Посмотрел на задумчиво выпускающего изо рта дым Тигра и не выдержал. Вновь достал сигарету. Коснулся пальцем, поджигая.

— Пижон, — сказала насмешливо Светлана.

— Да пусть бы и так! — повторил я, затягиваясь.

Это были действительно великолепные сигареты — ну, насколько отрава может быть вкусной.

— Вопрос в том, почему Шестой Дозор исчез, — сказала Надя. — Вначале Двуединый пришел к вампирам-оборотням. Тогда никаких специализаций не было. Ко второму визиту были — и шесть появившихся сил объединились в Шестой Дозор. Но почему он сохранялся веками и до, и после второго прихода Двуединого, а потом — исчез?

— Не просто исчез, сама память о нем была потеряна, — добавила Светлана.

Я развел руками. Тигр повторил мой жест.

— Не знаю. Но я советовал бы вам подумать именно об этом. Для чего Шестой Дозор был нужен — и почему исчез. Может быть, тогда удастся понять, как победить Двуединого? И кто входит в Дозор?

Он встал, и я понял, что наша беседа закончена.

— Ты следишь за нами? — спросил я.

Тигр покачал головой.

— Но ты появился в самый нужный момент...

— Я появился, когда почувствовал работу с Силой — твою и Двуединого. Понял, что вы сошлись в поединке, — и пришел.

— Вовремя же ты Пресс применил, папа, — сказала Надя. — До свидания, Тигр!

— До свидания, девочка Абсолютная, — серьезно сказал Тигр. — Я надеюсь, что все будет хорошо, хотя шансов на это мало.

Я ожидал, что он просто исчезнет. Но Тигр вначале достал из кармана деньги. Положил на стол две тысячные купюры. А потом скрылся за дверью туалета.

— Совсем очеловечился, — сказал я с восхищением. — Кошмар какой!

— Надя, открой портал в офис Дозора, — попросила Светлана. — Я понимаю, что когда-то вы не смогли там защититься от Тигра. Но все-таки там надежнее.

— А может, у Гесера есть на примете какое-то убежище... — вздохнул я и затянулся.

К столику подошла молоденькая официантка. Как я полагал — за деньгами, но она встала возле столика и возмущенно посмотрела на меня.

— Что-то не так? — спросил я.

— А как вы думаете? — поинтересовалась девушка. — Вы курите! Мне полицию вызвать, акт составить?

— Да... я... — Растерянно загасив окурок в чашечке с остатками кофе, я помахал в воздухе рукой, развеивая дым. — Извините. Глупо вышло!

— Он задумался! — сказала Надя. — Извините папу. Неприятное известие, он и задумался.

— Что-то случилось? — подозрительно спросила официантка, глядя, как я торопливо достаю из кармана деньги, и слегка смягчая тон.

— Да, — кивнула Надя. — Мы все умрем.

— Баян, юмористка, — фыркнула официантка, сгребая деньги.

* * *

Однажды, в совершенно случайном разговоре, Ольга сказала мне, что едва не стала ведьмой. Нет, не в том переносном смысле, что «все бабы — ведьмы», и даже не в том наукообразном, что любая женщина-Иная склонна к ведьмовским приемам магии. А в самом буквальном. Могло когда-то так

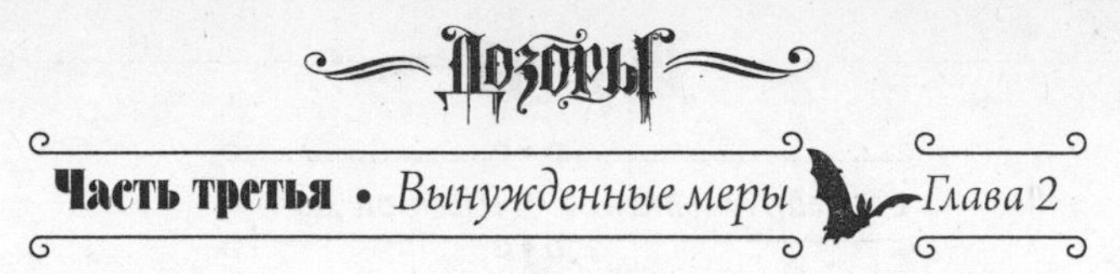

все сложиться, что стала бы Ольга варить зелья в котелке, заряжать магией амулеты, наводить порчу, изводить девственниц на лечебные притирания... Но все повернулось иначе, и Ольга стала Светлой Иной.

На самом деле все гораздо сложнее. Да, есть обязательные признаки ведьмы — использование артефактов, растительных и животных экстрактов, частое применение доступной только женщинам магии (и в этом нет никакого сексизма — просто не позволит мужская физиология некоторых вещей: ни создать заклинание «бездонная западня», ни сварить зелье «мамочкино а-та-та», куда входят три капли грудного молока).

Ведьмы вообще часто используют физиологические жидкости — за что их и не любят. В этом они чем-то напоминают вампиров и оборотней, жаждущих крови и мяса. Вопреки слухам все эти «слезы девственницы» и «капли младенческой крови» в большинстве случаев собирают без того, чтобы хлестать невинных девиц плетью или резать детей на части. Но и среди ведьм есть обычные садистки, а девица, которой страшная старуха говорит: «Мне нужны твои слезки!», вряд ли склонна разумно оценивать угрозу.

За то люди ведьм и жгли, когда удавалось их прихватить. И в какой-то момент это стало настолько раздражать Инквизицию (ведь ведьмы демаскировали всех Иных без исключения), что Конклаву всыпали по первое число. С тех пор ведьмы, некогда могучие и самостоятельные, несколько ушли в тень.

Но в том, что ведьмы были из числа самых первых Иных, — я не сомневался. Пожалуй, изначально они были какими-то вампирами, которые научились довольствоваться малым и выкачивать Силу не с литрами крови, а с ее каплями.

Куда более интересным был другой вопрос. Начали ли ведьмы запасать Силу в бусах, кольцах и серьгах, потому что они их носили, или начали носить украшения, чтобы запасать в них Силу? Я склонялся ко второй мысли. Тогда, кстати, понятна всеобщая женская страсть к ювелирным изделиям — человеческие женщины носили их, чтобы замаскироваться под Иных, под ведьм. В темные времена человечества женщине было полезно, когда ее считали ведьмой. Впрочем, это и сейчас бывает не вредно...

— Как ты? — спросил я Надю.

— Нормально, пап, — ответила дочь.

Вот так всегда у нее в последние годы. «Нормально». «Хорошо». «Четко». Переходный возраст, наверное. Это в десять лет она сама советовалась обо всем на свете, а в двенадцать ее можно было спросить о чем угодно...

— Необычное место для шабаша, правда? — спросил я.

Дочь пожала плечами:

— Ну почему же? Мне кажется, очень хорошее место. Ну не собираться же им все время в Киеве, на Лысой горе, в самом деле!

— Есть еще Брокен в Германии, — напомнил я.

— Так везде есть свои лысые горы. — Надя пожала плечами. — В Москве ведьмы на Воробьевых горах собираются... Догоняй!

Она оттолкнулась палками — и покатилась вниз по склону.

Мы стояли на самом гребне горы. В одну сторону склон был диким, неухоженным, покрытым камнями разной величины, кое-где ветер сдул снег, и темнела скальная порода, кое-где тот же ветер надул огромные сугробы.

В другую сторону склон был выглажен, вычищен, покрыт ровным слоем снега. Стояли снеговые пушки, тянулись мачты подъемников, скользили фигурки лыжников и сноубордистов в ярких разноцветных костюмах. Солнце клонилось к закату, подъемники уже шли только вниз. В горах темнеет быстро, и через полчаса все эти туристы будут мыться и переодеваться, а еще через час-полтора — ужинать и попивать пиво.

Это был маленький горнолыжный курорт на границе Австрии и Италии. Узкая долина у перевала, застроенная отелями, пансионатами, ресторанами, жмущимися к проходящей навылет дороге. Повсюду, разумеется, были подъемники, и у восточного, и у западного края долины. Летом, наверное, тут тоже была своя жизнь — какой-нибудь экологический туризм, походы по склонам, собирание эдельвейсов и любование коровами.

Но по-настоящему это место оживало только зимой. И еще в те дни, когда сюда съезжались ведьмы.

Я собирался отправиться на встречу один, как и говорил Гесер. Но в последний момент, уже после того, как Наде и Светлане выделили комнату для проживания в подвальных этажах Ночного Дозора, планы поменялись. Явился Завулон, с которым связалась одна из старших Бабушек Конклава. Сообщила, что ведьмы просят Городецкого прибыть не одного, а с дочерью. Полчаса шли пререкания по поводу безопасности — пока ее не гарантировала Инквизиция (хотя если честно, то я не был уверен, что вся мощь Инквизиции, включая запретные заклинания и артефакты из особых хранилищ, сможет уничтожить Двуединого). Потом полчаса мы с Надей уговаривали Светлану — к предложению отпустить Надю со мной на Конклав она отнеслась с таким же недоверием, как пятнадцать лет назад к моему предложению самому покормить Надю из бутылочки. С точки зрения женщин, мужчины не умеют заботиться о детях.

Но приглашение Конклава было очень конкретно и никаких иных толкований не допускало. Антон Городецкий и его дочь Надежда. Все.

В итоге времени на то, чтобы добраться до Австрии каким-либо человеческим видом транспорта, не оставалось. А ближайшие окрестности отеля, где собрались на свой Конклав ведьмы, оказались заблокированы от открытия порталов. Я еще никогда не видел Гесера и Завулона столь раздраженными и смущенными одновременно, чем в тот момент, когда спросил их, откроют ли они портал прямо в отель.

Они не могли. Инквизиция тоже не могла. Ведьмы использовали какие-то свои заклинания и артефакты — и пройти напрямую к их шабашу было невозможно.

В итоге все стало напоминать какую-то сюрреалистическую «бондиану» — нам с Надей привезли горнолыжные костюмы и снаряжение, после чего открыли портал на склоне горы, километрах в пяти от отеля. Трасса была несложной, «светло-красной» по местной классификации, ухоженной и размеченной, а мы иногда ездили кататься на лыжах.

Но все же ехать просто так я не рискнул. Покатился вслед за Надей, просчитывая вероятности и с легким испугом осознавая, что тело успело подзабыть горные лыжи. Вот тут я катился бы кубарем, вот здесь меня, неуклюжего и медленного, подрезал бы и сбил молодой отвязный сноубордист, а здесь я расхрабрился бы, стал бы что-то вспоминать, рискнул бы увеличить скорость и снова закувыркался бы...

Так что я спускался вслед за Надеждой неспешно, будто новичок, тормозя «пиццей», меряя склон змейкой и постепенно втягиваясь в забытые ощущения. Как жаль, что мы уже пару лет не ездили в горы! Как это все-таки здорово... и как здорово было, когда Надя спускалась позади, маленькая, смешная и сосредоточенная...

Мы скатились со склона почти к самому отелю, где проходил Конклав. До этого момента я то ли не всматривался, то ли отель накрывал какой-то ведьмовской морок, а тут — в глазах просто зарябило от аур.

Иные. В большинстве своем — Темные. Ведьмы.

Отель назывался «Winter Hexerei», что было по-старомодному мило и вызывающе. Темные Иные вообще любят

такие провокационные демаскирующие штучки — вампиры шутят о крови, зубах и высасывании, оборотни острят про волков, шерсть и полнолуние. Ведьмы обожают говорить про колдовство.

Плакат у входа был столь же ехиден и вызывающ.

«Приветствуем участников DCLXV традиционного съезда феминисток, работающих в сферах геронтологии, косметологии, ботаники и межличностных отношений».

Это, конечно, было длинновато, особенно в версии на немецком языке, но довольно хорошо передавало суть того, чем занимаются ведьмы. Я бы еще про зоологию добавил — масса ведьмовских эликсиров содержит субстанции животного происхождения. Но звучало бы уж совсем громоздко.

— Я хорошо катилась? — спросила Надя, останавливаясь.

— Очень, — искренне сказал я, тормозя рядом. — Смотрела вероятности?

Надя секунду колебалась, потом призналась:

— Ну... чуть-чуть. Я на серединке испугалась, посмотрела. И правильно сделала, если бы не затормозила — упала бы. Нам сюда?

Я кивнул. Мы были рядом со входом в отель, мимо нас двигался неторопливый поток — в большинстве своем ведьмы, в большинстве своем — старые, в большинстве своем — в горнолыжных костюмах, с лыжами в руках.

— Лыжи куда девать? — сбрасывая их, спросила Надя.

Я показал на стойку возле открытой площадки ресторана. Днем тут оставляли лыжи обедающие, сейчас, к ночи, похолодало, и открытая площадка пустовала, только кто-то курил у дверей. Небо уже потемнело — стремительно, как всегда в горах. По всей долине загорались фонари — у отелей, у дороги, у лыжных трасс.

— Бросим тут, — сказал я. — Довольно нелепо будет с ними таскаться, правда?

— Хорошие лыжи, — вздохнула Надя. Но безропотно поставила их рядом с моими. — Так здорово было снова прокатиться...

— Сейчас закончится этот кризис — и поедем в горы, — сказал я. — Честное слово.

Надя мимолетно посмотрела на меня, кивнула. Но я видел, что она мне не верит. Я и сам себе не верил.

— Герр Городецкий? Юная фройляйн Городецкая?

К нам подошла пухленькая немолодая женщина в ярком бело-оранжевом комбинезоне.

— Да-да, конечно, — ответил я.

Мы видели ауры друг друга, и вопрос, конечно же, был риторическим. Женщина была ведьмой, Высшей Иной.

— Этта Сабина Вальдфогель, — протягивая руку, сказала ведьма. — Я много о вас наслышана, герр Городецкий.

Я отчаянно вспоминал.

— Фрау Вальдфогель... — Кивнув, я спросил: — Не ошибусь ли я, если предположу, что вы — автор «Наставления о путях и путниках»?

Во взгляде Этты Сабины появилось любопытство.

— Вы читали, герр Городецкий?

— Нет, — признался я. — Мне не удалось достать экземпляр.

— Оно довольно редкое, — небрежно сказала Вальдфогель. — И я не уверена, что могу выносить «Наставление» за пределы нашего круга... и что вам действительно пригодится эта весьма специальная литература... Но я могу дать вам «Краткую трасологию фрау Этты». Она более популярна и доступна...

— Я бы с удовольствием почитала, — сказала Надя.

— С удовольствием, милая, — проворковала Этта. — Ну, пойдемте, пойдемте же в тепло!

Вслед за Эттой мы вошли в холл отеля. Людей почти не было — только ведьмы. Даже на ресепшене ведьмы. Даже официантка, разносившая по холлу кувшинчики с горячим глювайном, была ведьмочкой, и не последнего ранга. В отличие от нашей сопровождающей они все носили личины молодых и красивых женщин.

— Как же мне приятно видеть Абсолютную, дитя! — приобнимая Надю за плечи, проворковала Этта. С мороза она стала совсем уж румяной, добродушной, обаятельной пожилой дамой.

Владелица пряничного домика, где гостили Гензель и Гретель, была, наверное, точно такой. А может быть, они с Эттой даже были знакомы и захаживали друг к другу на ужин.

— Спасибо, Бабушка, — мило потупившись, отозвалась Надя. — А уж как мне приятно, что такие мудрые женщины позвали меня, глупую и неразумную, приехать, ума-разума набраться...

Вальдфогель засмеялась.

— О, какой острый язычок! — Она потрепала Надю по щеке. — Да ты ведьма, девочка!

— Я не ведьма, — ответила Надя. — Вы ошиблись, Бабушка.

— Ведьма-ведьма! — бодро отозвалась Этта. — Все мы, настоящие волшебницы, ведьмы...

Надя повела плечом, сбрасывая руку Этты. Я с любопытством смотрел на дочь — она очень долго терпела. Вообще-то Надя с детства не любит таких вот телесных контактов с дружелюбными незнакомцами — погладить по головке, потрепать по щечке... Нет, ничего совсем уж дурного она в людях не подозревает. Просто не любит панибратства.

— Я не ведьма, Этта Сабина Вальдфогель, — произнесла Надя негромко. Но голос ее каким-то образом зазвенел, наполняя собой весь немаленький холл. Ведьмы застыли. —

Я не ведьма, не оборотень, не вампир, не волшебница. Я нечто большее. Я — Абсолютная. Запомни это, Мать этих гор.

На миг Вальдфогель изменилась — словно по ней провели мокрой тряпкой, смывая магический грим. Вместо обаятельной пожилой тетушки с легкой полнотой рядом с нами оказалась древняя расплывшаяся старуха. Бусинки глаз тонули в покрытых красной сеточкой складках кожи. Полуоткрытый рот был абсолютно беззуб, и я совершенно не к месту вспомнил, что одним из традиционных ведьминых грехов в Средневековье считалось питье грудного молока. Помимо очевидного высасывания Силы, пожалуй, не меньшего, чем получают вампиры, у таких действий могла быть и еще одна причина...

Потом видимость восстановилась. Рядом с нами опять была милая немолодая женщина.

— Всего лишь голосом, — сказала Вальдфогель с восхищением. — Я тридцать лет не снимала этот облик, я уже сама подзабыла, как это делается... Я восхищена, девочка. Ну, пойдемте же, пойдемте!

Шум в холле возобновился. Ведьмы сновали туда-сюда, кто-то, входя, садился у бара прямо в лыжных костюмах и ботинках, попивая горячее вино, кто-то уходил в номера. Умеют же ведьмы устраивать свои шабаши!

— Все занято, все-все собрались, — бормотала Вальдфогель, ведя нас к лифту. — Уж не обессудьте, я вам простой номер забронировала, ну так вам же не ночевать, только в порядок себя привести... Прокатились хорошо? Как снежок?

— Спасибо, получили огромное удовольствие, — ответил я.

— Вот и славно, вот и славно... Вы чаще приезжайте к нам кататься, тут хорошее место, а гору я попросила, она вас запомнила — не разобьетесь, не сломаетесь, если уж совсем глупить не станете, конечно...

Что в ее словах было ведьмовской похвальбой, на которую все они мастерицы, а что правдой? Могла ли ведьма «попросить гору»? А если да — то что имеется в виду? Я не стал расспрашивать.

Мы поднялись на лифте. Вальдфогель открыла дверь ближайшего к лифту номера (я как-то опытным путем установил, что это, как правило, самые маленькие и неказистые номера, которые получают одинокие непритязательные коммивояжеры и курящие путешественники с внешностью алкоголиков, которые с большой вероятностью будут среди ночи ломиться на улицу). Но нам действительно тут не ночевать.

В номере было тесно, но чисто и аккуратно. На кровати, слишком широкой для односпальной и слишком узкой для двуспальной, лежали великолепный мужской костюм из темно-синей шерсти, белая сорочка, галстук, носки, трусы и модельные туфли.

Рядом лежало длинное черное платье, к моему удивлению, выглядящее слегка поношенным, черные колготки, черные трусики с черным лифчиком и черные туфли.

Надя возмущенно повернулась к ведьме.

— Простите, фройляйн, — невозмутимо сказала та. — Я не хотела вас смутить. Но вы все-таки с отцом, а не с молодым человеком, и вряд ли вашего отца так шокирует вид ваших трусиков.

Надя вспыхнула, сгребла одежду и исчезла за дверью ванной комнаты.

— Ах, дети... — вздохнула Вальдфогель. — Но я ничего не могу поделать. Девушка, впервые посещающая шабаш, обязана одеться в классическом стиле. Все черное. Некоторые полагают, что белье может быть белым, но я считаю это недопустимой вольностью. Вначале начинают сморкаться в бумажные салфетки, потом не бреют волосы под мышками, заканчивают белым бельем под черное платье — и вот, полюбуйтесь, рушатся государства, падают нравы, сирот отдают на воспитание содомитам, а в церквах устраивают выставки.

— Какая вы неполиткорректная, фрау, — сказал я, стягивая тяжелые ботинки и начиная расстегивать комбинезон.

— Да, я такая, — вздохнула ведьма. — Киндер, Кюхе, Кирхе — как говорят в Германии. Здоровое общество начинается со здоровой семьи и хорошего вкуса! Вам помочь, герр Антон?

— Справлюсь, — стягивая комбинезон, сказал я. — Вы не будете против, если я не стану мыться, а просто оботрусь вот этим покрывалом и надену чистое?

— Не стану, — сказала ведьма. — Запах мужского пота — лучший аромат для женщины. Вы не будете стесняться переодеться при мне?

— Ничуть, — ответил я, скидывая пропотевшее белье.

— Как жаль. — Этта вздохнула. — Я обожаю свое ремесло, мне нравится быть ведьмой, и я хорошая ведьма, поверьте, Антон. Но как же обидно, что наша внешность так... неприятна.

— Этого ведь никто не видит, — сказал я, быстро одеваясь. — И на здоровье вроде как не влияет.

— Я-то сама вижу, — пожаловалась ведьма. — Вы видите.

— Ой, да ладно, нашли проблему! — махнул я рукой. — На Иных свет клином не сошелся. Можно подумать, мы такие мачо, что без нас и мужиков-то на свете нет...

— Галстук повязать? — поинтересовалась Этта. — Мужчины никогда не умеют завязывать галстук.

Я кивнул, протягивая ей галстук — темно-синий, в тон костюма шелк с вышитыми на нем золотистыми звездами.

— Всем мужьям завязывала, — бормотала Этта, прикидывая галстук к моей шее, хмуро оглядывая его, прикладывая к пиджаку. — И Гансу, пусть ему спится хорошо, и Вольфгангу, и Альфреду, знать его не желаю, и Отто, и Конраду, и Люд-

вигу, и Базилю... а он, кстати, из ваших был, из русских... И еще Антонио и Хорсту...

— Сколько ж у вас мужей было? — спросил я.

— Да под сотню... — Этта махнула рукой. — Не думай, Городецкий, я их не всех хоронила, обычно поживем годка два-три, как-то и мне становится скучновато, и мужиков на подвиги тянет, а я этого не люблю... Вот и разводилась или просто уезжала... Только с Гансом всю жизнь прожили, и с Альфредом, будь он неладен, и с Людвигом...

Дверь ванной отворилась, вышла Надя. Слегка смущенная.

— Как я?

Я придирчиво осмотрел дочь. С удивлением сказал:

— Ты знаешь, а неплохо. Платье как по тебе шили... хотя мне кажется, оно не новое.

Этта захихикала.

— Угадал! Оно не новое, в нем уже три века девушки на первый шабаш ходят. Но под фройляйн Надю его подгоняли, весь день портной работал...

— Ты тоже великолепно выглядишь, папа, — сказала Надя. — Тебе надо носить костюм и галстук. Это так... очаровательно старомодно.

— Спасибо, родная, — кивнул я. — Ты умеешь создать отцу бодрое настроение. Фрау Вальдфогель, как у нас со временем?

— У вас есть четверть часа, — сказала ведьма. — Вы можете выпить пива или вина в баре. Или водки. Водки? Что вы обычно пьете по вечерам?

— Нет, водку не могу, я обещал своему медведю не пить без него, — ответил я. Надя хихикнула. — Фрау Вальдфогель, а удовлетворите мое любопытство... у вас действительно шестьсот шестьдесят пятая встреча?

Кажется, мне удалось смутить ведьму.

— В какой-то мере да, — уклончиво сказала она. — Понимаете ли, Антон... мы, ведьмы, слегка суеверны. Потому у нас уже почти век — шестьсот шестьдесят пятая встреча Конклава. Потому она и «традиционная».

— Интересное решение, — сказал я.

— Я тоже так считаю, — ответила ведьма без тени иронии. — Ведь главное — это сохранить душевное равновесие и позитивный взгляд на мир.

Я не нашелся что ответить.

Зато Надя негромко сказала:

— Один — один, папа.

Глава 3

Конклав ведьм собрался в ресторане при отеле. Как говорится, «решили совместить заседание и банкет». Нет, гор еды, к счастью, не было, две сотни жующих ведьм — это слишком сильное зрелище. К тому же они в большинстве своем любят поесть, и обильная закуска могла бы отвлечь их внимание даже от начавшегося конца света.

Поэтому на столах были только чай, кофе, вино, пиво и коньяк (многие дамы предпочитали именно его), канапе с красной и черной икрой, фуа-гра на маленьких тостах, различные пирожные и нарезанные торты (ведьмы готовы есть сладкое всегда и в любом количестве).

Мы пришли, когда большая часть дам уже расселась. Большинство предпочитали выглядеть молодо и ярко, но и облик пожилых был обманом, приукрашением реальности. Сила, которой владеют ведьмы, тянет из них красоту и молодость. Они могут жить долго, очень долго, практически вечно — как и все Иные, но мы живем свою долгую жизнь в молодых телах, а ведьмы — в старушечьих.

Фрау Вальдфогель, одетая в роскошное вечернее платье и несовременные (и явно дорогие) украшения, повела нас к столу, за которым, очевидно, собрались самые уважаемые ведьмы. Все, насколько я видел, были Высшие. Сидела среди них и Хохленко, но, как мне показалось, это было неожиданным для нее самой. Скорее всего московскую Бабушку позвали за главный стол из уважения к нам.

«К Надежде, — мысленно поправился я. — Не к нам. К Наде. Она их интересует».

Мы пробирались мимо столов, за которыми выпивали и закусывали ведьмы, и до меня доносились обрывки разговоров.

— ...Джек был славный малый, славный. Но с таким детством, ты же понимаешь, голубушка, голову в порядке не сохранишь. Психологов тогда не было. Вот он и взъелся на этих бедных проституток...

— Нет-нет! Ты все неправильно поняла! Физическая невинность совершенно не важна, то есть желательна, но не является главным критерием! Важна невинность духовная, я бы даже сказала — наивность духовная, чистота, исходящая из глубин сердца, девственность сознания! И вот сердечная мышца именно такой девственницы, будучи обработанной правильным образом...

— Какая гадость, — тихо сказала Надя, беря меня за руку. Она тоже вслушивалась в разговоры. — Одно радует, я на такую девственницу точно не потяну!

Я сделал вид, что не услышал.

Были, впрочем, разговоры и более спокойные.

— Ранним утром! Едва лишь краешек солнца появится на небосклоне — выходишь в поле, начинаешь собирать бутоны. С добрыми мыслями, с улыбкой на губах, можно с тихой песней...

Возможно, если бы мы послушали дальше, то выяснилось бы, что собранные цветы надо использовать для какой-то гадости. Но мы не дослушали, подошли к своему столу.

Да, по сравнению с собранием вампиров здесь все было очень мило — особенно если не вслушиваться и не пытаться смотреть через косметические заклинания.

Улыбающиеся девицы и старушки, так и норовящие чмокнуть Надю в щеку, а меня приобнять. Обилие розового цвета в одежде — дочь оказалась едва ли не единственной, одетой в черное. Какие-то шуточки, прибауточки, улыбочки, кусочки тортиков, плывущие на блюдцах со стола на стол, разливаемый чаек — а также винишко, пивко, коньячок. Конклав ведьм походил на стайку маленьких пушистых зверьков с розовой шерсткой, сосредоточенно жующих и умилительно виляющих хвостиком.

Главное правило обращения с умилительными зверьками — не тыкать в них пальцем, если на тебе нет толстых перчаток.

— Сестры! — Одна из ведьм, сидящих за нашим столом, поднялась. Голос ее звучал ровно и мощно, заполняя весь зал — тот же фокус, что недавно проделала Надя. — Наш скромный круг почтили своим присутствием Надежда Городецкая и ее отец, Антон Городецкий.

Я поморщился. Да, конечно, это очень приятно, когда твоих детей знают и ценят. Но все-таки ощутить себя лишь довеском к собственной дочке — это грустно.

— Все мы знаем, что происходит, — продолжала ведьма. Она была стройной, смуглой, черноглазой, с волосами цвета воронова крыла, как любят говорить поэты. — Я, Эрнеста, приветствую наших гостей от нашего общего имени и обещаю им всю помощь, которую мы можем дать.

Это звучало очень оптимистично. Немного помощи, для разнообразия.

— Спасибо, госпожа Эрнеста, — ответил я, вставая. Про говорящую я слышал — это была испанская ведьма, одна из самых уважаемых в Конклаве. Но была одна странность... — Могу ли я задать личный вопрос?

Эрнеста улыбнулась и кивнула.

— Мне казалось, что вы уже много лет — в Инквизиции, — сказал я.

— С одна тысяча восемьсот девяносто первого года, — любезно ответила ведьма. — Вы удивлены, что я на Конклаве?

— Да.

— Конклав не является организацией, каким-либо образом участвующей в противостоянии Дозоров. Среди нас есть и Светлые. И вообще Конклав — это вроде девичьего клуба по интересам.

Я позволил себе улыбнуться, поскольку этого от меня и ждали.

— Так что я могу служить в Инквизиции, но при этом оставаться ведьмой и участвовать в Конклаве, — закончила Эрнеста.

— Хорошо, — кивнул я. — Тогда ответьте мне сразу как участница Конклава и действующий Инквизитор. Как могла быть потеряна информация о Двуедином, о боге, порожденном Сумраком? Еще в Средние века о Шестом Дозоре помнили, значит — помнили и о Двуедином. Что случилось потом? Почему мы мечемся, собирая знания по крохам, и до сих пор не уверены, что все понимаем правильно?

Наступила тишина — ведьмы даже жевать прекратили.

— У меня нет ответа. — Эрнеста не смутилась, ведьму ничем не смутишь, но ей явно не понравился вопрос. — Информация подобной важности не должна была быть утрачена. Но ее действительно нет. Отдельные второстепенные документы, намеки, мелкие упоминания в книгах... Если хочешь знать мое мнение...

— Хочу, — кивнул я.

— Информацию сознательно уничтожили. И в этом должны были быть замешаны несколько Иных — Светлых, Темных, Инквизиторов. В этом должны были быть замешаны маги, ведьмы, вампиры...

— В этом должен был быть замешан Шестой Дозор, — неожиданно сказала Надя. — Ведь так?

— Браво, девочка, — сказала Эрнеста. — Именно так. Мы пришли к выводу, что сами члены Шестого Дозора и уничтожили память о нем.

— Мы? — удивленно спросила пухленькая светловолосая ведьма, сидящая рядом с Эрнестой.

— Мы в Инквизиции, — пояснила Эрнеста. — Антон, к сожалению, никакой информации дать мы тебе не сможем. Никто из наших сестер не знает про Двуединого и Шестой Дозор.

— Даже у нас есть такие страшные сказки, которые мы стараемся забыть... — скрипучим голосом сказала ведьма от соседнего столика. Она была одной из немногих, кто не маскировал возраст чарами. По человеческим меркам она выглядела лет на сто. — Двуединый, милочка, одна из таких...

— Ты что-то знаешь, Мэри? — поинтересовалась Эрнеста.

— О Двуедином? — Мэри замотала головой так, что редкие седые пучки волос, уложенные в подобие кудряшек в попытке украсить лысый череп, сбились. — Нет-нет, сестра... Я знаю про Томаса-со-спичками, про Веретенце и...

— Не надо при чужих, сестра, — мягко, но настойчиво попросила Эрнеста. — Мы ценим твои истории, сестра. Но чуть позже.

Мэри закивала и даже шутливо прикрыла рот морщинистой ладошкой. Я почувствовал некое уважение к этой древней ведьме, не пытающейся скрыть свой возраст.

— Кстати, сестра, а ты ничего не забыла? — поинтересовалась Эрнеста. — И я не про Двуединого.

— Что же я могла забыть? — возмутилась Мэри.

— Ну... посмотреться в зеркало, выходя из номера... — Эрнеста дернула плечиками. — Припудрить носик... Плеснуть в лицо водой из ониксовой чаши...

Мэри нахмурилась. А потом побелела как мел. Опустила глаза, вглядываясь в начищенное столовое серебро.

Ведьмы вокруг тихонько захихикали. Какими бы сестрами они друг другу ни были, но в первую очередь они были женщинами.

Мэри поднесла руки к лицу. Встала. Убрала руки. Это уже была не старуха. Женщина — молодая и ослепительно красивая, белокурая, голубоглазая, с аристократически-правильными чертами лица.

— Ну спасибо, сестрички, — сказала Мэри ледяным тоном. — Спасибо всем, кто улыбался мне этим вечером...

— Сядь, Мэри, — сказала Эрнеста. — Всем известна твоя экстравагантность. Я полагала, что ты сознательно пришла на встречу в таком виде. Сядь и не позорься.

Мэри села, окинув Эрнесту недобрым взглядом.

Я быстро спросил:

— Ну, тогда встает вопрос помощи. Нам нужен ваш представитель, назначенный или одобренный главой Конклава. Бабушкой Бабушек.

— И в этом есть проблема, к который ты непосредственно причастен, — сказала Эрнеста.

— Арина, — кивнул я. — Да, это так. Я засадил вашу Прабабушку в Саркофаг Времен. В свое оправдание могу лишь сказать, что собирался коротать вечность с ней.

— Затейник, — фыркнула Эрнеста. — Не буду врать, что я грущу по Арине. Да и мы, как ты, наверное, заметил, вообще спокойно относимся друг к другу.

— Как не заметить, — кивнул я, крутя в пальцах серебряную ложечку.

– Поэтому просьба Гесера и Завулона о помощи была нами услышана и принята положительно, – улыбнулась ведьма.

– Но? – спросил я. – У тебя где-то на кончике языка застряло «но». Скажи его скорей, а то можешь поперхнуться.

– Но мы не можем выбрать новую Прабабушку, – вздохнула Эрнеста. – Ибо прежняя еще жива.

– Отстраните ее, – сказал я. – Ну неужели вы не можете проявить гибкость?

– Мы? – Эрнеста приподняла левую бровь, изучающе посмотрела на меня. – Мы можем. Гибкость – наше второе имя. Как иначе мы выжили бы в мире, полном кровожадных грубых мужчин? Но знаешь ли ты, как мы выбираем Прабабушку?

Я покачал головой. И почувствовал, что это знание мне не понравится.

– Бабушку Бабушек должен признать Росток, – сказала Эрнеста.

– Ура! – сказал я с чувством. – Я боялся, что речь идет о чем-нибудь более... Более экзотическом.

– Папа, я знаю слово «фаллическом», – сказала Надя.

Эрнеста улыбнулась моей дочке.

– Я в тебе и не сомневалась, милочка... Нет, Антон. Всего лишь Росток. Вот он.

Она небрежно подняла салфетку со стоящего на столе перед ней горшка. Я привстал, разглядывая то, что было под салфеткой.

Горшок я видел, но думал, что там какая-то пища. А оказалось – что это цветочный горшок. С торчащим из него деревянным...

– Это что? – спросил я.

– Росток, – улыбаясь, ответила Эрнеста.

— Но по виду я бы сказал, что это деревянный...

— Росток, — повторила ведьма с нажимом. — Символ нашего вечно живого и вечно цветущего сообщества.

— Мне кажется, что, судя по Ростку, ваше сообщество немножко засохло.

— А ты не суди по внешности, — отпарировала ведьма. — В руках Бабушки Бабушек Росток начинает цвести. Это и есть явное и однозначное подтверждение должности. Ну и обретение определенной власти и силы.

— Хорошо, — сказал я. — Так вы выбрали?

— Росток не расцвел, — сказала Эрнеста. — Есть предания, что это случалось несколько раз — когда была выбрана заведомо недостойная Бабушка Бабушек, когда голосование проводилось под давлением и однажды — когда пытались выбрать старшую ведьму, а предыдущая была жива.

— У вас не бывает отстранения от власти? — спросил я.

— Разве что путем отравы в варенье, — зловеще сказала со своего места Мэри. — Старый добрый мышьяк...

— Пока Арина жива — мы не можем переизбрать ее. — Эрнеста развела руками.

— И что прикажете делать? — спросил я. — Зачем же вы нас позвали...

— Мы надеемся, что Росток все-таки позволит нам выбрать главную ведьму, — вкрадчиво сказала Эрнеста. — Если кандидатом будет...

— О нет! — сказал я. — Даже не мечтайте!

— Тогда погибнет мир, — ответила ведьма. — Городецкий, мы не шутим. Мы предлагаем твоей дочери стать Бабушкой Бабушек.

— Чушь, — сказал я. — Чушь и бессмыслица.

— Почему?

— Я немного знаю ваши правила, — сказал я злорадно. — Будущая ведьма должна получить дар, посвящение от настоящей ведьмы, причем в раннем детстве, даже не в отрочестве...

Я замолчал, глядя на улыбку Эрнесты. Я вдруг все вспомнил. Арина похитила Надю. Мы со Светой отбили дочь. Арина, как бы извиняясь, сделала ей подарок...

— Но на ней есть посвящение, Антон, — сказала ведьма. — Сама Арина, Прабабушка, десять лет назад подарила ей способность пользоваться растениями. Основа основ ведьмовства.

— Вы с ума сошли! — воскликнул я. — Ей пятнадцать! Даже четырнадцать!

— Разве в возрасте дело? — удивилась Эрнеста. — Арина тоже не самая старая из нас.

— Моя дочь Светлая, — напомнил я, уже понимая, что проиграл.

— Почти пятнадцать процентов ведьм — Светлые, — любезно сообщила Эрнеста.

— Она стремительно постареет и станет... станет уродиной, — сказал я тихо.

— Как мы, — кивнула ведьма. — Ей придется жить под личиной, и если ее возлюбленные будут Иными — они будут знать, что целуют не юную деву, а ссохшуюся старуху. Все верно. Такова цена. Но мы, кажется, хотели спасти мир?

Я посмотрел на Надю.

— Папа, ну конечно же, я согласна, — сказала дочь.

У нее было очень спокойное лицо. Мирное, невозмутимое, доброжелательное.

— Надя, это необратимый процесс, — сказал я. — И очень быстрый. Ты состаришься за несколько лет. Ну... за десять-двадцать максимум. Сейчас тебе кажется, что это целая вечность, но это не так. Ты еще поймешь, что десять лет пролетают как мгновение. Я не знаю, конечно, Кеша там или кто-то другой... но все-таки Иным проще и честнее жить с Иными...

и только ведьмы живут с обычными людьми, потому что те не знают, кого целуют...

В зале было тихо. Оглушительно тихо.

И дочь смотрела на меня молча, будто давая выговориться.

— Ты даже ребенка не сможешь родить... — сказал я. — Нет, вру, сможешь, но только в самые первые годы, как ведьмой станешь... блин, да какие первые годы, ты сама ребенок...

— Папа, я сразу поняла, зачем нас ведьмы позвали на Конклав, — сказала Надя. Голос у нее был успокаивающий, будто это она — взрослая, а я — перепуганный малыш. — Я позвонила Иннокентию, мы все обсудили. Мы поженимся сразу же, как с Двуединым разберемся. Конечно, родить мне придется быстрее. Может, мы даже двух детей успеем завести. Нет, конечно, мы недостаточно взрослые, в первую очередь психологически, но с мамой мы тоже все обсудили, она сказала, что вы сами будете воспитывать внуков, чтобы мы могли продолжать обучение...

Я стоял, глотая воздух открытым ртом. И видок у меня был, наверное, такой, что ни одна из ведьм не позлорадствовала.

— Все будет хорошо, папочка, — сказала Надя, вставая. Привстав на цыпочки, чмокнула меня в щеку и вышла из-за стола. Встала через стол от Эрнесты. — Я готова. Что надо сделать?

Моя дочь станет ведьмой. Моя дочь, Абсолютная волшебница, умница и красавица, станет скрюченной (или расплывшейся) старой каргой. Причем очень быстро, ей и тридцати лет не исполнится — а она уже будет отвратительной старухой, вечно прячущейся под заклинаниями личины. И ничего не поделаешь, Эрнеста права, и Надя права — речь идет о судьбах всего мира...

— Сестры, готовы ли мы принять Надю Городецкую в наши ряды? — спросила Эрнеста.

Ведьмы ответили одобрительным гулом.

— Согласны ли мы, чтобы Абсолютная волшебница Надя Городецкая стала Бабушкой Бабушек, нашей предводительницей и повелительницей? — продолжала Эрнеста.

— Непорядок! — внезапно произнесла Мэри. Несмотря на нынешний обаятельный облик, голос у нее остался скрипучий, старческий. — Арина была русской, Надя русская. Неправильно дважды подряд из одной местности в главы призывать!

— Из Африки всего раз была Прабабушка! — внезапно встрепенулась темнокожая женщина в глубине зала.

— Можно подумать, что к нам отношение лучше... — раздался другой возмущенный голос.

— Бельгия еще никогда...

— Тихо! — Эрнеста повысила голос. — Нас много, у всех амбиции, обиды и притязания! Но поймите — если сейчас Прабабушкой не станет Надя Городецкая, то ею навсегда останется Арина! До скончания веков! Да еще и весь мир погибнет!

Ведьмы замолчали.

— Арина и так засиделась... — проскрипела Мэри.

— Так что в порядке исключения предлагаю избрать Прабабушкой Абсолютную волшебницу Надю Городецкую! — торжественно сказала Эрнеста. — Поддерживаете!

На этот раз протестов не было. Большая часть женщин что-то одобрительно говорила, часть промолчала, но никто уже не возражал.

Было в этой процедуре что-то удивительно простецкое, дикарское. Вроде выборов атамана у казаков — когда всем предлагалось крикнуть, люб атаман или не люб.

— Надя, протяни руку и положи ее на Росток, — сказала Эрнеста.

Я смотрел на это похабное и безумное зрелище — свою дочь, сжимающую в ладони древний деревянный фаллоимитатор. И молчал.

— Сожми ладонь... — неожиданно неуверенно сказала Эрнеста.

— Может, еще подергать? — мрачно отозвалась Надя, но руку на деревянном дилдо сжала.

Ничего не происходило.

— Вот в старые времена без полумер обходились... — заскрипела было ведьма Мэри, но поймала мой взгляд и замолчала. Зато Надя отдернула от Ростка руку и обтерла о платье.

— Ты ведь его держала? — зачем-то спросила Эрнеста, будто не видела весь процесс своими глазами. — Но тогда...

Она повернулась ко мне.

— Понял, — сказал я. — Вы не можете ничего сделать.

Эрнеста покачала головой:

— Мне жаль, сеньор. Очень жаль. Мы хотели помочь. Мы... мы любим жизнь.

Я посмотрел на зал. На две сотни старух, закутанных в магический грим, спрятанных в обворожительные обличья, притворяющихся красавицами, которыми они некогда были или никогда не были.

Добрые и злые — они действительно любили жизнь. Во всех ее проявлениях. Они совершали чудовищные злодеяния из этой самой любви к жизни. Они творили разврат и непотребства, препарировали младенцев и совокуплялись с животными, травили скот и высасывали материнское молоко, запрыгивали ночами на одиноких путников и заставляли тех скакать по лугам и бегать по дорогам. Они были безумны чуть менее, чем мартовские зайцы. Они были сутью матери-природы, самой Земли — природа тоже безжалостна и беспощадна, похотлива и глумлива, кровожадна и коварна.

Они были ведьмы. Наивные и жестокие, как дети, загнанные в ловушки старушечьих тел. Не бывает мужского аналога ведьм, ведьмак из сказок — это совсем, совсем другое. Чтобы быть ведьмой, надо уметь давать жизнь. Иначе не обретешь потребную легкость в ее отнятии.

— А уж мне-то как жаль, — сказал я. — Вы не переживайте, дамы. Мы что-нибудь придумаем.

Надя вернулась ко мне, я обнял дочь.

— Извини, папа, — прошептала она. — Я глупо выглядела, да?

— Не глупо, но смешно, — ответил я.

— Это ты так заменил слово «мерзко», — сказала Надя. — Я поняла.

Эрнеста позвенела ложечкой о бокал — в тишине звук был тревожен, будто ночной телефонный звонок.

— Можем ли мы еще что-то для вас сделать, сеньор Городецкий? — спросила она. — Мы можем частично снять защиту, чтобы вы смогли открыть портал отсюда...

— Уже гоните? — спросил я. Протянул руку, представил тень от руки на столе... она же должна быть, верно? Тень от хрустальных люстр, и не важно, что я ее не вижу. Она есть. Тень моих пальцев, уходящих в Сумрак...

— Нет, но... — слегка растерянно сказала Эрнеста, глядя на мою руку.

Я пошевелил пальцами, ощутил на их кончиках холод Сумрака.

— Папа, что ты делаешь? — спросила Надя шепотом.

— Если вдруг раздался стук, — сказал я, шевеля пальцами, — не пугайся, это глюк!

— При чем здесь Глюк? — спросила Надя. — Он писал что-то для барабанов?

— Какой же ты ребенок, — сказал я, отбивая пальцами ритм. Три коротких, три длинных, три коротких. Импульсы Силы, лупящие куда-то в пространство, в Сумрак.

— Кто вы такой? — внезапно нахмурилась Эрнеста, глядя за мою спину. — Здесь частное мероприятие...

Ее голос медленно затихал, будто выкручивали громкость на проигрывателе, а глаза расширялись. Видимо, она посмотрела на того, кто стоял за моей спиной.

Я обернулся и кивнул Тигру:

— Извини, что дергаю. Мы не договаривались о сигнале, но я решил, что ты поймешь.

— Ведьмы, — негромко сказал Тигр, обводя старушечье сборище задумчивым взглядом. По мере того как ведьмы приходили в себя (эх, жалко, я не видел, как было обставлено его появление), в ресторане нарастала... ну, не паника. Скорее — напряжение и возбуждение. — Я никогда не любил ведьм.

— Почему? — удивился я.

— Они... — Тигр задумался на миг, будто формулируя словами то, что всегда понимал, но не имел необходимости произносить вслух. — Они дергают. Тормошат. Теребят. Беспокоят.

— Я оценил твою образность и словарный запас, — сказал я. — И что они дергают?

— Сумрак, — просто ответил Тигр. — Обычные Иные — просят. Ведьмы — требуют.

Он поморщился и махнул рукой, будто жалея о вырвавшихся словах.

— Мне нужна твоя помощь, — сказал я.

— Да. — Тигр кивнул. — Я очень удивился, что ты не попросил сразу.

— Ты не предложил, и я решил, что это сложно. Или невозможно.

Мне показалось, или на лице Тигра появилось совершенно человеческое страдание?

— Не невозможно... Сложно.

— Они не могут выбрать предводительницу, — сказал я. — Даже Надя не смогла ею стать. Пока Арина жива в Саркофаге Времен...

— Есть две вещи, которые я могу сделать, — произнес Тигр, глядя мне в глаза. — Уничтожить Саркофаг. Растворить его в вечности. Скорее всего это будет равнозначно смерти Арины.

— Второе? — спросил я.

— Мы можем попробовать ее вытащить, — сказал Тигр. — Только говорить с ней будешь ты. Вывести из Саркофага можно лишь того, кто хочет выйти. Но тут... тут могут быть непредвиденные последствия.

— Какие? — уточнил я.

— Не уверен. — Тигр нахмурился. — Я... я не вижу будущего ясно. Обе ситуации туманны, но та, в которой мы возвращаем Арину, — туманна вдвойне.

— Антон, если я правильно понимаю ситуацию, — быстро сказала Эрнеста, — то нас вполне устроит первый вариант. Арина упокоится с миром, мы изберем Бабушку Бабушек. И это будет не твоя дочь! Все складывается наилучшим образом!

— Папа! — Надя возмущенно посмотрела на меня. — Ты... ты согласишься?

Я вздохнул. Отстранил Надю и сделал шаг к Тигру.

— Так я и думал, — сказал тот печально. — Городецкий... почему ты так не любишь простых решений?

— У них обычно сложные последствия, — ответил я.

* * *

Кажется, у англичан есть выражение «ехать верхом на тигре».

Передвигаться у Тигра в лапах — удовольствие не большее. Даже если Тигр разнообразия ради принял облик интеллигентного молодого человека.

Еще мгновение назад мы были в альпийском ресторане среди двух сотен ведьм, совокупный возраст которых, пожалуй, был под сотню тысяч лет.

А теперь Тигр взял меня за воротник — и мы оказались в клубящемся сером мареве. Это было похоже на пену из мыльных пузырей, слабо подсвеченную неярким белым светом. Вокруг нас пузыри расступались, под ногами пружинили, приближение руки заставляло их отступать.

— Что это? — спросил я. Тигр по-прежнему держал меня за воротник на вытянутой руке. — И не будешь ли ты так любезен меня отпустить?

— Это пространство между слоями Сумрака, — ответил Тигр. — Это отголоски эмоций и эхо чувств. Это все, что когда-либо было в мире. Писк первой мышки, пойманной первым котом. Мяуканье кота, пригревшегося на коленях женщины. Крик роженицы, ощутившей, что ее сын станет злодеем. Плач преступника в ночь перед казнью. Все звуки мира. Все краски мира. Все чувства мира.

— Спасибо, очень поэтично, — сказал я. — А...

— Если я тебя отпущу, ты распадешься на... — Тигр подумал. — На пузырьки.

— А Завулон говорил, что прятался между слоями Сумрака...

— Твой Завулон много чего умеет, Городецкий. Потерпи. Нам надо поговорить. Мне никакого удовольствия держать тебя за шкварник не доставляет.

— «На пузырьки», «за шкварник», — я усмехнулся, — ну и лексика у тебя. Нахватался. Хорошо, давай поговорим.

— Сейчас мы проходим точку невозврата, Городецкий, — сказал Тигр. Лицо его в слабом сером свете казалось гипсовой

маской. Даже губы едва шевелились, а глаза были темными провалами в ничто. — Ты уверен, что хочешь вытащить Арину? Может быть, мы просто ее упокоим?

— В чем дело, Тигр? — спросил я. — Думаешь, старая ведьма запутает меня окончательно?

Тигр покачал головой:

— Нет, Антон. Вовсе нет.

Я понял. Я вообще умнею с каждым днем, страшно подумать, какой стану проницательный, когда доживу до возраста Гесера.

— Она, наоборот, все объяснит?

— Да, Антон. Арина все знает. Про Шестой Дозор, про Двуединого. Даже про Сумрак она знает куда больше, чем показывает. Может быть, больше, чем я сам.

— С чего ты это взял?

— Предвижу. Если ты поговоришь с ней — все изменится. Все станет совсем-совсем иначе, Антон.

— К примеру? — зло спросил я.

— Очень возможно, что ты умрешь, — сказал Тигр.

— Да как же так, не случается с людьми таких неприятностей.

— Ты не человек, ты Иной. Вам — умирать не обязательно.

— Что еще?

— Я умру, — просто сказал Тигр. — В этой версии будущего я умираю.

— А в другой? — спросил я, помолчав.

— В другой тоже.

— Понятно. — Я кивнул. — Тогда скажи мне самое главное, Тигр...

— Надя умирает в той реальности, где ты решаешь уничтожить Саркофаг, — сказал Тигр. — В альтернативной — не обязательно.

— Зачем ты вообще тогда спрашивал мое мнение? — Я засмеялся.

— Потому что та реальность, где Надя не умирает, принесет тебе больше страданий. — Тигр отвел глаза. — Возможно, ты станешь жалеть о том, что мы не развеяли Саркофаг в вечности.

— Этого не может быть! — закричал я. — Этого не будет! Почему?

— Я не знаю, — ответил Тигр. — Не уверен. Я ведь не Сумрак. Я его часть. И я болен, Антон. Я болен человечностью, потому и говорю с тобой сейчас. Даже если бы я был здоров, читать судьбу Великих и Абсолютной — чудовищно трудно...

Я застонал. Мне хотелось сбросить с плеча руку Тигра и раствориться «в пузырьках». Никогда не думал, что подумаю о таком простом и трусливом выходе.

— Иди ты... к ведьме, — сказал я. — Может, я и буду жалеть, но сейчас я не могу сказать ничего другого. Я не выбираю то будущее, где Надя гибнет. Мы идем в Саркофаг.

— Хорошо, — сказал Тигр. — Я знал... но должен был уточнить. Пойдем, порожденный Тьмой. К Арине я тебя отведу...

— Что? — закричал я, когда серая ячеистая мгла рассеялась, а я кубарем покатился по холодному мраморному полу. — Что??? Кем?

Но Тигр не ответил, только донеслось издали тихим шепотом:

— А вот уговаривать будешь сам.

Я встал. Огляделся. Тигра не было. Был только сумрачный каменный зал, накрытый высоким куполом. Арины нигде не было. Я сделал несколько шагов вперед. Воздух был все так же чист и прохладен, как в моих воспоминаниях.

— Арина, — позвал я. — Это я! Антон! Антон Городецкий!

— Да уж догадываюсь, что не Чехов, он интеллигенцией был, не орал, когда люди спят...

Голос ведьмы доносился сверху. Я остановился, задрал голову. Метрах в трех надо мной, косо прижатый к куполу потолка, висел серый кокон, скрученный из каких-то лоскутов и нитей. Кокон подрагивал. Раздвигая стенки, показалась ладонь, другая. Потом в щель высунулась голова.

— Доброе утро, Арина, — сказал я, глядя на ведьму. — Извини, что разбудил.

— Извиненьками не отделаешься, — сказала ведьма. — Один?

— Да. — Я помедлил. — А из чего эта... этот...

— Тебе не нужно это знать, — сказала Арина. — Отвернись-ка на минуту.

Я отвернулся и сделал несколько шагов к центру Саркофага. За спиной шуршало, потрескивало — будто Арина сматывала свой кокон. Омерзительно, если честно. Очень рационально, очень экологично и природно, очень разумно — сплести кокон и погрузиться в спячку. Но этого ожидаешь от насекомого, а не от человека. Ведьмы...

— Рада тебя видеть, Антон, — сказала Арина. — Хорошо выглядишь. Только усталый ты какой-то...

Я повернулся — ведьма стояла за моей спиной, кокон на потолке исчез. Лицо ведьмы было спокойным, умиротворенным. Строгий брючный костюм, в который она была одета (мне смутно припоминалось, что попала она сюда в другой одежде), был отглажен и чист.

— Как Минойская сфера? — спросил я. — Я все вспоминал про нее. Думал, вытащит ли она тебя отсюда.

Арина провела рукой по одежде, в ее ладони мелькнул маленький шарик.

— Смешно, — сказала она. — Сюда затекает очень мало Силы. Сфера должна была заряжаться еще два-три десятка лет.

— Потому ты и легла в спячку?

— Да. Но когда ты вошел, с тобой ворвалось много Силы. Сфера заряжена.

— Ты не спеши ее применять, — сказал я. — Возможно, мы уйдем другим путем.

— О как. — Арина улыбнулась. — Ну-ка, рассказывай!

— У нас проблемы.

Арина кивнула:

— А новости какие?

— Что ты знаешь о Шестом Дозоре и Двуедином? — спросил я.

Черты лица у Арины вдруг заострились, глаза стали жесткими и злыми.

— Шестой Дозор мертв! Двуединого больше нет!

— Дозор-то мертв, — кивнул я. — А вот Двуединый уже дважды пытался убить мою дочь.

Арина стояла, переминаясь с ноги на ногу и сверля меня глазами. Потом вздохнула и опустилась на пол.

— Садись, Городецкий. В ногах правды нет. Поговорим.

— Ты не насиделась? — поразился я. — Не хочешь отсюда выйти?

— Хочу. Но не знаю, надо ли. — Арина взмахнула рукой. — Да садись же ты! Час-два ничего не решат, я годы провела здесь...

Я кивнул и сел на пол напротив нее.

— Что случилось? По порядку, — потребовала Арина.

— Вначале появился вампир. Гесер считает, что это возродившаяся вампирша, которую я когда-то упокоил. Она кусала людей, выбирая их по инициалам. Так, чтобы инициалы составили послание: «Антон Городецкий, за твоей или твоим пришла я под конец».

— Что за чушь, — пробормотала Арина. — Какой-то детектив от Агаты Кристи. Это не Двуединый. Не его повадки.

— А я этого и не говорил. Кем бы ни была эта вампирша, но выяснилось — она действовала на нашей стороне. На мою дочь напали в школе. Двое охранявших ее Иных — Светлый и Темный — убили третьего охранника, Инквизитора. Они будто одержимыми стали.

— Как убили? Огонь и лед?

Я с облегчением кивнул. Арина действительно знала про Двуединого!

— Они вместе? — уточнила Арина.

— Стараются держаться за руки, — осторожно уточнил я.

Арина кивнула.

— Мы со Светланой не смогли их победить, — продолжил я. — Но появилась эта вампирша — и прогнала их. Была обычная драка, только очень быстрая...

— Дальше, — продолжала Арина.

— Пророчество. Все пророки и предсказатели разом сообщили одно и то же. «Пролито не напрасно, сожжено не зря. Пришел первый срок. Двое встанут во плоти и откроют двери. Три жертвы, на четвертый раз. Пять дней остается для Иных. Шесть дней остается для людей. Для тех, кто встанет на пути, — не останется ничего. Шестой Дозор мертв. Пятая сила исчезла. Четвертая не успела. Третья сила не верит. Вторая сила боится. Первая сила устала». После этого мы принялись искать Шестой Дозор и тех, кто в него входит...

Арина кивнула и закрыла глаза.

— Ты понимаешь, о чем тут говорится? — спросил я.

— Как давно было произнесено пророчество?

— Четверо суток назад.

— Последний день, — сказала Арина. — Да... Я все понимаю. Что вообще сейчас происходит в мире, Антон? Что там — у людей?

— Все как обычно, — сказал я. — Война на Ближнем Востоке. Война на Украине.

— Это мелочи. — Арина покачала головой. — Впрочем, баланс не обязательно должен быть нарушен столь явно. До самого последнего дня мир может казаться обычным.

— Что за баланс?

— Добра и зла, разумеется.

— Я бы не сказал, что Дневной Дозор как-то уж совсем распоясался...

— Добро и зло не имеет к Дозорам ни малейшего отношения! — резко ответила Арина. — Уж тебе-то это должно быть понятно! Ночной Дозор придерживается позиций альтруизма, точнее — деятельного альтруизма Иных по отношению к людям. Дневной Дозор считает благо людей и их потребности не значащими по отношению к потребностям Иных.

— Но в итоге это все-таки добро и зло. На банальном уровне, — сказал я.

— Скажи это людям, которые гибнут ради возвышенных идей Ночного Дозора, — отмахнулась Арина. — Представления Иных и людей о добре и зле достаточно разные.

— Хорошо, — сказал я. — Пусть баланс сместился. Верю. Мир и вправду словно с ума сошел. Но это человеческие дела, даже если люди затеют мировую войну.

— Что такое Сумрак? — спросила Арина.

— Некая разумная сила, — сказал я. — Сверхсила.

Арина смотрела на меня, ожидая.

— Порожденная человеческими мыслями, эмоциями, мечтами...

— Сумрак не имеет физического тела, — сказала Арина. — Он даже разума в человеческом понимании не имеет, он совсем другой. Сумрак — совокупность всех человеческих сознаний. Сознание живущих ныне людей — это аналог его воли. Память умерших людей — это аналог памяти Сумрака. Если мир склоняется к злу — Сумрак становится более суровым. Если мир тянется к добру — то и Сумрак добреет. Но Сумрак не любит меняться, суть всего живого в гомеостазе...

— Ты хочешь сказать, что сейчас в мире больше зла, чем во время... ну, допустим, Второй мировой войны? — Я покачал головой. — Не верю!

— Дело не в том, чего больше. Дело в балансе. Мировые войны — это чудовищные злодеяния, это океаны боли и страха. Но еще и великие надежды, жертвенность, милосердие! Война не меняет баланс, она лишь поднимает ставки. Но раз Двуединый пришел — значит, баланс сместился. Значит, зло повсюду. Тихое, спокойное, равнодушное зло. В мужчинах и женщинах, детях и взрослых. Баланс меняется, Сумраку становится некомфортно, он начинает сопротивляться изменению. И — порождает в человеческом мире ту или иную сущность. В самом простом случае — зеркальных магов, выправляющих баланс на локальном уровне. Если дело серьезнее — Абсолютных Иных, способных дать миру новую правду, меняющих природу людей. Если звучат пророчества, способные нарушить равновесие, — приходит Тигр. Но если равновесие все-таки нарушилось окончательно — появляется Двуединый.

— Кто он? — спросил я. — Я встречался с вампирами, я знаю, что это древний вампирский бог...

— Да не вампирский он. — Арина поморщилась. — Тоже мне древние клыкастые кровопийцы с амбициями... Двуединый — великий уравнитель, стиратель, чистильщик. Если человеческая цивилизация несется под откос — он приходит и рушит ее, сводит жизнь к самым банальным истинам. Есть, пить, убивать, размножаться. Вот что делает Двуединый — упрощает.

— Ну, ему это еще не удавалось, — сказал я.

— Кто тебе сказал? — удивилась Арина. — Он приходил уже много раз.

— Но мы-то живы! Люди живы! А он...

— Да не убивает Двуединый всех людей! — Арина махнула рукой. — Он убивает Иных. Всех или практически всех,

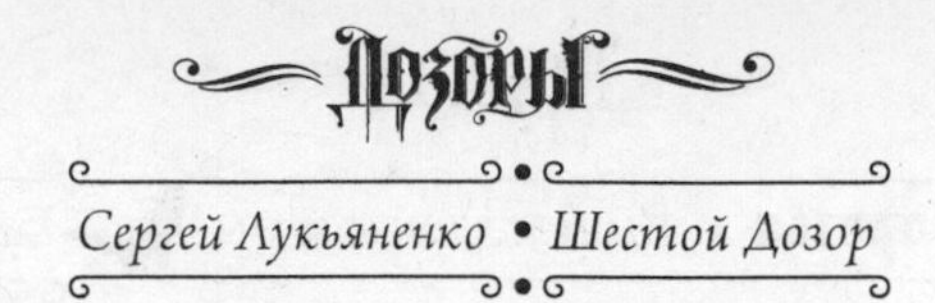

честно говоря — не знаю. «Пять дней для Иных, шесть для людей», так? Где тут говорится, что все умрут?

— Ну... — Я смешался. — Как-то по контексту...

— Не все, — спокойно сказала Арина. — Подавляющее большинство. Девяносто девять процентов. Или девяносто девять и девять десятых. А также помрет изрядное количество животных, прежде всего высокоразвитых. Знаешь почему?

Я покачал головой.

— Потому что Сила хлещет в мир. Потому что Сумрак не может ее всю утилизировать, ему столько не нужно. И если погибнут Иные, которые Силой пользуются, через Сумрак ею управляют и стравливают излишек, — Сила захлестнет людей. Все они один за другим обретут способности к магии. Тут-то и начнется! Это даже не автомат человеку дать в руки, а целую атомную бомбу. Представь, ты обычный человек. И вдруг обретаешь возможность творить чудеса. Для начала — простые. Что самое простое, а? Жечь. Взрывать. Морозить. Расщеплять на кусочки.

— У каждого есть враги, — сказал я.

— Конечно. И даже если ты не хочешь причинять никому зла — ты испугаешься, что зло причинят тебе. И ты начнешь молотить магией по сторонам, просто чтобы защитить себя, своих близких. Кто-то чему-то научится, кто-то попытается ввести правила и новые законы, но у людей не будет времени, чтобы совладать с этим даром, не будет учителей, чтобы научиться жить, как Иные. Не будет Дозоров. И мир рухнет.

Она помолчала, потом добавила:

— Да, еще учти животных. Они ведь тоже генерируют Силу. И в условиях, когда магия доступна всем, когда ее избыток, — Сумрак начнет выполнять и их желания. А у зверей простые желания, Антон. Даже проще, чем у людей.

— Мир погибнет, — сказал я.

— Почти. Пока людей не станет слишком мало. Пока выжившие не научатся владеть новой Силой. Пока гомеостаз

не восстановится и люди не потеряют магический дар... но среди них появятся новые Иные. По нашим меркам — примитивные и слабые, но в изменившемся мире они станут королями и повелителями. И история пойдет по новому кругу. В который раз.

— Что возвращает нас к Шестому Дозору, — сказал я. — К тому, откуда ты про него знаешь и что мы можем предпринять.

Арина кивнула:

— Хорошо... Только не хочу пересказывать по сто раз. Зови Тигра.

— Какого Тигра? — фальшиво спросил я.

— Того, который тебя сюда привел. Невозможно Иному пройти в Саркофаг Времен. Я же не дура, Антон.

Глава 4

Ведьмы ели. Наверное, это у них было нервное. Я-то предполагал, что после моего исчезновения с Тигром они примутся обсуждать ситуацию или разойдутся по номерам. Но нет — они решили покушать.

Со столов исчезла закуска и разнокалиберная выпивка, зато появилось горячее во всех видах — жареные поросята, седло барашка, ростбиф; птица — от перепелок до глухарей и индеек; рыба — от порционных форелей до огромных нарезанных на ломти осетров. Из алкоголя теперь осталось только вино, но в каких-то немыслимых количествах и ассортименте. Молоденькие ведьмочки, выполнявшие роль официанток, таскали блюда с устрицами и розовыми креветками, которых поедали сырыми.

— Это я удачно зашла, — негромко сказала Арина.

Мы вернулись в то же самое место, откуда ушли, — сразу за главным столом. Надя сидела на прежнем месте и о чем-то дружески разговаривала с соседками-ведьмами.

— Прошу, — негромко сказал я Арине. — Мне кажется, тебя тут заждались.

Арина фыркнула и подошла к столу. Протянула руку над плечом Эрнесты и взяла с ее тарелки перепелку.

В зале наступила тишина. Челюсти, азартно перемалывающие пищу, замерли, взгляды остановились на вернувшейся из небытия Прабабушке. Только Надя радостно смотрела на меня. Я выдавил улыбку.

— Специй много, — сказала Арина в наступившей тишине. Перепелку она глодала как волк — целиком, с хрустом перемалывая кости. — Зажрались вы тут, сестры.

— Арина! — Эрнеста вскочила и обняла ведьму.

— И тебе привет, старая вредина, — добродушно ответила Арина. — Что, как прижало — вспомнили меня?

— Ну, ты же знаешь, милая, у нас нет процедуры отстранения от власти Прабабушек, которые пропали без вести... или дезертировали... — промурлыкала Эрнеста.

— Тебе бы туда дезертировать, где я сидела, — ответила Арина с иронией. — Что, не признал Росток иной хозяйки?

Она протянула руку — и горшок с деревянным фаллосом пополз к ней по столу. Арина легонько хлопнула ладонью по Ростку — и сухое дерево будто взорвалось, выбросило вверх зеленые побеги, превратилось в зеленый куст, мгновенно покрывшийся белыми цветами. Арина выждала несколько мгновений — цветы осыпали лепестки, сжались в завязь, и куст покрылся плодами. Странными плодами, похожими на крошечные белые яблочки.

Арина небрежно сорвала одно, бросила в рот, прожевала.

Эрнеста склонила голову и присела в глубоком старомодном реверансе. Загремели стулья — ведьмы вставали и склонялись перед Ариной, кто в книксене, а кто и опускался на колени.

— Полно, полно... — махнула рукой Арина. — Я вернулась, сестры. Не надо оваций.

— Она забавная, — негромко сказал за моей спиной Тигр. — Хорошо, что я ее не убил.

— И нам повезло, что мы тебя не убили, — согласился я.

Тигр улыбнулся. Потом наклонил голову, вслушиваясь во что-то. Нахмурился.

— Папа! — воскликнула Надя. Вскочила, прижалась ко мне.

Арина отерла руки о бедра. Спросила:

— Эрнеста, вы обеспечили безопасность Конклава?

— Арина! — возмущенно воскликнула ведьма.

— Тише, тише, я тебя не виню... — ответила Арина.

Одно из окон, выходящее на склон горы, покрытый светящимися ниточками лыжных трасс и ползающими по склонам ратраками, внезапно задребезжало. Сидящие рядом ведьмы повскакивали, отступая. Стекло, намертво зажатое в рамах, то прогибалось внутрь, то выпучивалось наружу, будто полиэтиленовая пленка.

— Вам надо уходить, — сказал Тигр. — Антон, ты слышишь меня?

Стекло прощально дзинькнуло и разлетелось кинжальными осколками. Часть из них повисла в воздухе, часть была отражена назад, часть просто испарилась на лету — вряд ли хоть одна из пришедших на Конклав ведьм не была увешана защитными амулетами.

В разбитое окно пахнуло холодом. А потом снизу, одним легким прыжком, в ресторан ворвался Двуединый. Перемахнув подоконник, мягко приземлился на полу и замер. За недолгие прошедшие часы он изменился, причем принципиально. Я понял, что имела в виду Арина, спрашивая «они вместе?».

Бывший Светлый маг Денис и бывший Темный маг Алексей слились воедино. Одежды на них больше не было. Голые тела срослись боками, будто у сиамских близнецов, тазы и плечи вывернулись набок, шеи вытянулись — теперь это было искореженное четвероногое и четверорукое существо. Две ноги остались по бокам, две ноги оказались в центре (и похоже, что они начинали срастаться вместе), гениталии почти бесследно втянулись, по две пары рук торчали с боков, две склоненные к центру головы прижались друг к другу. Безумный гибрид, достойный безумного доктора Моро. Человек-паук, только не обаятельный борец со злом из американских ко́миксов, а омерзительный монстр.

— Обаяшка, — негромко сказала Надя.

— Уважаемый, это закрытое мероприятие! — громко сказала Арина. — Покиньте помещение!

Двуединый рассмеялся — на два голоса. Раскинул руки, будто собираясь обнять весь зал.

— Я оценил! — сказала голова Алексея.

— Это мило! — продолжила голова Дениса.

— Задержите его, — сказала Арина Эрнесте, разворачиваясь и беря за руки меня и Надю.

И то, что, находясь среди двух сотен самых сильных ведьм мира, в защищенном заклятиями и оберегами месте их сбора, Арина даже не подумала сказать «убейте его», было очень показательно.

Мы бросились бежать — к дальним дверям, ведущим в служебную часть ресторана, оставляя между собой и Двуединым толпу напуганных и разъяренных ведьм. И надо отдать им должное — как бы они ни были напуганы, но приказ Прабабушки выполняли. Я обернулся уже у самых дверей, пропуская вперед Надю и Арину, — и увидел настоящее сражение.

Пол ресторана трещал и разлетался паркетинами, из него вырывались колючие гибкие лозы и оплетали Двуединого — чтобы тут же рассыпаться в прах или сгореть в пепел. Стулья и столы начинали шевелиться и, словно в детском мультике, шагать в сторону паукообразного монстра. На моих глазах разбежавшийся (у него даже гнулись ножки!) стол ударил Двуединого углом в живот — и тут же разлетелся в щепу. Столовые приборы слетелись друг к другу, сцепились — и встали, образовав скелетообразную двухметровую фигуру с пальцами-ножами и пастью, составленной из щипцов для омаров. Этот металлический монстр дрался с Двуединым дольше всего — полосуя его ножами и пытаясь впиться в тело, пока не был расплавлен.

Двуединый вообще не мудрствовал в выборе заклинаний. Огонь и лед, жар и холод. Лишь несколько раз он действовал чистой Силой — отбрасывая в стороны ведьм и отражая магические удары.

— Антон! — Тигр схватил меня за плечи и впихнул в дверной проем. Лицо его было перекошено злостью, которой я не ожидал увидеть. — Не спи! Они его не остановят!

— Если мы все?

— Не остановите!

— А если ты?

Тигр толкнул меня вперед — и я, смирившись с неизбежным, побежал. Тигр не хотел принимать бой. И Арина не хотела — а она, похоже, знала даже побольше Тигра.

Это была кухня — и трудились здесь молодые ведьмочки, видимо, крайне гордые своим заданием. В котлах варилось-парилось, плыли вкусные ароматы, пикали таймеры, на столах валялись нарезанные овощи и мясо.

— Was sollen wir jetzt tun? Was sollen wir jetzt bloß tun? — схватила меня за плечи молодая ведьмочка. Действительно молодая, она еще не скрывала подлинную внешность. И любопытная, раз решила выяснить, что происходит, а не скрыться подальше от магической бойни.

— Flieht! — крикнул я. — Беги!

— Aber wir können Ihnen helfen! — храбро предложила она. Развела руки, между пальцами у нее заструились синие искры. Тоже мне, помощница...

— Flieht! — рявкнул я, выискивая взглядом Арину и Надю. Те были уже на другом конце кухни. Тут я заметил сидящего на столе мальчика лет трех. Тот ревел и тер кулачками глаза. Наверное, по моему лицу было понятно, что я подумал, потому что ведьмочка побелела, схватила мальчика и прижала к себе.

— Das ist mein Sohn! — закричала она. — Mein Sohn — nicht das, was Sie denken!

Она не врала, это был ее сын, а не закуска для ведьм.

— Dann solltest du erst recht von hier verschwinden, du Närrin! Bring dich in Sicherheit! — крикнул я и побежал дальше. Тигр прикрывал отступление, перемещаясь среди хаоса и ора с присущей ему грацией.

Не знаю, воспользовалась ли ведьмочка моим советом, или долг перед «сестрами» пересилил страх за сына и она вступила в бой с Двуединым. Я не оглядывался.

Из кухни мы выбежали в просторное прохладное помещение. Какая-то подсобка или склад... Арина уже возилась с замком на широких металлических дверях, вначале попыталась открыть — потом сбила ударом руки (я отметил совсем крошечный, экономный выброс Силы). Распахнула дверь и выскочила наружу, в ночь и метель. Надя помедлила секунду, дожидаясь меня, мы выбежали следом. Я захлопнул дверь и припечатал ее «абсолютным запором».

— Плохо... — выдохнул за спиной Тигр. — Плохо... Сумрак закрыт...

— Открой, ты же сам — Сумрак! — предложил я.

— Теперь он — Сумрак... — отозвался Тигр. — Я не могу. Я не имею права!

Мы стояли на заснеженной дороге у пологого склона, по которому, мигая синими маячками и издавая заунывные звуки, полз вниз ратрак. Мороза я просто не чувствовал.

— Нам придется драться, — сказал я. — Нам придется...

«Абсолютный запор» нельзя снять, он развеивается только самостоятельно, со временем. Поэтому Двуединый просто разнес дверь в клочья. Металл на миг покрылся синеватой коркой льда — и разлетелся на осколки, как стекло. До абсолютного нуля, что ли, он дверь охладил? Во всяком случае, она осталась закрытой.

Двуединый выбежал за нами — и я понял, что поединок с ведьмами все же дался ему нелегко. Одна из центральных ног была оторвана по колено, из обрубка толчками струилась черная жидкость. Впрочем, это ему словно бы и не мешало. Так же как здоровенный поварской нож, по самую рукоять засаженный в глаз Дениса, и повисший на шее Алексея здоровенный рыжий кот, методично дерущий лицо бывшего Темного мага когтями.

— Ты рано пришел, Двуединый! — крикнул я. — Это всего лишь третий раз!

Единственный уцелевший глаз Дениса остановился на мне.

— Мы засчитаем его за два, — отозвался он.

Четыре руки Двуединого вытянулись в нашу сторону. Я мысленно активировал Щиты, сместился, закрывая собой Надю и Арину.

— Папа! — крикнула Надя, и я почувствовал протянувшийся от нее поток Силы. Мельком покосился на дочь — Арины рядом с ней уже не было. Ушла, старая ведьма! Бросила!

— Стой! — Тигр шагнул между мной и Двуединым. — Ты нарушаешь правила! Время еще не пришло! Пророчество гласило — три жертвы на четвертый раз, на пятый день!

— Уйди с дороги, щенок, — сказал Двуединый. Из его правых рук в Тигра ударили кипящие струи огня, из левых рук — иссиня-черный клубящийся дым. — Мне плевать на твои пророчества!

Тигр встряхнулся — багровое пламя и синие осколки льда посыпались с него наземь. Асфальт под его ногами закипел и вздыбился буграми. Снег и лед испарялись, поднимаясь клубами тяжелого сизого тумана.

— Никто не вправе плевать на пророчества! — словно бы с радостью воскликнул Тигр.

Он сделал шаг, выдирая ноги из поплывшего асфальта. Даже за поднятыми Щитами мне стало жарко.

— И теперь... это... мое... право! — приближаясь к Двуединому, произнес Тигр.

Двуединый кинулся ему навстречу — и два порождения Сумрака сплелись в клубок.

Они катались по земле — уже не в магической, в обычной драке. А может быть, тут было и волшебство. В конце концов, когда дерутся между собой два воплотившихся закона природы, две обретшие человеческий облик функции — что в этом есть немагического? Пусть даже бой ведется клыками и когтями...

Двуединый не изменялся, так и дрался в своем паучье-человеческом облике. Тигр преображался. Временами я видел мелькающие тигриные лапы, оскаленную звериную пасть. Временами — человеческое лицо с не менее яростным оскалом и окровавленные руки. Мне даже казалось, что все это было одновременно — он был сразу и человеком, и зверем.

В какой-то миг из клубка вылетел растопыривший лапы рыжий кот, с диким мявом прокатившийся по снегу, и метнулся к дверям ресторана.

Я начал пятиться, отступая к Наде. Я ничем не мог помочь Тигру. Я даже ударить не мог, не рискуя зацепить нашего единственного защитника.

— Открывай портал! — крикнул я дочери.

— Не могу! Сумрак кипит! — в отчаянии повторила она. — Тут все... плывет...

То, что в Сумраке непорядок, я и сам чувствовал. Даже заглядывать в него не нужно было. Земля под ногами стала подрагивать. На вершинах гор засветились призрачные сиреневые огни. Низкий тяжелый звук повис в воздухе.

Сумрак лихорадило. Сумрак сейчас сражался сам с собой — две его ипостаси сошлись в смертельной схватке. Двуединый — древний губитель цивилизаций — и Тигр — их древний хранитель. Оба всесильные. Оба безжалостные. Но за Тигром было только одно бесспорное право — сделать так, чтобы мы умерли не сегодня. Защитить прозвучавшее пророчество.

— Бежим, Надя, — сказал я. — Бежим... эта борьба нанайских мальчиков добром не кончится...

— Папа, мы не убежим... — Дочь взяла меня за руку. И вдруг сказала то, что я от нее даже в детстве не слышал: — Папа, мне страшно...

Сверкнуло — ослепительным огненно-льдистым росчерком, будто в глубине дерущихся тел что-то взорвалось. Клубок распался — в одну сторону отлетел Двуединый, в другую — Тигр.

Но Двуединый поднялся. А Тигр остался лежать.

Двуединый смотрел на меня единственным уцелевшим глазом — глазом Дениса. Из второй глазницы по-прежнему торчал нож. Лицо Алексея превратилось в кровавое месиво, он слепо крутил головой во все стороны.

— Вы все... — прохрипел Двуединый.

И в этот миг через дорогу, грохоча гусеницами по асфальту, перевалил ратрак. Мигалки и пищалки на нем были выключены, совок опущен. Ратрак врезался в Двуединого, с хрустом подмял его — и закружился на месте, сминая гусеницами человеческую плоть. Двуединый взвыл на два голоса и замолчал.

Мы с Надей стояли, онемев.

Ратрак замер и заглушил мотор. Из открытой двери кабины вылезла Арина, спрыгнула на снег.

— Я думал, ты убежала, — сказал я.

— От судьбы не убежишь, глупый, — ответила Арина.

Я подошел к машине. Посмотрел на торчащую из-под гусеницы кисть руки. Словно почувствовав мой взгляд, рука вздрогнула — и вцепилась в мерзлую землю. Ратрак дернулся. Подскочил на месте. Изуродованный, полураздавленный Двуединый начал выползать из-под многотонной машины.

— Все тебе неймется, тварь, — сказала Арина. Склонилась над наполовину выбравшимся Двуединым. В ее руке вдруг оказался Росток — уже не цветущий куст, а снова деревянный фаллос. Только теперь он был без горшка, и оказалось, что Росток лишь с одной стороны выглядит столь скабрезно. С другой стороны это был деревянный кинжал.

Арина занесла его над головой — и резким ударом пронзила тело Двуединого. Изуродованный монстр растаял бесследно. Вонзившийся в землю кинжал потемнел, покрываясь корой, и пустил один-единственный тонкий побег.

— Ты убила его! — сказал я. — Ты его убила!

— Двуединого так просто не убьешь, — с сожалением ответила Арина. — Я его остановила. На время.

— И где же он?

— Ушел в Сумрак, — сказала Арина. — Зализывать раны.

— Папа! — крикнула Надя.

Я бросился к ней. Дочь сидела на коленях возле Тигра. Тот слабо шевелился, пытаясь присесть. Я склонился над ним, протянул руку, помогая Тигру подняться.

— Как это выглядит? — спросил Тигр, поворачиваясь ко мне.

Выглядело это жутко — у Тигра отсутствовала половина головы. От макушки и до уха шел ровный, сверкающий срез, покрытый стеклянистой коркой. Ну или заполненный стеклянной массой.

— Я бы сказал, что ты мертв.

— Очень удачно, что я не человек. — Поднявшись, Тигр ткнул пальцем в дыру и на миг замер. Потом пожал плечами. — А закурить у тебя найдется?

— Не повредит? — Стараясь не смотреть на жуткую рану, спросил я. Порылся в карманах. Перекладывал же сигареты, Тигром и подаренные...

— Мне уже ничего не повредит, — спокойно ответил Тигр. — Мне осталось жить две минуты.

— А потом? — растерянно спросила Надя.

— Потом я уйду в Сумрак, девочка, — ответил Тигр. — Я нарушил правила.

— Ты ничего не нарушил, — сказал я. — Ты защищал пророчество. Выполнял свою функцию.

— Софистика, — фыркнул Тигр. Взял у меня из рук пачку, достал сигарету, сунул в рот. Та загорелась. — Но... она сработала. К сожалению, пока мы дрались, наступила полночь. После этого я не вправе был мешать Двуединому вас убить.

— Но ты же все равно мешал! — выкрикнула Надя.

— Верно. — Тигр кивнул. — Будем считать, что я увлекся.

— Мы можем что-то сделать? — спросил я. — Помочь? Ты же не человек...

— В том-то и вся суть. Сумрак отрезал меня. Отключил от питания, если можно так выразиться. — Тигр выпустил струю дыма, посмотрел в чистое ночное небо. — Вам хорошо. У вас есть звезды. Когда-нибудь человечество перестанет убивать себя руками Двуединого и дорастет до звезд...

— Я могу дать тебе Силу! — крикнула Надя. — Я же Абсолютная! Сколько ее надо, Силы?

Тигр посмотрел на мою дочь, и мне показалось, что между ними произошел какой-то стремительный безмолвный диалог. Надя опустила глаза.

— Не грусти, — сказал Тигр. — Я же говорю — я вообще не человек. Я даже умру не так, как вы. Не грусти. Лучше попробуйте справиться с ним. У вас есть Арина, кажется, она знает, что надо делать.

— Тигр, — позвал я. Истекали последние секунды его жизни, но я не мог промолчать. — Помнишь, что ты сказал у Саркофага? Ты ведь ошибся. Я Светлый.

— А я и не называл тебя Темным... — усмехнулся Тигр. — Спроси Завулона. Он объяснит.

Тигр затянулся, бросил сигарету и тщательно затушил ее ногой. Потом еще раз запрокинул голову, глядя в небо и улыбаясь. И осел на землю.

Он, конечно, не был человеком, но умер как человек — во всех смыслах. В отличие от Двуединого его тело осталось лежать на земле. Стеклянистая плоть потемнела и начала кровоточить.

Я обнял Надю, прижал к себе. Посмотрел на тихонько подошедшую Арину. Велел:

— Доставай Минойскую сферу.

— Куда? — тихо спросила ведьма.

— В офис Дневного Дозора. К Завулону.

Арина замерла со сферой в руках.

— Ты уверен?

— Абсолютно. И не вздумай убегать, стыдно будет до конца жизни.

— Можно подумать, много ее осталось, той жизни... — буркнула Арина.

* * *

Ох, как они на нее смотрели!

Два наших Высших и Великих. Гесер и Завулон. Уроженец Тибета и сын Иудеи. Светлый и Темный.

И скромно сидящая напротив них, неожиданно органично выглядящая в своем деловом костюме за столом заседаний в кабинете Завулона ведьма Арина. Глава ведьмовского Конклава.

Завулон по-прежнему был в своем удивительном маниакальном состоянии. На первый взгляд это не проявлялось, но Арине он церемонно поцеловал ручку и произнес, почему-то по-французски:

— Comme vous êtes charmant!

— Ах, старый проказник, — кокетливо ответила Арина.

Гесер молчал и буравил ведьму взглядом. Та старательно его игнорировала.

Ольга, сидящая в углу кабинета (она курила, выпуская дым в дорогой японский воздухоочиститель), пристально следила за Гесером. И Арина, бросив на Ольгу мимолетный взгляд, скромно сказала:

— Да перестань ты, Борис. Я давно тебя простила.

Гесер покраснел, как перед апоплексическим ударом, но смолчал.

Светлана просто сидела в сторонке, обнимая Надю. Она даже ничего не спрашивала, когда мы появились в кабинете Завулона, только привлекла к себе дочь и обняла. Может быть, они всё и так знали. Может быть, они всё видели, следили за нами. Мне это даже не было интересно.

— Я обещал Арине, что ей не причинят вреда, не ограничат ее свободу и не принудят к неприятным ей действиям, — сказал я. — Арина обещала рассказать нам все, что ей известно относительно Двуединого и Шестого Дозора.

— Мы тоже кое-что выяснили, — неохотно сказал Гесер. — Кое-что... Говори, Арина.

— Двуединый — чистильщик человеческой цивилизации, — сказала Арина. — Если точнее, то, когда человечество нарушает вековой баланс между добром и злом, Сумрак начинает страдать. Равновесие рушится, он пытается его восстановить. А поскольку Сумрак отражает моральное и нравственное состояние человечества, то склоняющийся ко злу Сумрак выбирает не самый добрый путь. Присылает Двуединого, который... очищает.

— Каким образом? — спросил Гесер.

— Наиболее простым, с точки зрения Сумрака, конечно. Двуединый уничтожает Иных. Всех или подавляющее большинство — полагаю, ему нет нужды вытаскивать каждого вампира из гроба или каждого оборотня из норы. В нормальной жизни мы, Иные, поддерживаем баланс Силы, утилизируем ее излишки. Это не дает людям возможности пользоваться магией, но зато и избавляет их от чересчур опасных игрушек.

— Если мы гибнем, люди убивают сами себя, — задумчиво сказал Гесер.

— Да. Остатки цивилизации упрощаются, баланс добра и зла при этом, как ни странно, восстанавливается.

— Что ж тут странного? — радостно воскликнул Завулон. — Треснуть соседа дубиной по голове, заставить его трудиться на твоем поле, а его жену — греть твою постель, это не зло. Это нормальное природное поведение. Целесообразность. Животные тоже вне добра и зла, когда волк загрызает зайчонка — он к нему неприязни не испытывает. Зло — это убедить соседа, что тот должен работать на твоем поле, отдать тебе свою жену и при этом восхвалять тебя.

— Спасибо, мы и так поняли, — сказал ему Гесер ледяным тоном.

— Двуединый был первым порождением Сумрака, первым исполнителем его воли, — продолжала Арина. — Он заключил самый первый, самый давний завет Сумрака и Иных. Мы, Иные, поддерживаем равновесие добра и зла. Обеспечиваем Сумраку спокойное и комфортное существование. Но если зло пересиливает — Двуединый приходит и заставляет платить по счетам. И сейчас это время подошло.

— А если пересиливает добро? — тихо спросила Надя.

— К сожалению, девочка, такого не случалось, — ответила Арина. Как мне показалось — с состраданием ответила. — Во всяком случае, в глобальном масштабе такого не было. Хотя мы, конечно, пытались. Во все времена. Придумывали религии, моральные нормы, новые формы общественного договора...

— Коммунизм все-таки был глупой идеей, — сказал Завулон нарочито тихо. Видимо, чтобы не затевать ненужный спор.

— Уверена, что время пришло? — спросил Гесер Арину, игнорируя Завулона. — Хотя что я спрашиваю... он бы иначе не явился... Почему ты про это знаешь? Почему не знаем мы? Почему пусты архивы Инквизиции, кто вычистил само упоминание о Шестом Дозоре и Двуедином?

— Ты действительно не понимаешь, Гесер? — спросила Арина. — Правда-правда?

Ольга резким движением загасила сигарету, встала.

— Мы сами это все вычистили. Верно, ведьма?

— Конечно, — сказала Арина. — Это была тайна, разумеется, но был Дозор Шести, который ее хранил, были документы в архивах. И Высшие знали. Вы с Завулоном в том числе.

— Я понял это путем логических рассуждений! — неожиданно встрял Завулон. — Если существует информация, которую я обязан знать, но я ее не знаю, то возможно лишь одно — я сам заставил себя все забыть. На меня не могли повлиять извне! Отбрасываем невозможное, и невероятное становится правдой.

— Спасибо, мы ценим твое мнение, — сказал Гесер. — Когда это произошло? Кто участвовал?

— Шестой Дозор в полном составе. И все Высшие Иные посвящены в тему.

— Зачем? — спросил Гесер.

— Это был тысяча девятьсот четырнадцатый год, — просто сказала Арина. — Сто лет назад. Вы начали эксперимент — с мировой войной, с революцией в России. Как известно, экспериментатор влияет на результат эксперимента, если знает о его сути. Вы хотели повернуть человечество к добру и боялись, что знание о Двуедином помешает вам делать то... то, что требуется.

— Мы? — возмутился Гесер. — Кто это — мы? Я? Завулон?

— Ты и Завулон в том числе. Вообще-то участвовали все Великие, но вы с Завулоном настояли на том, что полем эксперимента будет Россия. В последний момент, между прочим! Франция лидировала, Германия и Британия наступали на пятки. Только Соединенные государства Северной Америки отвалились сразу — их прошлый эксперимент, с войной за независимость, был сочтен неудачным. Но вы настояли на России как объекте эксперимента.

— Патриотизм, значит, проявили... — крякнул Гесер.

— Ну, как сказать... — с иронией произнесла Арина. — Вообще-то ты сказал: «Страна дикая, ее не так жалко».

Завулон захохотал. Громко хлопнул ладонями по столу.

— Это прекрасно, Гесер! Это чудесно! Это так... так по-светлому!

— А ты... — начала Арина.

— Стоп! Я не желаю знать! — воскликнул Завулон. — Это к делу не относится, и я не желаю ничего знать.

— Как скажешь, — миролюбиво согласилась Арина. — Мы все вычистили. Все данные из архивов. Все записи в летописях. Остались только ошметки вампирских легенд, упоминания во второстепенных, забытых всеми документах. А потом мы стерли себе память. Очень основательно к этому подошли.

— Почему же ты помнишь? — спросил Гесер.

— У меня изначально особое мнение было, — сказала Арина. — Чуяла я, к добру эти эксперименты не приведут. Ни с войной мировой, ни с революцией коммунистической. Нельзя так природу человеческую нагибать. И нельзя из зла добро делать. Ни у кого это не выйдет.

— Но ты помнишь! — повторил Гесер.

— Я свою память в ином месте сохранила, — усмехнулась Арина. — Есть у нас, ведьм, одна вещица, что хранит память всех Прабабушек. Мне даже ничего не пришлось специально делать, потому вы мою хитрость и не раскусили. Как взяла ее снова в руки — так и вспомнила... и поняла, чего мы натворили. Но уже поздно было. Только и оставалось смотреть, что с Россией творится. Да на вас, идиотов, поглядывать... поручения выполнять... Пока уж совсем тошно не стало.

Гесер и Завулон сидели как оплеванные. Даже с маниакально-веселого лица Завулона сползла ухмылка. И скажу честно — мне это нравилось.

— То есть ты все знаешь, — сказала Ольга деловым тоном. — Так? Кто входит в Шестой Дозор, как Двуединого победить? Хватит уж о былых обидах пререкаться.

— Хватит, — согласилась Арина. — Да, знаю. Я же потому и дергалась... видела, к чему все идет. Искала пути к спасению. Для себя, для всех нас, для страны, для человечества. Не нашла... А вы что думали — с какой это стати весь тонкий мир стало в России рвать да корежить? Инферно прорывается, Абсолютная рождается, «Фуаран» находится, Тигр приходит... За что нам такие пряники? Где напортачили, там и рвется.

— Ну... — Гесер посмотрел на меня, на Светлану. Отвел глаза. — Абсолютная — это моя инициатива.

— Наша, — сказал неожиданно Завулон, и я с удивлением посмотрел на него.

— Наша, — согласился Гесер. — Мы видели, что в Сумраке неспокойно. Всплывали кое-какие обрывки... знаний...

— Поэтому мы вели определенную работу, — сказал Завулон. — Готовили появление Абсолютной волшебницы. Оружия против Сумрака.

— Тигр, умирая, сказал мне одну вещь, — произнес я, глядя на Завулона. — Он назвал меня порожденным Тьмой. И добавил, что ты объяснишь, что это значит.

— Могу и объяснить, — легко согласился Завулон.

— Не надо, — попросил Гесер. — Давайте займемся делом...

— Это относится к делу, — сказал я. — Говори.

— Можно сказать, что это вопрос генетики, — произнес Завулон. — Или даже...

— Не надо! — Гесер повысил голос.

— Или даже евгеники, — продолжил Завулон. — Способности Иного не обязательно передаются по наследству, но определенные корреляции есть. Легче всего их рассчитать через несколько поколений. Мы не изучаем гены, но мы рассчитываем линии вероятности.

Гесер больше ничего не говорил. Молчал. Смотрел на меня.

— Абсолютная должна была родиться от двух линий, — не отрывая от меня взгляда, сказал Завулон. — Одна из них — Светлая, и там все было проще, выбор имелся очень большой. Другая должна была быть Темной, и вот она должна была идти через меня. Обязательно.

Я сглотнул вставший в горле комок. Сказал:

— Но я — Светлый.

— Борис Игнатьевич был уверен, что Светлая с Темным не уживутся, — сказал Завулон. — Поэтому подловил момент... и инициировал тебя в Светлом состоянии духа. Я на него был долго обижен за это. Да и на тебя, если честно, злился, хотя ты здесь ни при чем.

— Мой отец — обычный человек, — сказал я твердо. — Обычный нормальный человек!

— Да, — легко согласился Завулон. — К сожалению, дети редко наследуют способности Иных, обычно они проявляются через поколение. У Гесера с Ольгой, правда, был подготовлен свой кандидат, но они ухитрились потерять мальчонку и нашли его слишком поздно. Да и четыре мои последние внучки никакими способностями Иных не обладают. Вот с внуками вышло получше! Но из вас троих повезло тебе.

— Папа — твой внук? — спросила Надя в тишине.

Завулон смущенно развел руками.

— А я что — твоя правнучка? — продолжала Надя.

— А я?.. Гесер, ты мне кто? — воскликнула Светлана.

Она вскочила, подбежала к Гесеру. Тот отстранился, примиряюще поднимая руки.

— Ты мне кто? Отец? Дед? Это что за индийский кинофильм? Может, мне станцевать и спеть песню потерянной и найденной дочки?

— Ты мне не родственница! — повысил голос Гесер. — В твоем роду были Светлые, у тебя был потенциал Великой, этого было достаточно! Да, мы тебя использовали, мы свели тебя... с надлежащими кандидатами. И вписали в твою судьбу рождение Надежды! Но это все, а я тебе — никто!

— Как приятно это слышать! — воскликнула Светлана и залепила Гесеру пощечину.

Схватившись за щеку, Великий Светлый растерянно смотрел на нее.

— Я об этом давно мечтала, — сказала Светлана радостно.

— За меня тоже добавь, — попросил я.

— С удовольствием! — И Светлана добавила. После чего развернулась и пошла к Наде. — Все, мы уходим!

— Мир погибнет, девочка, — сказала Арина.

— Да мне плевать! — отозвалась Светлана. — Раскомандовалась, старая ведьма! Или ты мне тоже — мать, бабка, прабабка?

— Чур-чур меня! — Арина всплеснула руками. — Нет. Только все мы, женщины, — сестры! И что бы там мужчины ни творили — нам за жизнь отвечать, так? А ты же докторица, ты клятву Гиппократову давала...

— Присягу советского врача, — мрачно ответила Светлана. Но — села рядом с Надей, привлекла ее к себе.

— Успокойтесь все, — примиряюще продолжила Арина. — Нашли повод ссориться. А то ты не знала, Света, что тебя к рождению Нади подводили да готовили. Ну и что с того? Дочка умница и красавица. Неужто жалеешь? А ты, Антон?

Этот старый хрыч имел шуры-муры с твоей бабкой. Ты и бабку-то почти не помнишь, а про деда разве вспоминал когда? Был и сплыл. Ну вот он, твой биологический дед. Что с того?

— Как что? — спросила Надя. — Меня в классе спрашивали: «Городецкая, ты еврейка?» Я отвечала, что нет у нас в роду евреев. Оказывается — есть! Я всех обманывала!

И вот это внезапно разрядило напряжение. Первым начал хохотать Завулон, похрюкивая и колотя руками по столу. Начал улыбаться Гесер, все еще не отнимая руки от первой пострадавшей щеки. Улыбнулась Ольга; покачала головой, но не смогла задавить смешок Светлана.

— Успокоились? — миролюбиво спросила Арина, и я вдруг заподозрил, что наша веселость вызвана каким-то ее заклинанием — ведьмовским, тонким, незаметным. Она такие вещи хорошо умела. — Теперь продолжим о деле. Дозор Шести состоял из представителей шести Великих Сторон...

— Как неожиданно, — сказала Светлана.

— Во-первых, это вампир, — произнесла Арина. — Представитель древнейших Иных. В Шестом Дозоре вампирскую коллегию представлял Витезслав.

— Мир его праху, — произнес Завулон. — Ах, Костя, ах, паршивец — кого ухлопал!

— Собственно говоря, живых, кроме меня, уже нет, — сообщила Арина. — Во-вторых, это ведьмы. Конклав, как вы понимаете, представляла я. В-третьих, это представитель Светлых магов. Альфред Клаус Ланге.

— Погиб в поединке с Темным магом Кристофом Готье в одна тысяча сороковом году, — сказал Гесер.

— Точнее — они убили друг друга, — поправил Завулон. — С чего-то вдруг приняли близко к сердцу немецко-французские отношения того времени. Странное дело, их словно тянуло друг к другу... А! Я понял!

— Совершенно верно, — сказала Арина. — Готье у нас представлял Темных магов. Видимо, их с Ланге впрямь подсознательно и болезненно тянуло друг к другу, в Шестом Дозоре у них были очень дружеские отношения... — Она покосилась на Надежду.

— Я маленькая девочка и совершенно не понимаю ваших иносказаний, — заявила Надя.

— В-пятых — это был пророк, — сказала Арина.

— Пророк, — произнес я удовлетворенно. — Все-таки пророк. Все верно... И... Арина, я ведь знаю этого пророка?

— Знал, — кивнула Арина. — Эразм Дарвин. Хороший дядька, жалко — пил беспробудно. Особенно как память себе почистил... будто с цепи сорвался...

— Потерял смысл жизни, — негромко сказал Гесер.

Я посмотрел на Завулона, но тот молчал. Только лицо Темного мага, чьим учеником когда-то был Эразм, застыло как каменная маска.

— И Шестая сторона... — Арина помедлила. — В общем-то ее не представляет Иной в буквальном смысле слова...

— Неинициированный Иной, — сказал я. — Зеркальный маг. Верно?

Арина кивнула:

— Вы и сами почти разобрались. Зеркало. Славная девочка по имени Мария Монтессори. Забыв про службу в Дозоре Шести, она вообще забыла про мир Иных. Впрочем, она была разносторонней личностью и прожила интересную жизнь. Человеческую.

— Мы с Гесером можем назначить представителей Темной и Светлой сторон, — сказал Завулон. — У нас есть такое право. Ты можешь назначить представителя от ведьм...

— Да что уж там. — Арина покачала головой. — Я сама и пойду.

— Вампиры... у них появилась предводительница, — продолжил Завулон. — И учитывая ее непрерывное участие в

последних событиях, я предполагаю, что она к нам явится. Остаются пророк и зеркальный маг. Или?

— Зеркальный маг в Москве, мы с тобой его знаем, — холодно сказал Гесер.

— Ай, как все завязано-то, не развяжешь... — вздохнул Завулон. — Кто его притащил?

— Я его позвал, — сказал я.

— Молодец, Антошка, — кивнул Завулон.

Я сделал вид, что пропустил фамильярность мимо ушей.

— И пророк, — вступил в разговор Гесер. — Полагаю, что Глыба...

— Не Глыба, — сказал я. — Иннокентий Толков.

— Обоснуй, — попросил Гесер.

— Потому что все завязано, — сказал я. — Потому, что есть еще дополнительные условия. И исходя из них — это будет Иннокентий Толков от пророков, Завулон от Темных и я от Светлых.

Глава 5

Офис Дневного Дозора был пуст. Завулон распустил всех сотрудников, даже оперативных дежурных, еще до нашего появления. Помощи от них все равно никакой не было. Поэтому чай и сандвичи принесли Света с Надей.

— В предсказании было сказано еще кое-что, — начал я. — Помните? «Шестой Дозор мертв» — ну, это понятно. Пророки вынуждены соблюдать ритм пророчества, поэтому должны были перечислить шесть Сторон. Но пророки не могут пророчить о себе самих. Об остальных они сказали. «Пятая сила исчезла» — я думаю, что это сказано о ведьмах. Об Арине конкретно.

Арина кивнула.

— «Четвертая не успела», — продолжил я. — Это о Егоре. Если бы зеркальный маг воплотился или если бы свою функцию до конца смог выполнить Виталий Рогоза... Тогда все пошло бы иначе. Светлана бы погибла. Надя не родилась. Возможно, и я бы умер.

Света молча обняла Надю. Они почти все время теперь сидели так, рядом, прижавшись друг к другу.

— Зеркало пыталось ликвидировать не банальный перекос сил в Дозорах Москвы, — сказал я, — а глобальную проблему. Но — не успело... «Третья сила не верит» — это про нас, Светлых. Про тебя, Гесер. Мы потеряли цель, мы потеряли веру, мы потеряли надежду.

Гесер отвел взгляд.

— «Вторая сила боится». — Я кивнул Завулону. — Извини, дедушка, но это про тебя.

Завулон оскалился в улыбке.

— «Первая сила устала», — закончил я. — Вампиры. Они и были первой силой среди Иных. Они устали. Устарели. Выродились. Мы оказались лучшими хищниками, чем пьющая кровь нежить.

— Хорошо, но при чем тут состав Шестого Дозора? — спросила Ольга.

— Сейчас продолжу, — сказал я. — А пока хорошо бы вызвать к нам Егора и Иннокентия.

— Уже, — сказал Гесер. — Я пока с тобой не согласен, но их везут. Говори дальше.

— Еще есть то, что сказала Лилит. — Я посмотрел на Завулона. — Но вначале я хотел бы знать, кто она такая и какое отношение имеет к тебе.

— Она из первых, — сказал Завулон. — И когда-то, очень давно... она мне покровительствовала.

Я ждал.

— Мне кажется, что та кровь, что во мне, течет и в ней, — неохотно продолжил Завулон. — Она жила с самых древних времен. Таилась ото всех, даже в Конклав не входила. Но мне была кое-чем обязана. И я был обязан ей. Может быть, она была среди тех, кто встретил Двуединого. Я надеялся, что тебе Лилит скажет больше. По той же причине, по которой она общалась со мной.

— Кровь, — сказал я.

— Да, кровь.

Я вспомнил древнюю тварь, рассыпавшуюся в прах в моем доме. Может ли быть такое, что от нее я веду свой род? Что от нее ведет свой род Надя?

Все может быть. Мы не выбираем предков. И мы не обязаны отвечать их ожиданиям.

— Кое-что из сказанного ею просто подтверждает другую информацию, — сказал я. — Она перечислила стороны, только по-своему. Порожденная Светом — Светлая.

Никто не стал спорить.

— Порожденный Тьмой — Темный.

И снова никто ничего не сказал.

— Тот, кто взял чужую Силу, — вампир.

Гесер кивнул.

— Тот, кто не имеет своей Силы, — зеркальный маг.

Кивнул Завулон.

— Тот, кто видит, — пророк.

Светлана вздохнула.

— Тот, кто чует, — ведьма.

Арина подняла руку.

— Но главное, что она сказала, было очень... вампирским. Древним. Всех Шестерых должна связывать главная сила. Первая сила. Кровь.

— Петр, вампир-неандерталец, говорил, что во всех живущих на Земле есть его кровь, — напомнила Ольга. — В принципе он прав. И все мы одной крови.

— Да, но я все-таки думаю, что имелось не такое гомеопатическое разведение, — сказал я. — И тогда все очень просто. Среди нас обязана быть Надя — она Абсолютная волшебница. Единственная сила, способная справиться с Сумраком, в каком бы воплощении тот ни был.

— Но я не смогла, — сказала Надя. — Папа, я не боюсь. Но у меня ведь не вышло.

— Тогда ты была одна, — сказал я. — Сейчас ты будешь в Дозоре. Надя — от сил Света. От сил Тьмы — ты, Завулон.

Ты и только ты, поскольку ты связан с Надеждой — через меня. Пророком может быть только Иннокентий. Они с Надей побратались. Они связаны.

— Ножичком пальчики порезали, кровью расписались? — спросил Завулон недоверчиво. — Это же смешно. Детская игра!

— Смотря как ты к этому относишься, — тихо сказал Гесер. — Хорошо. Иннокентий Толков.

— Егор. Зеркальный маг.

— И что с ним? — поинтересовался Завулон. — А может, он твой сын, Городецкий? Это было бы неожиданно!

— Когда-то я спас его от вампирши, приманившей его Зовом. Между ними связь крови. И, кстати, тем же Зовом с ними связан я, а через меня — Надя и ты, Завулон.

— Если это действительно та вампирша, вернувшаяся из посмертия, — заметил Темный.

— А кто бы еще? — спросил я.

— Но где она? — продолжил Завулон.

— Она сказала, что придет в нужный час. Она уже приходила, нет оснований не верить.

— Допустим, — согласился Гесер. — Но какая кровь соединяет Арину с кем-то из вас?

— Может, ты сама ответишь? — спросил я ведьму.

Арина всплеснула руками.

— Ну вот же неугомонные! Что вам эта кровь сдалась? Не было в нашем Дозоре Шести никаких связей по крови... — Она на миг задумалась. — Может, и были, слегка-то, по молодости лет... но никто ничего не требовал. Что вы ту Лилит вздумали слушать? Да за одно имя мерзкое, сатанинское не стоит ее словам значения придавать!

— Арина, скажи, — попросил я.

— Может быть, я потерянная в девичестве бабушка Завулона? — предложила Арина. — Да не знаю я, что ж вы пристали-то? Нет у меня детей, единственная дочь в дитячестве померла, а потом ведьмовская немощь свое взяла — и никого уже мне не родить. Кусать никого не кусала, вампиры... тоже...

Она замолчала, закусив губу.

— Что? — спросил я.

— Ерунда, — твердо ответила Арина. — Ко всем перечисленным отношения не имеет. Если вы так уверены, что вам нужны кровные узы с ведьмой, — ищите другую.

Я впервые почувствовал, как моя уверенность тает.

— Нет, связь должна быть, — пробормотал я. — Ведь все складывается...

— Антон, — тихо сказала Светлана. — Я что-то не поняла. Ты хочешь сказать, что в Шестой Дозор входит наша дочь, а также — Завулон, Арина, Егор, Кешка и та вампирша? Даже имени которой ты не помнишь?

Я кивнул.

— Ни ты, ни я...

— Да.

— Ты с ума сошел, — сказала Светлана ледяным голосом. — Ты рехнулся, Городецкий. Ты хочешь отправить дочь на смертельно опасную схватку в компании веселящегося без повода Темного мага, вернувшейся с того света вампирши, страдающего полнотой мальчишки, неинициированного Иного, работающего фокусником, и старой ведьмы?

— Я, между прочим, сменила цвет, — напомнила Арина. — Я теперь Светленькая и чистенькая целительница. Как ты.

— Старого кобеля не отмоешь добела, — бросила Светлана.

— Это факт, — легко согласилась Арина. — Но я Светлая. И знаешь, Светлана... Антон ведь прав!

Мы с Ариной посмотрели друг на друга.

— Молчи, ведьма, — сказал я. — Молчи.

— Каждый обидеть норовит, — вздохнула Арина.

Мы смотрели друг другу в глаза. И мне казалось, что мы говорим — это не был тот магический разговор, что способны вести Иные, это вообще не было разговором — просто мы сейчас думали об одном и том же.

«Вот как, значит, — думала Арина. — А как ты понял, Городецкий?»

«Как-то понял», — думал я, глядя на лицо ведьмы. Она то ли сняла свою маскировку, то ли я начал видеть сквозь нее — давняя красота исчезла, но и подлинное жалкое обличье не проявилось. Арина была просто старой печальной женщиной.

«Иначе ведь не бывает. Нигде, никогда и ничего».

«Это ты прав, Городецкий. Но лучше бы сказать. Поверь... ведьме».

«Нет. Не сейчас».

Светлана тревожно смотрела на нас. Потом сказала:

— Мне все больше и больше не нравится происходящее. Гесер... Завулон... Вам не кажется, что эта парочка о чем-то умалчивает?

— Тебе виднее, — дипломатично ответил Завулон.

— Антон Городецкий, я прошу тебя ответить, — произнес Гесер. — Как твой начальник, как твой учитель...

— Как тот, кто вопреки предначертанному сделал тебя Светлым, — мстительно добавил Завулон.

— Что ты скрываешь? — продолжил Гесер. — Я тебя знаю, Антон. Ты никогда бы не отправил дочь в столь опасную компанию без себя или жены. Несмотря ни на какие пророчества!

— Я уверен, что членам Шестого Дозора ничто не угрожает в схватке с Двуединым, — сказал я.

Гесер пристально вглядывался в меня. Пожал плечами и сообщил во всеуслышание:

— Кажется, он уверен в своих словах. Учитывая способность Антона принимать нестандартные, но правильные решения — я готов ему поверить.

Светлану это не успокоило. Но, к счастью, в этот момент двери кабинета открылись, и вошли четверо: Егор, о чем-то оживленно беседующий со старым боевым магом Марком Жермензоном, и насупленный, недовольный Кеша, которого ласково обнимал за плечи пророк Сергей Глыба.

— Я все-таки перестраховался с парнишкой, — пояснил Гесер.

— И правильно сделал! — громко объявил Глыба. — Я уже все ему объяснил, и Кеша согласился, правда, Кеша? Сатурн в Весах, год на переломе. Луна ночью была скрыта тучами.

— Сегодня было новолуние, — сообщила Арина.

— Да? — удивился Глыба. — Но все равно тучи-то были. Так что Кеша согласен, в Шестой Дозор должен идти я...

— Ничего я не согласен. — Кеша досадливо повел плечом, сбрасывая его руку. Увидел Надю, и у него загорелись глаза, он сразу как-то подобрался, даже живот втянул.

Хороший мальчик. Ну и пусть он неуклюжий и полный.

— Спасибо, что пришли. — Гесер встал и двинулся вперед, без спросу беря на себя роль хозяина. Завулон картинно развел руками, возмущенно покачал головой, но ничего не сказал. — Почти все мы знакомы... ты меня помнишь, Егор?

— Помню, — ответил тот. — Вы не изменились.

Гесер кивнул.

— А вы выглядите лучше, чем тогда, на крыше, Завулон.

Егор был очень спокоен. Даже умиротворен.

— Здравствуй, Егор, — сказала Светлана. — Меня зовут Светлана, я жена Антона. Это Надя, его дочь.

— А я ведьма, — сказала Арина. — Просто ведьма.

— Привет, — кивнул Егор. — Очень приятно.

Он подошел к Арине, протянул руку и достал из ее волос крошечный алый цветок. Вручил ей. Потом совершенно невозмутимо проделал то же самое со Светланой и Надей.

— Я не почувствовала никакой магии, — удивленно сказала Надя, разглядывая цветок.

— Это не магия, это ловкость рук. — Егор вежливо поклонился. — Как я понял, у нас будет команда, которая сразится с монстром ради спасения всего мира. И мне отводится важная функция.

— Можно сказать и так, — подтвердил Завулон.

— Я готов, — кивнул Егор. — О последствиях предупрежден, претензий не имею, участвую на свой страх и риск. Надо где-нибудь расписаться?

— У нас без бюрократии, — сказал Гесер. — Садись. Будешь чай, кофе? Бутерброды?

— Кофе, — кивнул Егор, проходя к столу. Мне он пожал руку, Завулон тоже потянулся через стол — и Егор, помедлив миг, обменялся и с ним рукопожатием.

— Ольга, принеси, — скомандовал Гесер. — Эспрессо Егору, латте мне.

Ольга развела руками точно так же, как Завулон, когда Гесер начал командовать. Мой любимый шеф не только считал себя главным в любой ситуации, он и к женщине, даже любимой, относился с простотой времен своей молодости. За чаем-кофе для гостя положено ходить женщине — и точка. И точно так же Ольга не стала ничего говорить, а вышла из кабинета в приемную, где у стола секретарши стояла кофемашина.

— А мне воды без газа! — сказал вслед Жермензон, прошел к Гесеру и сел с ним рядом.

— Мы еще кого-то ждем? — спросил Егор.

— Да, у нас тут ожидается шестой член команды, — уклончиво сказал Гесер.

— Как-то туманно, — сказал Егор. Посмотрел на меня.

— Извини, я должен был сказать, — пояснил я. — Это вампирша. Та, что когда-то на тебя нападала.

К моему удивлению, у Егора не дрогнул ни один мускул на лице. Он поскреб кончикам пальца над бровью, задумчиво сказал:

— Ее же упокоили. Мне говорили.

— Иногда они возвращаются. Но она вроде как на нашей стороне, Егор. Она помогла нам отбиться от Двуединого, когда тот появился в первый раз. А потом захватила власть в собрании вампиров.

Егор удивленно посмотрел на меня. Произнес — я даже не сразу понял, что это слова старой песни:

— «Она так умна, она так тонка, она читала все, что нужно, это наверняка; она выходит на охоту, одетая в цветные шелка...» Антон, ты говорил, что та была неопытная молодая вампирша. Они что, если воскресают — делаются такими сильными?

— Вот! — громко сказал Завулон. — Даже неопытному парню понятно, что это чушь! И я тебе говорю, Гесер! Не может это быть она! Не может! Никакое восстановление усопшего вампира не придает ему большей силы, чем у него была! Да и восстановиться он не может, пепел развеян над морем, нечего восстанавливать!

Гесер пожал плечами:

— А кто? Она писала Антону послания, она проникла к нам в офис и давала ему советы, она защитила всю семью Городецких — на наших глазах!

— Не она, — твердо сказал Завулон. — Не знаю. Любая другая вампирша, они все мастера иллюзий.

— Мальчики, не ссорьтесь! — крикнула из приемной Ольга. — Мы ведь кого-то ждем?

Гесер и Завулон замолчали.

— В дверь стучат, — пояснила Ольга. — Я открою.

Сергей Глыба как-то очень сноровисто переместился к окну, по пути прихватив за руку Кешу, разговаривавшего с Надеждой. Жермензон, напротив, встал и выдвинулся ближе к двери. На лице старого боевого мага появился азарт.

Я тоже встал и разместился между семьей и дверью.

— Так вот оно что, — раздался голос Ольги. — Любопытно. Входи.

— Красиво держит паузу, — прокомментировал Завулон.

Вначале в дверь вошла Ольга. Посмотрела на меня загадочным и задумчивым взглядом. Сдвинулась в сторону.

Потом вошла молодая девушка, одетая в джинсы и нейлоновую куртку. Снег лежал на воротнике так, как никогда не лежит у живых людей, вошедших в помещение, — только у вампиров, которые холодны как лед. И эту вампиршу я помнил. Худое скуластое лицо, запавшие темные глаза. Когда организм вампира стабилизируется, это клеймо вечного голода прячется, уходит вглубь. Но эта вампирша не успела вырасти в полноценную особь. Ее развоплотили за нелицензированную охоту и нападение на дозорных.

— Я же говорил, что прав! — сказал Гесер торжествующе.

— Привет, — сказал я вампирше. Что можно сказать мертвому врагу, восставшему из ада? Тем более врагу, который когда-то казался страшным и опасным, а оказался слабой пешкой в чужой игре. А потом внезапно стал поразительно сильным другом.

Вампирша посмотрела на меня. Тень узнавания мелькнула на ее лице, сменилась бессильной злобой. Нет, не могла вампирша, которая так смотрит, меня спасать... И вдруг ее лицо поплыло, меняясь и трансформируясь, тело стало вытягиваться вверх, фигура становилась мужской. Это была иллюзия, которую так любят вампиры, но одновременно это был полноценный морфинг, доступный лишь Высшим вампирам.

— Нет, — сказал я, глядя на лица, проступающие одно за другим. — Нет!

Вампир Витезслав из Инквизиции. В его взгляде тоже было узнавание и даже какая-то симпатия, потом он увидел Арину и явно порывался что-то ей сказать... но ему на смену выплывало уже новое лицо, и я болезненно поморщился, увидев Геннадия Саушкина, развоплощенного мной в Эдинбурге, когда-то законопослушного добряка — насколько это возможно для вампира, а потом — сумасшедшего убийцу...

Каким-то образом я понимал, что все они — ненастоящие. Это не ожившие вампирша, Витезслав, Саушкин, втиснутые в одно тело и живущие в нем. Это нечто другое. Какая-то маскировка, но настолько качественная, глубокая, что маски становятся почти живыми, почти настоящими.

Почти. Но это все-таки маски. Надетые на кого-то...

«Геннадий» тоже меня узнал и с каким-то смущением потупил глаза, будто ему было стыдно передо мной, его палачом, но на поверхность выходило еще одно лицо, похожее, — но куда моложе.

— Вот только не это... — сказал я.

Костя виновато развел руками.

— Извини. Но это я. В центре матрешки — я.

— Я тебя убил, — сказал я. — Дважды. Ты сгорел в космосе...

Костя кивнул. Поморщился и поправил:

— К счастью, я вначале замерз.

— Потом я развоплотил вас всех на шестом слое, — продолжил я. — Заклятие Мерлина... Ты хочешь сказать, что Мерлин ошибся?

— Мерлин не ошибся. — Костя покачал головой. — Но у Сумрака оказалось другое мнение на этот счет. Он меня... — Костя помедлил, подыскивая слово: — Поднял.

— Интересно зачем? — подал голос Завулон.

— Здравствуйте, шеф! — Как это ни было смешно и нелепо, но к Завулону Костя обратился с почтительностью и даже легкой опаской. — Извините, что я так неожиданно.

— Зачем? — повторил Завулон.

Костя расстегнул молнию куртки, которая стала ему тесна.

— Видимо, ради Шестого Дозора. Чтобы он был собран. Вы не смогли бы сделать это сами, извините.

— Потому что мы всё забыли? — поинтересовался Завулон.

— Нет, — поколебавшись, ответил Костя. — Потому что если бы здесь не было меня — Шестой Дозор не смог бы победить Двуединого даже теоретически. А Сумрак играет честно.

— Так что получается, Сумрак на нашей стороне? — уточнил Гесер с живейшим интересом.

— Он на своей, — сказал Костя. — Но, видите ли, есть правила, и он их соблюдает. Был заключен договор между Иными и Двуединым. Договор должен быть исполнен или расторгнут. Для этого должны быть обе стороны. И у обеих сторон должен быть шанс.

— Как ни странно, я рад тебя видеть, — сказал я.

Костя серьезно кивнул.

— Как ни странно, и я тоже. Это очень странное существование, в котором я нахожусь. Но оно лучше, чем ничто.

— Зачем он с тобой так? — спросил я.

— Я с ним не разговаривал. — Костя пожал плечами. — Но я думал об этом. По-моему, для Сумрака просто нет разницы. Раз вампир, два вампир... Он мог вернуть в мир любого, но выпало мне. Может быть, потому, что я убил Витезслава, прежнего вампира Шестого Дозора? И стал с точки зрения Сумрака его правопреемником? Но еще Сумрак дал мне немного от других. Даже от отца почему-то.

— Геннадию Саушкину я давала свою кровь, — негромко сказала Арина. — Он пытался повторить твою «пропись», поднять свой уровень. Надеялся, что кровь ведьмы поможет.

— Вот и кровная связь, — сказал я. — Все началось из-за вампиров, все вокруг них и крутилось. Ими Сумрак и сцепил нас всех воедино.

— А теперь заставит делать выбор, — кивнул Костя. — Ты извини, но я вынужден спросить. Не то чтобы я командую, но у нас осталось совсем мало времени... Пришлая сила уже на пороге. Ты должен выбрать. Кто входит в Шестой Дозор?

Я посмотрел на Гесера. Тот кивнул:

— Ты решай... тебя спрашивают.

Он как-то ссутулился, обмяк. Будто воздух из него выпустили.

— В Шестой Дозор входишь ты от вампиров, — сказал я. — В Шестой Дозор входит Арина от Конклава ведьм. В Шестой Дозор входит Иннокентий от пророков.

— Как глава ассоциации предсказателей и пророков я не... — Глыба осекся, глядя на меня. Или уже не на меня? А в будущее? — Я не против... — закончил Глыба растерянно.

— В Шестой Дозор входит Егор от зеркальных магов, — продолжил я. — Поскольку в мире не бывает больше одного Зеркала одновременно — он сам себя утверждает. В Шестой Дозор входит Завулон от сил Тьмы — по праву, данному ему Инквизицией, главами Дневных Дозоров и кровью Лилит, самой старой из Темных Иных. В Шестой Дозор входит... — я посмотрел на Светлану, покачал головой, — Надежда Городецкая, моя дочь, по праву Абсолютной Светлой волшебницы.

— Шестой Дозор созван, — сказал Костя. Помолчал, потом добавил: — Поскольку всем вам, присутствующим, это важно, я могу сделать маленький намек. Шестой Дозор созван правильно. У нас есть возможность расторгнуть договор с Двуединым.

— То есть мы способны победить, — радостно сказала Надя, делая шаг вперед. — Спасибо, пап.

Я улыбнулся дочери, но покачал головой:

— Нет, конечно. Ты же его видела. Это даже не Тигр, он Тигра смял. И весь ведьмовской Конклав не сумел ему помешать. Может быть, ты бы смогла, ты же равна ему по Силе. Но он хитрее, и он привык убивать. И ты при этом убила бы весь Сумрак, а оно нам надо?

Надя нахмурилась.

— Никакого поединка не будет, девочка, — тихо сказала Арина, подошла к ней. — Теперь и я поняла, дура старая. Мы можем только расторгнуть договор. Признать его утратившим силу.

— Он идет, — сказал Кеша. — Он идет и...

Взгляд парнишки вдруг остановился на мне. И теперь уж я не сомневался — он увидел будущее. Увидел и замотал головой.

— А какие варианты? — спросил я. — Сам знаешь — нет их.

В приемной раздались шаги, и те, кто вошел в Шестой Дозор, непроизвольно сдвинулись друг к другу. Даже Завулон со вздохом поднялся из-за стола и приблизился к ним.

А я остался на месте, ближе к дверям.

— Антон! — крикнула Светлана.

— Оставайся на месте! — приказал я.

Двуединый показался на пороге. Он снова изменился. Светлый маг Денис и Темный маг Алексей окончательно трансформировались, сплавились в одно существо. Это был человек не меньше двух с половиной метров ростом, с толстенными руками и ногами, с головой, непропорционально большой даже для такого гиганта, с выпученными глазами и полуоткрытым зубастым ртом. Он был гол и абсолютно лишен признаков пола.

Таких страшилищ порой рисуют маленькие дети, после чего озабоченные родители начинают задумываться о визите к психологу. Маленькие дети порой вспоминают то, о чем забыли старики, и предвидят то, о чем не хотят задумываться взрослые.

Двуединый, наклонив голову, вступил в дверь — и в тот же миг я почувствовал, как Сумрак вздрогнул. Где-то на других концах мира, в пражских спецхранах Инквизиции и потаенных схронах ведьм под Мадридом, в региональных отделениях Ночных и Дневных Дозоров, в вампирских катакомбах Лондона, в Берлине и Тайбэе, Киеве и Сан-Франциско, Токио и Варшаве, одновременно разрядились все амулеты и артефакты, сотни и тысячи лет копившие Силу.

Исландский вулкан с непроизносимым названием взорвался, выбросив столб пепла и огня, когда сквозь его огненную основу прошел поток энергии. В Атлантическом океане американская подводная лодка попала в линию Силы, отмеченную на стометровой глубине кипящей водой, и развалилась пополам. Над Испанией легкомоторный самолет превратился в лебедя пятиметровой длины, за шею которого цеплялся обезумевший пилот. Подземный толчок тряхнул Москву, не знавшую серьезных землетрясений, с силой в шесть баллов, разрушив только что построенную и сданную в эксплуатацию эстакаду. В воздухе повис звенящий гул.

Двуединого опутало сетью зеленого огня. Он взвыл, раскинул руки, пытаясь порвать магические путы. Но те не поддавались. Тут было много, очень много Силы — больше, чем мог выдержать даже Сумрак.

Кабинет разгородило мутным белесым Щитом — даже сквозь него пылающая сеть грозила выжечь сетчатку. Двуединый пошатывался, пытаясь устоять, — а сеть сияла все ярче, энергетические линии утолщались, превращались в канаты, ощетинившиеся иглами разрядов, резали его плоть, входили в тело.

— Ну же! — закричал Гесер с азартом охотника, добивающего раненого зверя.

Зеленое пламя вошло в тело Двуединого, сияние поблекло. Щит угас. Двуединый стоял, будто прислушиваясь к чему-то в своем чудовищном теле. Потом он рыгнул — и изо рта его вырвался клуб смрадного зеленого дыма.

Стало тихо, только на столе звенели чашки и блюдца. Потом с печальным прощальным звоном раскололась чашечка с недопитым эспрессо.

Двуединый поднял голову и тихо зарычал.

— Все-таки следовало попытаться, верно? — извиняющимся тоном произнес Завулон.

Двуединый шагнул вперед.

— Шестой Дозор создан! — Арина шагнула вперед, встала рядом со мной. — Двуединый, Шестой Дозор создан, по праву кровавого завета мы требуем переговоров!

Взгляд Двуединого остановился на ней. Гигант помедлил и спросил холодным равнодушным голосом:

— Кто входит в Дозор Шести?

— Я, Арина, от ведьм. Завулон от Темных. Надежда от Светлых. Егор от зеркальных. Иннокентий от пророков. И... — Арина на миг запнулась, — Константин от вампиров.

— Начну говорить с ним, — решил Двуединый. — По праву первых Иных его голос — вначале.

Костя вышел к Арине.

— Я, Темный Иной, Константин Саушкин, Хозяин Хозяев...

— Обман, — вдруг произнес Двуединый. — Ты мертв.

— Я давно мертв, — холодно сказал Костя. — Я мертв трижды. Я умер, когда стал вампиром, инициированный родным отцом. Я умер вдали от Земли, оторванный от Силы. Я умер на шестом слое Сумрака, убитый Антоном Городецким. Я нежить. Тебе ли возмущаться, что мертвый пришел в Дозор?

— Ты мешал мне.

— Я исправлял твою ошибку. Ты не имел права нападать на будущего члена Дозора Шести.

Двуединый помедлил. Потом сказал:

— Говори.

— По праву вампиров, первых Иных, заключивших завет с тобой, я разрываю его отныне и навсегда. Не все должно решаться так просто, как привык ты. Я говорю — кровавый завет разорван.

— Кого ты приносишь в жертву в подтверждение своих слов? — спросил Двуединый. — Ты знаешь правила. Связаны кровью. Любовь и ненависть. Благородство и предательство. Сила и слабость.

— Я приношу в жертву Антона Городецкого, — сказал Костя, и Светлана за моей спиной вскрикнула. — Я любил его как старшего друга. Я ненавижу его как своего убийцу. Он поступил благородно, став мне другом вопреки правилам Дозоров. Он поступил подло, отправив меня умирать. Из-за него я стал сильным и из-за него стал слаб.

— Теперь говори ты, ведьма, — сказал Двуединый, никак не отреагировав на слова Кости.

— Я, Тем... Светлая Иная, глава ведьм Конклава, — сказала Арина. — По праву ведьм, укравших свое право на Силу у вампиров и оборотней, по праву женщин, заключивших кровавый завет с тобой, я разрываю его отныне и навсегда. Слишком много крови и зла даже для нас, ведьм. Кровавый завет разорван навсегда.

— Кто жертва твоих слов?

— Антон Городецкий, — кивнула Арина. — Я любила его... — она вдруг рассмеялась, — ведь даже дряхлая ведьма вправе полюбить мужчину. Я ненавижу его, потому что он не замечал моей любви, он любит другую и никогда не стал бы моим. Он поступил благородно, не замечая моей любви, и он поступил подло, не заметив ее. Ему я отдала бы свою Силу, но ему не нужна даже моя слабость.

— Зеркало, — сказал Двуединый.

Егор вздохнул.

— Ну как там... Я, Егор Мартынов, неинициированный Иной, зеркальный маг... наверное. По праву... — он на миг замолчал, — по праву стороны, которая хранит равновесие, по праву стороны, которая реализует себя только в смерти. Я разрываю кровавый завет, потому что равновесие надо выправлять как-то иначе. Не разрушая все. Разрываю навсегда, и бла-бла-бла, как там положено.

— Твоя жертва?

— Антон Городецкий, — сказал Егор. — Я люблю его, он меня спас. И ненавижу, он меня подвел. Он поступил благородно, потому что защищал мое право на свою судьбу, но поступил подло, потому что для него важнее была его собственная судьба. Он показал мне Силу, и я выбрал слабость. Вот. Как-то так.

— Пророк? — произнес Двуединый.

— Я — Иннокентий Толков, — сказал Кеша. — Пророк. Светлый. Первый уровень. Я от всех пророков, потому что только я гожусь. Я разрываю кровавый завет, потому что в нем нет будущего, а я хочу его видеть. Отныне и навсегда.

— Жертва?

— Антон Городецкий... — едва слышно сказал Кеша. — Он как бы тоже меня спас. Но дело даже не в этом, я его люблю, потому что он отец Нади. И я... я его ненавижу. Потому что я должен был назвать его имя, и он понял, что я назову. И он благородно себя вел, никогда не мешал мне дружить с Надей, хотя я знаю, что я ему не нравлюсь, он считает меня увальнем, рохлей и слабаком. И... и я подлец... потому что мы с Надей его обманываем. И у меня есть Сила, и я знаю, что она не только предсказывает будущее, она его меняет, но я слабак... и не могу поменять будущее так, чтобы назвать другого...

— Темный, — сказал Двуединый.

— Это я, я это, — подтвердил Завулон, не делая даже попытки сдвинуться с места. — Завулон, Темный, Высший, от Темных, что понятно. Я разрываю кровавый завет, это архаизм, нерациональное использование материала. Отныне и до конца времен. Моя жертва — Антон Городецкий. Я его люблю — он самый удачный из моих потомков. Я его ненавижу, он стал Светлым, и ему это нравится, вот за то, что нравится, — особенно ненавижу. Он хороший, благородный враг, но он готов на подлые приемы, и это меня особенно бесит, из него вышел бы величайший Темный. И я сильнее его и, пожалуй, всегда остался бы сильнее, но сделать то, что он сейчас делает, я не смогу. Вот в этом я слабее. Я порой что-то такое пытался сделать, но всегда вовремя останавливался, а он останавливаться не умеет.

— Светлая, — произнес Двуединый.

Я не выдержал, обернулся и посмотрел на Надю. И кивнул ей, потому что ей сейчас было очень, очень плохо, а поддержать я ее никак не мог и защитить — тоже.

— Я — Светлая, Высшая, Надежда Городецкая, — сказала Надя. Голос у нее был никакущий, от такого голоса кровь стыла в жилах. — Я разрываю кровавый завет. Я его ненавижу. Может, когда-то это и было лучшим и правильным выходом, только то время давно ушло. Я его разрываю навсегда. Пусть будет одно только добро или одно только зло, если люди этого заслужили. Но хватит этого равновесия, равновесие добра — это всегда еще и равновесие зла. Я... я...

— Должна назвать жертву, — сказал Двуединый.

— Моя жертва... — Надежда замолчала, глядя на меня. Я ободряюще кивнул ей. Тут ничего нельзя было поделать. Совсем ничего. — Моя жертва — Антон Городецкий, мой отец. Я... я люблю его, потому что он мой отец, и этого достаточно. Я его ненавижу! Ненавижу, потому что это я должна была стоять на его месте, а он на моем, но он все понял раньше меня и сделал так, как хотел! И это, наверное, до фига как благородно с его стороны, только это подло, подло, подло! И я бы отдала всю свою Силу, она мне не нужна, я готова жить простым человеком, но я слишком слабая, чтобы тебя убить, но я стану сильнее, и я вытрясу из тебя твою мерзкую душонку спящего божка, я пройду через Сумрак и выжгу тебя, начисто, или придумаю дефолианты для Сумрака и отравлю все его слои, ты что, думаешь, я дура, не понимаю, в чем ты прячешься и из чего состоишь, синяя мшистая дрянь!

Наступила тишина, в которой было слышно только ее громкое дыхание.

— Дозор Шести сказал свое слово, — произнес Двуединый. — Кровавый завет разорван. Больше никто не хранит равновесие добра и зла среди людей. Вы вольны жить сами и убивать себя сами. Ваша судьба отныне в ваших руках.

На какой-то крошечный миг мне показалось, что он развернется и уйдет. Как поступил когда-то Тигр. На какой-то крошечный миг имя дочери показалось мне волшебным талисманом, который сохранит меня на краю.

— Я принимаю вашу жертву, — сказал Двуединый.

Краем глаза я увидел, как он поднимает свои лапищи, вытягивает их в мою сторону. Но мне не хотелось поворачиваться. Я смотрел на дочь, на жену, которую крепко держала Ольга. Где-то там был еще Гесер, вырастивший из меня того, кем я стал; мой неожиданный Темный дедушка Завулон; старая ехидная ведьма Арина с ее неуместной любовью; юный пророк Кешка, который обнял плачущую Надю за плечи; храбрый и хороший человек, который вырос из перепуганного мальчика Егора; старые тертые калачи Жермензон и Глыба...

Но я смотрел на дочь и жену, стараясь улыбаться как можно искреннее, чтобы они запомнили эту улыбку и знали, что я ими горжусь.

А потом льдисто-синее и огненно-красное ударило мне в спину.

Эпилог

Кладбище — место нерадостное в любое время года. Весной, когда воздух прохладен и свеж, а деревья окутаны зеленым дымом свежей листвы, думать о смерти особенно неприятно. Летом, в жару, когда поднимается запах сухой земли, кладбище кажется затаившимся хищником, готовым наброситься на тебя. Осенью, под серым дождливым небом, кладбище отвратительно и тоскливо.

Но хуже всего зимой. Стылая земля не поддается лопатам, а при мысли о том, что сейчас в ней кто-то останется навсегда, мороз пробегает по коже.

Это было старое кладбище, в самом центре Москвы. Хоронили здесь очень, очень редко, людей либо очень известных, либо очень богатых. Нет, конечно, не Ваганьковское и не Новодевичье. Но центр Москвы всегда в цене — и для живых, и для мертвых.

— Мы нечасто хороним кого-то из наших, — сказал Завулон. — Обычно нечего хоронить... вместе со Светлыми мы тоже собираемся нечасто.

Он постоял, кутаясь в теплое пальто. Потом снял перчатки, взял из рук держащегося за спиной помощника венок с надписью «От Дневного Дозора Москвы» и положил на свежую могилу. Постоял, склонив голову.

— Прощай. Ты честно нес службу.

Гесер вообще не надевал перчаток. То ли привык к холоду в дни своей давней тибетской юности, то ли рисовался непритязательностью. Ему венок «От Ночного Дозора Москвы» подала Ольга.

— Трудная судьба, — сказал он. — И трудная смерть. И... и все равно ты был одним из нас и останешься им навсегда.

Он потоптался на месте. Потом посмотрел на Завулона, достал из кармана пальто фляжку, протянул тому:

— Давай... по русскому обычаю... проводим.

— Вот уж нашел русский обычай — французский коньяк на кладбище из горла хлестать... — негромко сказала Света. И взяла меня за руку.

Завулон сделал глоток вслед за Гесером, сморщился, потом протянул флягу мне:

— Антон?

— Я не буду, если можно, — сказал я. — Мне теперь надо беречь здоровье. Здоровье человека — самая большая его ценность.

— Антон, перестань. — Завулон укоризненно смотрел на меня. — Мы твое здоровье беречь будем. И лечить, если что, всеми силами обоих Дозоров. Ты заслужил.

— Мне не хочется пить за них, — сказал я, кивнув на могилу, где в огромном гробу лежало чудовищное тело Двуединого, бывшего Светлого мага Дениса и Темного мага Алексея. — Все-таки он меня убил. В какой-то мере.

— Все мы рано или поздно уйдем, — ответил Гесер. — Иные бессмертны, но...

— Но люди смертнее, — закончил я. — Простите, не буду. Они не виноваты. Но за своих убийц не пьют.

— Он тебя, можно сказать, пожалел, — напомнил Гесер. — Мог ведь и убить. Просто и окончательно. Развоплотить. Сжечь. Вытянуть Силу начисто.

— А он и убил, — сказал я. — Сделав меня человеком, он меня убил. Пусть не сейчас, но... двадцать лет. Тридцать. И все.

— Люди так и живут, папа, — сказала Надя.

Она стояла рядом, держась за руку Иннокентия.

— Ладно, — сдался я и взял из рук Гесера фляжку.

Коньяк обжег горло. Я закрыл глаза, прислушиваясь к себе. Попытался посмотреть сквозь веки, сквозь Сумрак. Конечно же, ничего не получилось.

— Земля пухом, доброго Сумрака... — пробормотал я, возвращая флягу.

Все уже потихоньку расходились. Пусть похороны и были совместными, но поминки у Светлых и Темных будут разными. Два маленьких автобуса, стоящие у входа на кладбище, повезут дозорных разными путями.

Костя Саушкин махнул мне рукой, но приближаться не стал. Правильно, я считаю. Сумрак оставил его на Земле. Вернул то, что заменяет вампирам жизнь. Но то, что мы были друзьями, не меняло того, что я убил его, а он — убил меня.

— Пойдем, — сказал Семен, подходя ко мне. — Ну... надо. Положено так. Не обижайся ты на Дениса, он на работе сгорел...

— Я потом подъеду, — сказал я.

Семен смутился. Засунул руки в карманы потрепанной нейлоновой куртки.

— Ну... Антон... Ты же это... Ресторан Сферой Отрицания накрыт... Ты не пройдешь сам.

Он был прав, конечно.

— Я его проведу, — сказала Светлана. — Езжайте, ребята. Мы следом.

Мы шли нарочито неспешно – я, Светлана, Надя. И Кешка, конечно. Куда от него деваться. Может, они с Надей и разбегутся в разные стороны через пару месяцев... или через сотню лет. Но Кешка явно видел в будущем что-то более оптимистичное на их счет. Придется его терпеть.

— Известные люди тут... — негромко сказала Надя. — Гляди, это же мультипликатор знаменитый! А это писатель... Ой, я же его книжки читала!

— Да, приличные люди собрались, — сказал я. — Двуединый должен быть доволен.

— Папа, ну перестань! — попросила дочь. — Он тебя не убил, это самое главное!

Я вспомнил, как они со Светланой рыдали, обнимая меня. А я сидел на полу, ощупывая обгорелые остатки рубашки на одной руке и обугленные лохмотья на другой. По сравнению с обычным ударом Двуединого меня, можно сказать, поцеловали на прощание.

На прощание – потому что Двуединый в этот момент лежал у дверей. Бездыханный и мертвый, унесший в своем чудовищном теле бывших дозорных Света и Тьмы...

Я даже не сразу понял тогда, что произошло. Я был слишком рад тому, что жив. И смущенный взгляд Гесера, и разочарованный взгляд Завулона меня не насторожили. И то, как вдруг замолчала Светлана и, отстранившись, пристально посмотрела в меня, — тоже...

А потом Надя сказала со всей беспощадной откровенностью молодости: «Папа, ты человек!»

Да, я стал человеком. Совершенно рядовым. Без малейшего потенциала Иного. С «магической температурой» намного выше того порога, где хотя бы иногда, спорадически, возникают предчувствия и способность творить мелкие фокусы. Я не выдохся, как это бывает с Иными. Я не был выжат, как это случилось со Светланой, сразившейся с Зеркалом. Я стал человеком бесповоротно и навсегда.

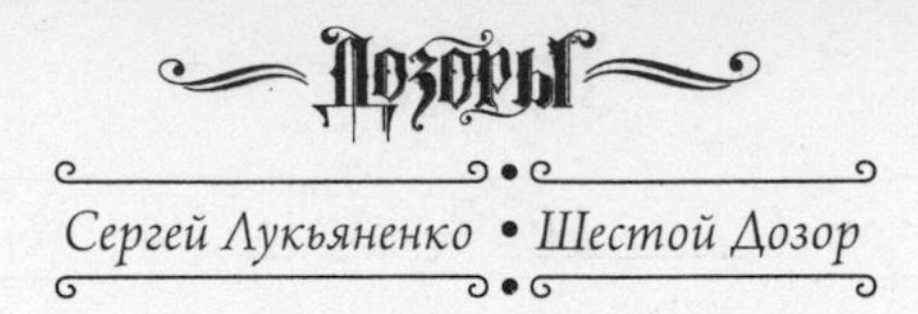

— Мне кажется, тебя пожалела та часть Двуединого, что была доброй, — сказала Надя. — Ведь верно?

Обижать дочь мне не хотелось. Она у меня умница. Но она ко всему еще и Абсолютная волшебница, и поэтому ей полезно стать еще и мудрой.

— Нет, Надя, — сказал я. — На меня очень сердилась та часть Двуединого, что была злой. Поэтому я и жив.

Надя примолкла.

Автобусы уже уехали, мы забрались в машину. Завулон обратно свой подарок не потребовал. Светлана села за руль, я не стал спорить — не чувствуя линии вероятности, я был бы на дороге слепцом.

— И все же и ты не совсем прав, Антон, — сказала Светлана. — Ты стал человеком не потому, что тебя кто-то пожалел или возненавидел. Ты стал человеком, потому что ты им был. Ты им остался, прожив как Иной четверть века, а это большая редкость. Поэтому когда Двуединый убил в тебе мага — ты остался жить.

Я кивнул. Наверное, она была права. Наверное, так оно и есть. Но даже моя мудрая жена не ответит, как мне теперь жить.

А научиться придется.

Живут же люди.

2013–2014
Москва — Лондон — Палермо

Оглавление

Литературно-художественное издание

16+

Лукьяненко Сергей Васильевич

Шестой Дозор

Фантастический роман

Компьютерная верстка: С. Клещёв
Технический редактор О. Панкрашина

Подписано в печать 20.10.14. Формат 60×90 1/16.
Усл. печ. л. 24. Тираж 70 000 экз. Заказ № EG(138).

Общероссийский классификатор продукции
ОК-005-93, том 2; 953000 — книги, брошюры

Наши электронные адреса: WWW.AST.RU
E-mail: astpub@aha.ru

ООО «Издательство АСТ»
129085, г. Москва, Звездный бульвар, д. 21, стр. 3, ком. 5

"Баспа Аста" деген ООО
129085 г. Мәскеу, жұлдызды гүлзар, д. 21, 3 құрылым, 5 бөлме
Біздің электрондық мекенжайымыз: www.ast.ru
E-mail: astpub@aha.ru

Қазақстан Республикасында дистрибьютор және өнім бойынша арыз-талаптарды қабылдаушының өкілі «РДЦ-Алматы» ЖШС, Алматы қ., Домбровский көш., 3«а», литер Б, офис 1.
Тел.: 8(727) 2 51 59 89,90,91,92, факс: 8 (727) 251 58 12 вн. 107; E-mail:RDC-Almaty@eksmo.kz
Өнімнің жарамдылық мерзімі шектелмеген.

Өндірген мемлекет: Ресей
Сертификация қарастырылмаған

Отпечатано в Италии (Grafica Veneta S.p.A.)